걸프 사태

주변국 지원 4

터키, 모로코, 쿠웨이트, 기타

걸프 사태

주변국 지원 4

터키, 모로코, 쿠웨이트, 기타

한국학술정보

| 머리말

　걸프 전쟁은 미국의 주도하에 34개국 연합군 병력이 수행한 전쟁으로, 1990년 8월 이라크의 쿠웨이트 침공 및 합병에 반대하며 발발했다. 미국은 초기부터 파병 외교에 나섰고, 1990년 9월 서울 등에 고위 관리를 파견하며 한국의 동참을 요청했다. 88올림픽 이후 동구권 국교 수립과 유엔 가입 추진 등 적극적인 외교 활동을 펼치는 당시 한국에 있어 이는 미국과 국제사회의 지지를 얻기 위해서라도 피할 수 없는 일이었다. 결국 정부는 91년 1월부터 약 3개월에 걸쳐 국군의료지원단과 공군수송단을 사우디아라비아 및 아랍 에미리트 연합 등에 파병하였고, 군·민간 의료 활동, 병력 수송 임무를 수행했다. 동시에 당시 걸프 지역 8개국에 살던 5천여 명의 교민에게 방독면 등 물자를 제공하고, 특별기 파견 등으로 비상시 대피할 수 있도록 지원했다. 비록 전쟁 부담금과 유가 상승 등 어려움도 있었지만, 걸프전 파병과 군사 외교를 통해 한국은 유엔 가입에 박차를 가할 수 있었고 미국 등 선진 우방국, 아랍권 국가 등과 밀접한 외교 관계를 유지하며 여러 국익을 창출할 수 있었다.

　본 총서는 외교부에서 작성하여 30여 년간 유지한 걸프 사태 관련 자료를 담고 있다. 미국을 비롯한 여러 국가와의 군사 외교 과정, 일일 보고 자료와 기타 정부의 대응 및 조치, 재외동포 철수와 보호, 의료지원단과 수송단 파견 및 지원 과정, 유엔을 포함해 세계 각국에서 수집한 관련 동향 자료, 주변국 지원과 전후복구사업 참여 등 총 48권으로 구성되었다. 전체 분량은 약 2만 4천여 쪽에 이른다.

2024년 3월
한국학술정보(주)

| 일러두기

· 본 총서에 실린 자료는 2022년 4월과 2023년 4월에 각각 공개한 외교문서 4,827권, 76만 여 쪽 가운데 일부를 발췌한 것이다.

· 각 권의 제목과 순서는 공개된 원본을 최대한 반영하였으나, 주제에 따라 일부는 적절히 변경하였다.

· 원본 자료는 A4 판형에 맞게 축소하거나 원본 비율을 유지한 채 A4 페이지 안에 삽입 하였다. 또한 현재 시점에선 공개되지 않아 '공란'이란 표기만 있는 페이지 역시 그대로 실었다.

· 외교부가 공개한 문서 각 권의 첫 페이지에는 '정리 보존 문서 목록'이란 이름으로 기록물 종류, 일자, 명칭, 간단한 내용 등의 정보가 수록되어 있으며, 이를 기준으로 0001번부터 번호가 매겨져 있다. 이는 삭제하지 않고 총서에 그대로 수록하였다.

· 보고서 내용에 관한 더 자세한 정보가 필요하다면, 외교부가 온라인상에 제공하는 『대한 민국 외교사료요약집』 1991년과 1992년 자료를 참조할 수 있다.

| 차례

<table>
<tr><td colspan="7" align="center">정 리 보 존 문 서 목 록</td></tr>
</table>

기록물종류	일반공문서철	등록번호	2020110082	등록일자	2020-11-18
분류번호	721.1	국가코드	XF	보존기간	영구
명 칭	걸프사태: 주변국 지원, 1990-92. 전12권				
생 산 과	중동2과/북미1과	생산년도	1990~1992	담당그룹	
권 차 명	V.9 터키, 1990-91				
내용목차					

0001

외 무 부

종 별 :

번 호 : TUW-0717   일 시 : 90 1107 1104

수 신 : 장관(경이, 미북, 마그) 사본:경기원, 재무부, 상공부

발 신 : 주터키대사

제 목 : 페만사태 지원조사단 보고

　　1. 정부조사단은 11.6(화) 11:00 주재국 외무성 회의실에서 양측단장 주재하에 실무협의를 가졌는바 (아측 권병현 대사주재, 터키측 RIZA TURMEN 외무성 다자관계 정무국장주재) 터키측은 페만사태에관한 터키의 기본입장은 이라크의쿠웨이트합병 불인정, 쿠웨이트의 주권영토의 조속원상회복, 유엔결의에의한 대이라크 제재조치 철저이행) 및 페만사태로인한 터키의 피해상황을 설명함.

　　2. 이에 아측은 터키측 입장에 전적으로 동감을 표시하고 금번사태로 아국도피해국임에도 불구하고 전봉우방국인 터키에대해 다소나마 도움이 될수있도록 500 만불의 물자와 1,500 만불의 EDCF 자금을 지원코자함을 설명함.

　　3. 생필품관련, 터키측은 주재국 적십자사가 필요로하는 매트, 앰블란스, 미니버스, FORK LIFT, 발전기, 정수장비, 트럭, 의료기기등을 지원요청하면서 양측 적십자사간 구체 협의를통해 추진할것과 지원금액 일부를 아측 적십자사에서 보관, 부품등 추후 필요한 물자가 지원되기를 희망함. (본건 검토가 요망됨)

　　4. EDCF 에 대해 아측은 기본조건및 절차를 설명하고 터키측이 적합한 프로젝트를 발굴, 지원신청하면 아측이 검토 지원키로함.

　　5. 조사단은 예정대로 11.7(수) 당지 출발, 11.8(목) 서울도착 예정임.

　　(단장 권병현 대사-국장)

　　예고:90.12.31. 일반샤

경제국	1차보	2차보	미주국	중아국	청와대	경기원	재무부	상공부

PAGE 1   90.11.07   19:24

외신 2과 통제관 BW

0002

기 안 용 지

분류기호 문서번호	마그20005- 1640		(전화 :)	시 행 상 특별취급		
보존기간	영구·준영구. 10. 5. 3. 1.		장			관
수 신 처 보존기간						
시행일자	1990.11.26.					

보조기관	국 장	전결	협조기관	미주국장 경제국장 구주국장	문서통제	
	심의관					
	과 장					
기안책임자		김은석			발 송 인	

경 유 수 신 참 조	주 터키 대사	발신명의	
제 목	걸프만사태 관련 지원		

대 : TUW-0717

걸프만 사태 관련 아국대표단 귀지방문시 귀주재국측에서

희망한 품목에 대한 상세자료를 별첨 송부하니 아래사항에 대해

협의하고 결과 보고바랍니다.   **검토필(1990.12.31.)**

가) 희망품목 최종 확정   1990.12.31.

- 주재국이 희망하는 품목과 수량을 최종 확정하여

아측에 통보토록 협의   /계속.../

0003

- 금년도 지원액은 금년말내 집행을 원칙으로 하고있음을

감안 제반사항 주재국측과 조속 합의 필요

나) 물품 수령기관 및 주소

- 동 지원은 성격상 정부대정부간 협력임을 감안 정부

기관이 수령자가 되어야 할 것임.

- 따라서 대표단 방문시 귀주재국측에서 요망한 적십자사

간 협의 및 수령방식은 적절치 않음.

- 단, 정부에서 접수한후 적십자사에 인도하는데는 이의

없음.

다) 물품 수령준비

- 주재국내 하역, 운송, 보관에 관해서는 주재국측 책임

하에 준비토록 협의

라) 물품인도 서류

- 물품 인도 및 수령증빙하는 소정의 서류준비

마) 인도식

- 양측대표 참석하 적절한 인도식 준비

첨 부 : 관련 상세자료. 끝. / 예감: 1990. 12. 31.   0004

1505-25(2-2) 일(1)을
85. 9. 9. 승인   "내가아낀 종아 한장 늘어나는 나라살림"

190mm×268mm 인쇄용지 2급 60g/㎡
가 40-41 1989. 12. 7.

90-
233

분류기호 문서번호	마그20005- 1608	기 안 용 지 (전화 :)	시 행 상 특별취급	

장   관

예

보존기간	영구·준영구. 10. 5. 3. 1.			
수 신 처 보존기간				문 서 통 제
시행일자	1990. 11. 30.			

보 조 기 관	국 장	전결	협 조 기 관		문 서 통 제	~1990.12.01
	심의관					
	과 장				발 송 인	
기안책임자		김은석				

경 유 수 신 참 조	주 터 키 대사	발 신 명 의	

제 목	폐만지원

연 : 마그20005-1640

연호 송부자료중 앰뷸란스 자료는 영문자료 준비가 되지않아

(현재 제작중) 국문자료를 송부하였는바, 회사측으로 부터 입수한

종전 영문 카탈로그 사본을 별첨과 같이 송부하니 참고하시기

바랍니다.

첨 부 : 상기자료. 끝.   1990.12.3
예고반려

예 고 : 90. 12. 31. 일반

0005

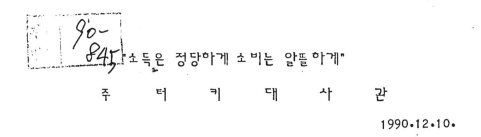

"소득은 정당하게 소비는 알뜰하게"

주 터 키 대 사 관

1990.12.10.

주터정 20005- 054

수 신 : 장관

참 조 : 중동아프리카국장

제 목 : 걸프만 사태 관련 지원

대 : 마그 20005-1640 (90.11.26)

연 : TUW-0740

1. 12.10. TEVFIK OKYAYUZ 외무부 중동·마그 레브 과장은 당관 민참사관을 초치, 주재국측이 희망하는 품목을 별첨과 같이 수정·제의 하여 왔으니 검토후 지원 가능 여부를 상세히 회보하여 주시기 바랍니다. (UNAL SOMUNLU 터키 적십자사 사무총장 참석, 규격등 설명)

2. 주재국측은 아측 자료 접수후 품목과 수량을 최종 확정할 계획 이라함을 참고하여 주시기 바랍니다.

첨 부 : 터측 대안 1부. 끝.

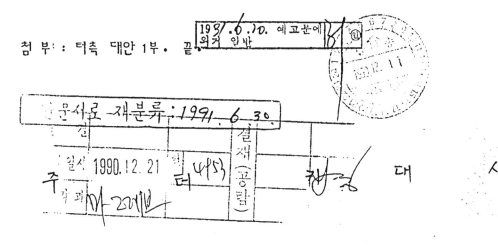

0006

터키 희망·품목 리스트

품명	규격	CIF ISTANBUL	희망수량	비고
AMBULANCE	KIA BESTA AMB.	ⓐ $15,000	60대	별첨 1
MINI BUS (BESTA)	12인승 ST		20대	별첨 2 (도면 X1)
MINI BUS (BESTA)	3인승 밴		7대	별첨 2 (도면 X2)
MINI BUS	6인승 밴		20대	별첨 2 (도면 X3) 차량 집단 선 부문에 피를 보관 할수 있는 30~40ℓ 용량의 냉장고 설치 (냉장고 온도 +4°C) - 냉장고는 자동차 엔진으로 가동
MINI BUS	25 인승	ⓐ $25,080	10대	운전사 석 뒤에 2명이 탑승할수 있는 좌석 1열 더 마련, 그 뒤에 피를 보관할수 있는 냉장고 설치, 냉장온도 4°C, 냉장고는 가동안한 ㅂ개
MINI BUS			10대	냉장고 모형은 별첨 3 참조

품 목	규 격	CIF ISTANBUL	희망 수량	비 고	그
FORK LIFT	GPS 15 (1.5 TON)	@ $16,720	10		
"	GPS 30 (3.0 TON)	@ $21,110	5	추레일러형 받침기	
GENERATOR	DG 30	@ $14,500	15	추레일러형 발전기	
"	DG 48		10	"	
"	DG 75		5		
"	DG 145		5		
WATER PURIFICATION UNIT	MD 1500-1990	@117,800	4	추레일러가 분리되는 거 (별첨 도면 4참조)	
TRUCK	1 TON CERES 4x4	@ 9,950	10	짐싣는 부분은 모두 덮을수 있도록 희망	
"	3 TON K 3500	@ 15,563	25	" (별첨 도면 5, X1 참조)	
"	DC (Double CAP)	@ 15,563	15	" (별첨 도면 5, X2 참조)	

품 명	규 격	CIF ISTANBUL	희망수량	비 고
TRUCK TRAILOR	25 TON		15	(별첨 도면 6 참조)
SPECIAL TRANSPORT VEHICLE FOR FRESH FROZEN PLASMA			5	(별첨 도면 7 참조) FREEZING CAPACITY $-30° \sim -60°C$
FRIGOLIFIC TRAILOR	20-25 TON		5	FREEZING CAPACITY $-25° \sim -30°C$
CONVEYOR	MOVABLE-EACH SET CONTAINS 4 BANDS		5	
MOBILE BLOOD COLLECTING BUS			5	(별첨 도면 8 참조)
PLASMA TRANSPORT VEHICLE			2	
BLOOD BANK REFRIGERATOR			60	혈액을 4°C 로 보관 가능 (별첨 도면 9 참조)

(000

* - 자동차등 모두 하얀색 희망 (당지 도착후 터키 적십자사 심볼 표시 예정)

- TRUCK TRAILOR와 BLOOD BANK REFRIGERATOR 등은 대한적십자사에 문의하면
  참고가 된다함.

- 터키 희망 품목 리스트중 CIF ISTANBUL UNIT PRICE 가 없는것은 아국의
  지원 가능 여부, 지원이 가능할 경우 UNIT PRICE 를 가능하면 카다로그와
  함께 송부 바람.

- 품목별 아측 지원 가능여부에 따라 희망 수량을 확정 예정.
  조정

0010

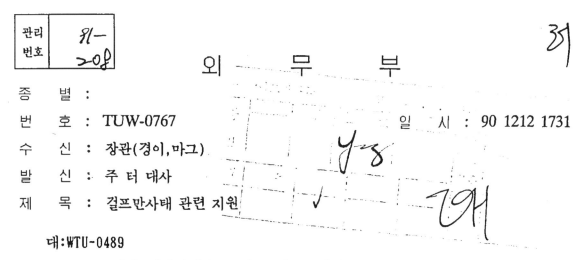

관리 번호	91- 208

외 무 부

종 별 :

번 호 : TUW-0767   일 시 : 90 1212 1731

수 신 : 장관(경이,마그)

발 신 : 주 터 대사

제 목 : 걸프만사태 관련 지원

대:WTU-0489

1. 12.12. 당관 민참사관은 주재국 재무무역청 GULNUR UCOK 국제 자본시장 과장과 면담, EDCF 자금 사용문제에 관하여 협의한바 아래보고함.

가. 주재국은 아국산 DUCTILE PIPE 가격이 경쟁적일 경우 아측이 제시한 EDCF 자금으로 DUCTILE PIPE 구입을 희망함.(DUCTILE PIPE 는 보봉 하수도 용으로 사용하나 주재국에서는 상수도 용으로 사용한다함.)

나. 안카라, 이스탄불, 아다나등 주재국 주요도시의 상수도용으로 필요한 파이프 규격은 직경 8 CM 로부터 1 M 등 다양함.(연결부문 포함)

다. 현재 주재국은 주로 독일에서 DUCTILE 파이프를 수입, 사용하고 있으나이스탄불 시에서는 한국산도 사용한바 있으며, 아국상품 진출이 성공할경우 향후 주재국 시장의 수출전망이 밝다고함.

라. 주재국측 차용자(BORROWER)는 재무무역청이 되고 재무무역청이 각시에 배분하는 형식을 취할것임.

2. EDCF 자금으로 DUCTILE PIPE 구입이 가능한지 여부와 가능할경우 규격당 FOB 및 CIF MERSIN (지중해연안 항구) 가격을 회보바람.

3. 주재국측이 필요한 물품자료 (적십자사 사용)는 주터정 20005-054(90.12.10)로 12.11. 당관발 정파편 상세자료와 함께 보고하였는바 검토후 결과회보 바람.

(대사 김내성-국장)

예고:91.6.30. 일반

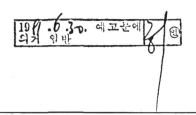

경제국   2차보   중아국

PAGE 1   90.12.13   16:28
                                          외신 2과 통제관 BN

                                          0011

90. 12. 17(월) 조선일보

이번주 행사

【17일(월)】
▲平民党곤문 단합의, 오전 8시 30분 전
▲국 보호관서장회의, 오전 9시
▲시 보호처회의실 ▲벼룰바구미 방제대책협의회, 오전 10시 농진청 회의실 ▲盧泰愚대통령 訪蘇귀국 환영식, 오전 10시 20분 서울공항
▲제3회 전기통신정책세미나, 오후 2시 통신공사 회의실
▲원폭피해자실태 현지조사, 17~30일 한국보건사회연구원 주관

【18日(화)】
▲전기대 입
▲학 학력고사, 국무회의
▲民自党 실무

【19일(수)】
▲협의회, 오전 11시
▲국무회의
▲民自党당무, 오전 9시 중앙노사

【20일(木)】
▲전경련회관
▲농고·농촌지역
▲사회, 문교부

【21일(금)】
▲당직자회의, 오전 9시 초·중등학교 교육내용 개선세미나, 오전 9시 중앙교육

【22일(토)】
▲국정감사, 오전 10시
▲民自党 실무

오늘 国会본회의ㅡ전기통신政策 세미나
20일 結核병원 준공식ㅡ金泰村 7次공판

韓国, 터키에 2천만弗經援

新華通信 보도
페湾사태로 경제악화

【홍콩ㅡ朴勝俊특파원】韓国의 경제원조를 제공키로 결정했다고 中国 관영新華通信은 16일 보도

【東京ㅡ일본과 북한은 15·16일 이틀간 북경에서 제3차 修交예비회담을 둘

日·北 3차修交회담 오늘 재개키로

발 신 전 보

WTU-0496   901218 1715 AO

번   호 :   종별 :

수   신 : 주 터 키 대사 · 총영사

발   신 : 장 관   (마그)

제   목 : 걸프만 사태 관련 지원

대 : TUW-0767, 주 터정 20005-054(90.12.10)

1. 대호 주재국측 적십자사가 사용예정인 지원희망 물품 자료를 답은 파우치가
상급 본부 미착인바 동 희망품목 리스트 및 수량 지급 전문 보고바람.

아울은 터키의 EDCF 차관 15백만불과 무상원조
2. ~~참고로~~ 12.17자 국내일간지는 이스탄불발 신화사통신을 인용 5백만불을 제공한것이며
~~상당의~~ 무상원조로 터키정부는 트럭, 승용차, 앰블런스, 의료기기등의 지원을
희망하고 있다고 터키정부관리가 언급했다고 보도한바 참고바람.   끝.

(중동아프리카국장 이 해 순)

예고 : 90.12.31.일반.

1990.12.31. 예고반에
의거 일반

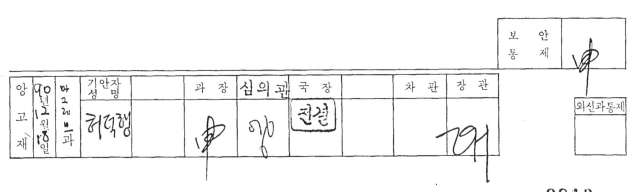

보 안 통 제	
외신과통제	

앙고재	90년12월18일 과	기안자성명 허덕행		과 장	심의관	국 장 전결		차 관	장 관	

0013

외 무 부

종 별 :

번 호 : TUW-0778   일   시 : 90 1218 1750

수 신 : 장관(기문,마그)

발 신 : 주 터 대사

제 목 : 정파추적

대:WTU-0495

1. 대호, 당지 LH 를 통해 확인한바, 당관발 제 27 호 정파(AWB 220-3874 4646)는 항공사의 착오로 MUNICH 에서 LONDON 으로 송부되었다가 12.17(월) 프랑크푸르트로 반송, 금 18 일 현재 프랑크푸르트소재 루푸트한자 항공사에서 보관중인 것으로 확인됨(프랑크푸르트소재 대한항공 지점에서도 확인)

2. 동정파는 명 19 일 KE-904 편으로 환적, 12.20(목) 16:05 김포착 예정이라함을 보고함.

(대사 김내성-국장)

기획실   중아국

PAGE 1   90.12.19   06:35

외신 2과   통제관 DO

0014

관리 번호	90- 041

외 무 부

종   별 :

번   호 : TUW-0779

일   시 : 90 1218 1813

수   신 : 장관(마그)

발   신 : 주 터 대사

제   목 : 걸프만사태관련 지원

대:WTU-0496

연: 주터정 20005-054(90.12.10)

1. 연호 주재국측 지원희망품목 리스트및 수량을 아래보고함.,,, 번호, 품명, 규격, CIF ISTANBUL, 희망수량, 비고 순임.

1, AMBULANCE, KIA BESTA AMB., 대당 15,000 미불, 60 대, -

2, MINI BUS(BESTA), 12 인승 ST, -, 20 대, BESTA 카다로그참조

3, MINI BUS(BESTA) 3 인승 밴, -, 7 대, ''

4, MINI BUS, 6 인승 밴, -, 20 대, '', -차뒤 짐싣는 부분에 피를보관할수있는 30-40 리터용량의 냉장고설치(냉장고 온도 섭씨 4 도),-냉장고는 자동차엔진으로 가동

5, MINI BUS, 25 인승, 대당 25,080 미불, 10 대, -

6, MINI BUS, -, -, 10 대, 운전사석 뒤에 2 명이 탑승할수있는 좌석 1 열 더마련, 그뒤에 피를보관할수있는 냉장고설치, 냉장고온도 섭씨 4 도, 냉장고는 가능한한 크게

7, FORK LIFT, GPS 15(1.5 TON), 대당 16,720 미불, 10, -

8, '', GPS 30(3.0 TON), 대당 21,110, 5, -

9, GENERATOR, DG 30K, -, 15, 추레일러형 발전기

10, '', DG 48K, 대당 14,500 미불, 10, ''

11, '', DG 75K, -, 5, -

12, '', DG 145K, -, 5, -

13, WATER PURIFICATIO 할 UNIT, MD 1500-1990, 대당 117,800 미불, 4, 추레일러가 분리되는것

14, TRUCK, 1 TON CERES 4 X 4, 대당 9,950 미불, 10, 짐싣는 부분은 필요시 모두 천으로 덮을수있도록 희망

중아국

15, '', 3 TON K 3500, 대당 15,563 미불, 25, ''

16, '', DC(DOUBLE CAP), 대당 15,563 미불, 15, ''

17, TRUCK TRAILOR, 25 TON, -, 15, -

18, SPECIAL TRANSPORT VEHICLE FOR FRESH FROZEN PLASMA, -, -, 5, FREEZING CAPACITY 섭씨 영하 30 도-영하 60 도

19, FRIGOLIFIC TRAILOR, 20-25 TON, -, 5, FREEZING CAPACITY 섭씨 영하 25-영하 30 도

20, CONVEYOR, MOVABLE- EACH SET CONTAINS 4 BANDS, -, 5, -

21, MOBILE BLOOD COLLECTING BUS, -, -, 5, -

22, PLASMA TRANSPORT VEHICLE, -, -, 2, -

23, BLOOD BANK REFRIGERATOR, -, -, 60, 혈액을 섭씨 4 도로 보관가능

2. 참고사항

-품목 4, 16, 18, 23 등은 대한적십자사에 문의하면 터키적십자사가 필요로하는 품목을 확인할수있다함.

-자동차등 모든 품목은 흰색희망(당지도착후 터키적십자사 심볼표시예정)

-터키희망품목 리스트중 CIF ISTANBUL UNIT PRICE 가 없는것은 아국의지원가능 여부와 지원이가능할경우 CIF ISTANBUL PRICE 를 가능하면 카다로그와함께 송부바람.

-품목별 아측지원 가능여부에 따라 터키측은 희망수량을 조정확정하겠다함.

(대사 김내성-국장)

예고:91.6.30. 일반

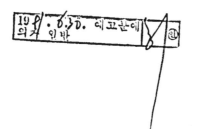

PAGE 2

0016

분류기호 문서번호	구이20005- 169	협 조 문 용 지	(	)	심의관 :			
					결	담 당	과 장	국 장
시행일자	1990.12.21.				재			
수 신	마그레브과장	발 신	서구2과장 (서명)					
제 목	한·터 경제협력							

한·터 경제협력과 관련된 Akcer 주한 터키대사의 차관

면담요록을 첨부하니 참고하시기 바랍니다.

첨부 : 면담요록 사본 1부.   끝.

0017

면 담 요 록

1. 일   시 : 1990.12.20(목) 11:00

2. 장   소 : 의전장실

3. 면담자 : 유종하 외무부차관

    Akcer 주한 터키대사

    (배석 : 서구2과장)

4. 내   용 :

    차   관 : - 전통적인 한·터 우호관계 발전에 만족

    - 국무총리 방문시의 터키정부 배려에 사의 표명

    대   사 : - 한·터 경제공동위 조기개최 필요성 언급

    - 터키수상 방한문제 언급

    - 페만사태 관련 대터키 지원의 경우, 터키 적십자사가

      요구한 장비공여 내역이 그대로 한적에서 수락키를

      기대. 이를 위한 외무부의 적절한 조치 요청

    차   관 : - 한·터 경제공동위 91.4월중 개최 노력 약속

      (터키수상 방한 이전)

0018

- 페만사태 적십자 장비 궁여 관련, 가능한한 터측
  입장 수용 노력. 단, EDCF 의 경우 사업선정등
  구체적인 사항은 양측간에 개속적인 협의가 필요함.

0019

ECONOMIC COOPERATION FOR TURKEY

(품 목 별 검 토 의 견)

1990. 12. 22.

KOREA TRADING INTERNATION INC.

0020

A. 품목별 검토 내역

1. 검토 추진 경위

가. 터어키측의 23개 희망 품목에 관하여 품목별로 아국에서의 공급
가능 여부 및 납기 등을 제조업체에 문의

나. 검토결과 1991년 1월말까지 전량 선적 가능한 품목이 9가지, 1991년
1월말까지 일부 수량만 선적 가능한 품목이 1가지, 아국의 공급은
가능하나 선적기일의 지체가 예상되는 품목 7가지, 국내 공급 불가한
품목이 6가지로 파악됨.

2. 품목별 검토내역

가. 1991년 1월말까지 전량 선적이 가능한 품목 (9 ITEMS)

품목 번호	품 명	S P E C	수 량	제 조 업 체
1	AMBULANCE	KIA BEST AWB	60 대	기아자동차
2	MINI BUS	12인승 EST	20 대	기아자동차
3	MINI BUS	3인승 밴	7 대	기아자동차
5	MINI BUS	25인승	10 대	아시아자동차
7	FORK LIFT	GPS 15	10 대	삼성클라크
8	FORK LIFT	GPS 30	5 대	삼성클라크
14	TRUCK	1 TON CERES	10 대	기아자동차
15	TRUCK	3 TON K3500S	25 대	기아자동차
16	TRUCK	DOUBLE CAP	15 대	기아자동차

* 품목번호는 터어키측 희망 품목 LIST 상의 번호임.

나. 1991년 1월말까지 일부 수량만 선적 가능한 품목(1 ITEM)

품목번호	품 목	납 기	수 량	제 조 업 체
23	BLOOD BANK REFRIGERATOR	1991년 1월	25 대	한신 MEDICAL CO
		1991년 2월	15 대	
		1991년 3월	20 대	
합 계			60 대	

0021

다. 공급은 가능하나 선적기일의 지체 예상 품목 (7 ITEMS)

품 목 번 호	품 명	납 기	수 량	제 조 업 체
4	MINI BUS WITH BLOOD BANK REFRIGERATOR	1991년 4월	20 대	기아자동차
6	MINI BUS WITH BLOOD BANK REFRIGERATOR	1991년 4월	10 대	아시아자동차
9	GENERATOR (DG 30K)	1991년 2월	15 대	대흥기계
10	GENERATOR (DG 48K)	1991년 2월	10 대	대흥기계
11	GENERATOR (DG 75K)	1991년 2월	5 대	대흥기계
12	GENERATOR (DG 145K)	1991년 2월	5 대	대흥기계
13	WATER PURIFICATION SYSTEM	1991년 6월	4 대	아시아자동차

* 지 체 사 유

1. 품목번호 4, 6 : MINI BUS WITH BLOOD BANK REFRIGERATOR

    A. 품목번호 6의 경우 표준형 MINI BUS 에서 운전석 뒤에 2명이
       탑승할 수 있는 좌석 1열만 그대로 두고 나머지 좌석을 제거
       하여 냉장고 탑재 AREA 를 만들어야 하므로 생산 계획상
       표준형 MINI BUS 와는 별도의 제작 공정 LINE 설치가 필요
       하므로 생산지연이 예상됨.

    B. 피를 보관할 수 있는 냉장고를 한신 MEDICAL CO. 에 발주
       후 완성 냉장고를 기아자동차 공장으로 이동시켜 장착하여
       야 하므로 완제품 납기의 지연이 예상됨.

2. 품목번호 9, 10, 11, 12 : GENERATOR
   터어키의 전기 규격이 50 HZ 로 아국의 규격과 상이 하므로
   관련 부품 신규 발주에 상당한 시간이 소요될 것으로 예상됨.

0022

3. 품목번호 13 : WATER PURIFICATION SYSTEM

    A. 동 품목 제작 공정상 첫째로 아시아자동차에서 트럭 및 샷시를 생산한후 만도기계로 부터 WATER PURIFICATION UNIT 를 장착하는바, 만도기계의 제작 공정도 GENERATOR 는 대흥기계에서 TRAILER 는 쌍용자동차에서 각각 납품 받아 완성되며, 일부 부품은 국외에서 수입하여야 하므로 만도기계에서의 WATER PURFICATION UNIT 완성에만 최소한 4개월 이상 소요됨.

    B. 만도기계의 동 UNIT 완성후 이를 아시아자동차로 운송하여 제품을 완성하여야 하므로 완제품 납기의 지연이 예상됨.

라. 국내 공급이 불가능한 품목 (6 ITEMS)

품목 번호	품 명	S P E C	수 량	비 고
17	TRUCK TRAILOR	25 TON	15 대	공 급 불 가
18	TRANSPORT VEHICLE	FOR FRESH FROZEN PLASMA	5 대	공 급 불 가
19	FRIGOLIFIC TRAILOR	20 - 25 TON	5 대	공 급 불 가
20	CONVEYOR	MOVABLE, 4 BANDS	5 대	공급은 가능 하나, SEPC 이 불충분
21	MOBILE BUS	BLOOD COLLECTING	5 대	공 급 불 가
22	VEHICLE	PLASMA TRANSPORT	2 대	공 급 불 가

* 가. 품목번호 17 " TRUCK TRAILOR " 의 경우 국내에서는 50 TON 이상만 생산 가능함.

    나. 품목번호 20 " CONVEYOR " 의 경우 터어키측에서 한국적십자로 자세한 SPEC 보내기로 하였으나, 아직까지 전달되지 않았음.

0023

B. 검토의견 및 요망사항

1. 검토의견

   가. 터어키측 23개 희망품목을 각각 제조업체에 문의 결과 1991년 1월말 까지 선적 가능한 품목은 9개로 금액 기준으로는 U$ 3,317,161.- 상당임. 따라서 당초 예산과의 차액 U$ 1,682,839.- 상당은 1991년 1월말까지 선적 가능한 품목에서 수량을 늘려 공급함이 바람직함.

   나. 품목번호 4, 6의 " MINI BUS WITH BLOOD BANK REFRIGERATOR " 의 경우 는 " BLOOD BANK REFRIGERATOR " 없이 공급하면 1991년 1월말까지 선적 가능함. (유첨 "품목별 가격" 에 반영)

   다. 1991년 1월말까지 일부 수량 선적 가능한 품목인 " BLOOD BANK REFRIGERATOR " 는 1월말까지의 가능 수량만 발주함이 타당함. (유첨 "품목별 가격" 에 반영)

   라. 선적기일이 1991년 1월말 이후인 품목들은 전량 동시 공급의 측면에서 제외함.

2. 요망사항

   가. 1991년 1월말까지의 선적을 위해서는 신속한 ORDER 발주가 요망됨.

   나. 별첨 " 1991년 1월말까지 선적 가능한 품목별 가격 " 참조후 예산 대비 차액 U$ 1,682,839.- 에 대한 공급가능 품목의 증량 계획 결정 요망.

유 첨 : 1991년 1월말까지 선적 가능한 품목별 가격.

0024

(유 첨)

1991년 1월말까지 선적가능한 품목별 가격

품목번호	품목	단가 (CIF)	수량	금액	공급시기	비고
1	KIA BESTA AMBULANCE	U$ 18,000.-	60 대	U$ 1,080,000.-	JAN 31, 1991	4 WHEEL DRIVE, POWER STEERING
2	KIA BESTA 12C EST	U$ 14,500.-	20 대	U$ 290,000.-	"	
3	KIA BESTA 3 VAN	U$ 11,393.-	7 대	U$ 79,751.-	"	
4	KIA BESTA 6 VAN	U$ 11,777.-	20 대	U$ 235,540.-	"	기 본 형
5	COMBI (25 SEATS) BUS	U$ 25,680.-	20 대	U$ 513,600.-	"	전 량 기 본 형
7	FORK LIFT GPS 15	U$ 16,720.-	10 대	U$ 167,200.-	"	
8	FORK LIFT GPS 30	U$ 21,110.-	5 대	U$ 105,550.-	"	
14	TRUCK 1 TON CERES	U$ 9,950.-	10 대	U$ 99,500.-	"	
15	TRUCK 3 TON K3500S	U$ 15,563.-	25 대	U$ 389,075.-	"	
16	TRUCK K3500 DOUBLE CABIN	U$ 15,563.-	15 대	U$ 233,445.-	"	
23	BLOOD BANK REFRIGERATOR	U$ 4,940.-	25 대	U$ 123,500.-	"	1월말 : 25대, 2월말 : 40대 / 3월말 : 60대 (누계 기준)
합계				U$ 3,317,161.-		예산대비 차액 : U$ 1,682,839.-

EMBASSY OF TURKEY

SEOUL   December 24, 1990

124 - 63

        The Embassy of the Republic of Turkey presents
its compliments to the Ministry of Foreign Affairs
and has the honour to communicate the following:

        With reference to the consultations which most
recently took place in Ankara, between the Embassy
of the Republic of Korea and the relevant Turkish
authorities, and furthermore with reference to the
conversation which was carried out between the
Turkish Ambassador and H.E. YOO Chong Ha, the Vice
Minister of Foreign Affairs on December 20, 1990,
concerning the overall assistance of the Korean
Government to be extended to the Turkish authorities,
related with the Gulf crisis, it is understood that
the 5 million U.S. Dollars portion of the said assistance
will be extended to the Turkish Red Crescent in the
form of donation in kind.

        The Turkish Red Crescent has duly informed the
Turkish Government that at least 1 to 2 million amount
of U.S. Dollars of the said portion, should be realized
with great urgency due to the negative developments in
the region, and should cover the items recorded
down-below:

- Ambulance : Besta Model (Brand), fully equipped.
                Number of ambulances : 20 (This being
                  the initial number urgently requested)
- Trucks : Model : K3500 Cargo Truck DC (Double Cab)
                Number of trucks : 15 (This being the
                initial number requested)

Ministry of Foreign Affairs
Seoul

                                        0026

EMBASSY OF TURKEY

SEOUL

- Water purifying (distilling) equipment : Model :
  MD 1500-1976 fixed on Mando-Trailer
  Number : 2 (This being the initial number requested)
- Transportation vehicle for fresh frozen blood plasma
  (with, -30 centigrade, -60 centigrade freezing capacity)
  Number : 2 (This being the initial number, requested)
- Blood donation bus (The bus should be the same type,
  used for blood donation, by the S.Korean Red Cross.
  Number : 2 (This being the initial number requested)

The Embassy of the Republic of Turkey would be most
grateful if the Honorable Ministry could take the
necessary measures in order to accelerate as a priority,
the delivery to the Turkish Red Crescent, of the items
mentioned above, and kindly inform the Embassy about
the date of delivery.

The Embassy of the Republic of Turkey avails
itself of this opportunity to renew to the Ministry
of Foreign Affairs the assurances of its highest
consideration.

0027

1. AMBULANCE, KIA BESTA AMB., 대당 15,000 미불, (60대), -
2. MINI BUS (BESTA), 12인승 ST, -.(20대) BESTA 카다로그 참조
3. MINI BUS (BESTA) 3인승 밴, -(7대) ''
4. MINI BUS, 6인승 밴, -,(20대) '', - 차뒤 짐싣는 부분에 피를 보관할수 있는 30-40 리터용량의 냉장고 설치(냉장고 온도 섭씨 4도), - 냉장고는 자동차 엔진으로 가동
5. MINI BUS, 25인승, 대당 25,080 미불 (10대), -
6. MINI BUS, -, -,(10대) 운전석 뒤에 2명이 탑승할수있는 좌석 1열 더마련, 그뒤에 피를 보관할수있는 냉장고설치, 냉장고 온도 섭씨 4도, 냉장고는 가능한한 크게
7. FORK LIFT, GPS 15(1.5 TON), 대당 16,720 미불,(10,)-
8. '', GPS 30(3.0 TON), 대당 21,110 (5,)-
9. GENERATOR, DG 30K, -,(15) 추레일러형 발전기
10. '', DG 48K, 대당 14,500 미불,(10,) ''
11. '', DG 75K, -,(5) -
12. '', DG 145K, -,(5) -
13. WATER PURIFICATION 할 UNIT, MD 1500-1990, 대당 117,800 미불,(4,) 추레일러가 분리되는것
14. TRUCK, 1 TON CERES 4 X 4, 대당 9,950 미불 (10,) 짐싣는 부분은 필요시 모두 천으로 덮을수있도록 희망
15. '', 3 TON K 3500, 대당 15,563 미불 (25,) ''
16. '', DC(DOUBLE CAP), 대당 15,563 미불(15,) ''
17. TRUCK TRAILOR, 25 TON, -(15) -
18. SPECIAL TRANSPORT VEHICLE FOR FRESH FROZEN PLASMA, -, -(5,) FREEZING CAPACITY 섭씨 영하 30도- 영하 60도
19. FRIGOLIFIC TRAILOR, 20-25 TON, -(, 5,) FREEZING CAPACITY 섭씨 영하 25- 영하 30도
20. CONVEYOR, MOVABLE-EACH SET CONTAINS 4 BAND, -(, 5,) -
21. MOBILE BLOOD COLLECTING BUS, -, -,(5,)-
22. PLASMA TRANSPORT VEHICLE, -, -(2) -
23. BLOOD BANK REFRIGERATOR, -, -,(60,) 혈액을 섭씨 4도로 보관가능

0028

발 신 전 보

번 호 : WTU-0506   901224 1130 FC   종별 :

수 신 : 주 터키 대사 .총영사

발 신 : 장 관 (마그)

제 목 : 걸프사태 관련 지원

대 : TUW-0779

1. 대호 터키측 요청관련 조사한 국내 공급사정은 다음과 같음.

가. 91.1월말까지 선적가능품목(11개) (단위 : 미불, CIF 기준가)

품목번호	품 명	수 량	금 액
1.	Ambulance	60	1,080,000
2.	Mini Bus (12인승)	20	290,000
3.	Mini Bus (3인승)	7	79,751
4.	Mini Bus (6인승)	20	235,540
5.+6.	Mini Bus (25인승)	20	513,600
7.	Fork lift(GSP 15)	10	167,200
8.	Fork lift(GSP 30)	5	105,550
14.	Truck (1t)	10	99,500
15.	Truck (3t)	25	389,075
16.	Truck (DC)	15	233,445
23.	Blood Bank refrigerator	25	123,500

소계 3,317,161

/계속.../

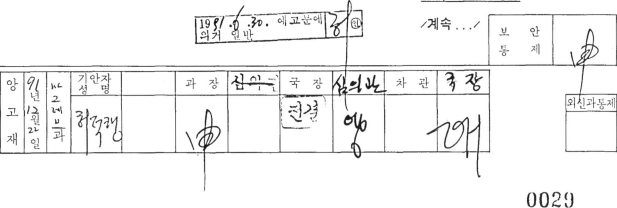

1991.0.30. 예고문에 의거 일반

보 안 통 제

앙고재 91년 12월 21일 제2제1과 기안자 성명 허덕행 과장 심의 국장 심의반 전결 차관 국장

외신과통제

나. 시차별 선적가능품목(1개)

품목번호	품 목	납 기
23	Blood Bank Refrigerator	91.1월(25대), 2월(15대) 3월(20대) 계 60대

다. 선적기일 지체 예상품목(7대)

품목번호	품수량		납 기
9	generator DG 30K	15	91. 2
10	DG 48K	10	91. 2
11	DG 75K	5	91. 2
12	DG 145K	5	91. 2
4		20	91. 4
6		10	91. 4
⑬	정류기	4	91. 6

라. 국내공급 불가품목(6개)

품목번호 : 17, 18, 19, 20 ㉑, ㉒

2. 상기 공급사정 감안, 가급적 (가)항의 91.1월말까지 선적가능한 품목의 수량을 조정하여 지원하는것이 선적 및 적기공급을 위해 필요할것으로 사료되는바, 귀관에서 품목을 적절히 조정교섭하고 조속 확정 보고바람. 끝.

(중동아국장 이 해 순)

예고 : 91.6.30.까지

0030

관리 번호 91-860

외 무 부

종 별 :

번 호 : TUW-0803

일 시 : 90 1227 2000

수 신 : 장관(마그)

발 신 : 주 터 대사

제 목 : 걸프사태 관련지원

긴급처리

대: WTU-05(052)6

1. 12.27(목) 당관 민참사관이 TEVFIK OKYAYUZ 외무부 중동.마그레브 경제과장을 면담, 대호 선적 가능품목, 불가품목등을 설명하고 가능하면 91.1 월말까지 선적가능한 품목으로 확정하여 줄것을 요청하였음.

2. 동과장은 터측이 긴급 필요한 BLOOD BANK REFRIGERATOR (23 번) 이외에는 선적기일에 크게 문제가 없으므로 주재국 적십자사와 협의, 품목을 확정하겠다고 하였음. 다만 주재국은 BLOOD BANK REFRIGERATOR 가 긴급 필요하므로 항공편으로 1.15. 이전에 주재국에 도착할수 있는 공급가능 물량을 조속 알려줄것을 희망하였음.

3. 아측이 1.15 이전 지원가능한 REFRIGERATOR 물량이 있을경우 KAL 이 터키항공(THY)이 운항하는 공항까지 운송하여 주면(예, 싱가폴) THY 연결공항부터는 터키적십자사 책임및 경부부담하에 REFRIGERATOR 를 운송할 계획이라함.

4.1.15 이전 공급 가능물량, 단가, 연결공항까지의 운송료등을 회보바람.

5. 민참사관은 지원의 성격상 정부대 정부간 협력임을 감안, 정부기관이 수령기관이 되어야할것임을 언급한바, 주재국측도 선편으로 대부분의 물품 도착시 인도식(본직및 주재국 고위정부관리 참석)등을 고려하고 있으나 AIRWAY BILL 상의 수취인은 주재국 국내법상 발생하는 관세문제 때문에 터키적십자사(TURKIYE KIZILAY DERNEGI, ANKARA, TURKEY)로 아측이 양해하여 줄것을 희망하였음.(외무부 또는 정부부처가 수취인이 될경우 국내법상 관세문제가 발생한다함)

6. 마그10005-1640(90.11.26)에 의하면 AMBULANCE 가격이 대당 15,000미불이나 WTU-0506 에 의하면 대당 18,000 미불인바, 대당 가격을 재확인 회보바람.

(대사 김내성-국장)

예고:91.6.30. 일반

19 의거 91.6.30 예고문에 의거

중아국

INTERNATIONAL TRANSPORTATION CO., LTD.

株式會社國際트랜스

MAILING ADDRESS
C. P. O. BOX 4976
SEOUL, KOREA

YOUNGDONG BLDG.,
832 YEOKSAM-DONG, KANGNAM-GU
SEOUL, KOREA
PHONE: (02) 568-9186, 9187, 4970, 4971
F A X: (02) 553-8719
T L X: ITCLS K26637

TO   : KOREA TRADING INTERNATIONAL INC.

ATTN : 장 지 영 대리님

DATE : JAN. 1 , 1991.

FREIGHT QUOTATION

1. DESTINATION   : FROM ULSAN, KOREA UPTO ISTANBUL, TURKEY

2. VESSEL NAME   : FRESA

3. ETD / ETA   : JAN. 29, 1991 / MAR. 10, 1991.

4. ITEM   : COMBI BUS (AM815), BESTA, FOLK LIFT

5. OCEAN FREIGHT CHARGE : COMBI BUS : US$ 130/CBM
                         BESTA   : US$ 125/CBM
                         FOLK LIFT : US$ 125/CBM

SINCERELY YOURS,

K. H. SHIN / MANAGING DIRECTOR

0032

의 견 서

1990. 12. 29.

제 목 : TURKEY 국 혈액 냉장고 AIR SHIPMENT 에 관한건

표제에 관련하여 당사가 조사한 바에 따르면, THY 항공기는 아국의 근접지역중

TOKYO, BANGKOK 및 SINGAPORE 등에 기항하고 있으나 이는 전부 A 300 으로서

전문 여객수송기 이기때문에 화물적재 능력이 없으며, 혈액 냉장고 20 대

(130KG X 20 = 2,600 KG 상당) 의 선적은 실질적으로 불가능 하다고 사료

됩니다.

따라서 SEOUL --→ ISTANBUL 의 화물기를 통한 당사 직접 운송이 바람직 하며,

이 경우의 항공운임을 적용한 혈액 냉장고의 COST BREAK DOWN 은 아래와 같습

니다.

```
물      대  :  U$ 4,571.-
FREIGHT    :  U$ 813.80  (130KG X @$ 6.26)
보  험  료  :  U$ 30.-
MARGIN     :  U$ 91.42
------------------------------------------------
TOTLA      :  U$ 5,506.22
```

0033

* BLOOD REFRIGERATOR
  _____

    . PRICE   : U$ 4,925.42 (CIF TOKYO BY AIR)

    . Q'TY   : 20 UNITS

    . DELIVERY   : JAN 15, 1991

    . AMOUNT   : U$ 98,508.40

    . 선적 스케줄

      JAN 15, 1991 :   KIMPO   출 발
      JAN 15, 1991 :   TOKYO   도 착
      JAN 17, 1991 :   TOKYO   출 발
      JAN 17, 1991 :   ISTANBUL 도 착

0034

분류번호	보존기간

발 신 전 보

번 호 : WTU-0001   910103 1709 FK   종별 :

수 신 : 주 터 키 대사. ~~총영사~~

발 신 : 장 관   (마그)

제 목 : 걸프사태 관련 지원

대 : TUW-0803

연 : WTV-0526

1. 대호 Blood Bank Refrigerator (23번)의 91.1월 중순경까지 공급가능물량은 20대이며 터키항공이 동경 및 싱가폴까지 운항하고 있으나 여객기로서 화물수송에는 부적절하므로 아측경비부담으로 이스탄불까지 직접 수송하는 하기방안대로 추진코자 하니 터키측에 통보하고 화물수령등 구체적 접수계획을 수립, 지급 보고바람.

가. 소요경비

ㅁ 운송, 보험 및 수수료 포함(CIF 가격) = $5,506.22

  - 물품대 $4,571(규격 130KG)

ㅁ 소요경비

$5,506.22 X 20대 = $110,124.4

/계속.../

보안통제	

앙고재	91년 1월 3일	북미2과	기안자 성명 허영행	과 장	심의관	국 장 찬성	차 관	장 관	외신과통제

0035

나. 수송방법

    ㅇ 서울 - 프랑크프르트간 대한항공 수송

    ㅇ 프랑크프르트 - 터키까지 트럭운송

    ㅇ 서울출발에서 이스탄불 도착까지 3일 소요

      - 1.16(수) 선적경우, 1.19(토) 도착

  2. 주한 터키 대사관은 상기물품 5대를 1.8(화) 싱가폴에서 출발하는 터키 항공편으로 긴급 지원해줄것을 요망하여온바, 국내 공급사정상 불가능함을 통보한바 있으니 참고바람.

                             (중동아프리카국장 대리 양태규)

예고 : 91.6.30. 일반.

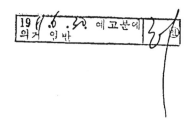

관리
번호 : 91-
202

외 무 부

종 별 :

번 호 : TUW-0013   일 시 : 91 0104 1816

수 신 : 장관(마그)

발 신 : 주 터 대사

제 목 : 걸프사태 관련지원

연:TUW-0803

대:WTU-0001

1.4(금) 당관 민참사관은 TEVFIK OKYAYUZ 외무부 중동.마그레브 경제과장을면담, 대호에 관하여 협의한바 아래 보고함.

1. 주재국은 아측이 제시한 대호 (나)항 수송방법에 동의하였으니 대호 일정대로 물품을 송부후 결과회보바람.

2. 동물품이 이스탄불에 도착, 세관에 보관되면 주재국 적십자사가 봉관수속후 이를 수령키로하였음. 동봉관에는 아측의 기증증명서(DONATION CERTIFICATE)가 필요하다하는바, 페만사태 관련 경제협력계획으로 대한민국정부가 터키정부에 5 백만불의 생필품을 지원키로 결정하였으며 터키정부의 요청에따라 터키적십자사에 BLOOD BANK REFRIGERATOR 20 대를 1 차로 기증함을 당관명의 공한으로 외무성에 봉보코져하니 승인바람(연호와 같이 면세봉관 문제때문에 터키적십자사를언급하여 줄것을 희망)

3. 상기 공한에 명시코져하니 REFRIGERATOR 의 MODEL, 용량등 SPECIFICATION 을 회보바람.

4. 주재국은 WTU-0506 으로 봉보한 선적가능 품목을 아측이 제시한 선적 가능시기에 모두 수령하기를 희망한다하니 선적토록 사전 준비바라며, (다)항 선적기일 지체 예상품목의 CIF 기준가도 회보바람.(91.6. 선적이 가능한 WATER PURIFICATION UNIT 도 아측이 제시한 시기에 수령희망 한다함)

5. 주재국은 WTU-0506 (VE) 항의 국내 공급불가 품목대신에 BLOOD BAG 등을희망한다하며 주재국측이 희망하는 상세품명및 규격은 내주초 접수후 추보위게임.

(대사 김내성-국장)

중아국	장관	차관	1차보	2차보	정문국	안기부

PAGE 1

예고:1991.6.30. 일반

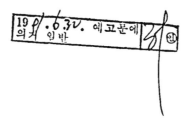

0038

발 신 전 보

WTU-0009   910107 1920 BX

번   호 : _____   종별 : _____

수   신 : 주   터 키   대사. ~~총~~ ~~영~~ ~~사~~

발   신 : 장 관   (마그)

제   목 : 걸프사태 관련 지원

대 : TUW-0013

연 : WTU-0526

1. 대호 건의대로 귀관명의 공한으로 외무성에 하기품목 20대의 기증계획을
통보바람.

- Model : HRB-95

- 크 기 : W 613 X H 1,115 X D 635 (mm)

- 용 량 : 218ℓ (450 mℓ 혈액주머니 95개 수용)

- 전 기 : AC 220V (50-60 HZ)

- 기 타 : 자동온도조절 (1℃ - 6℃)

2. 상기 모델보다 용량이 큰 아래품목도 지원가능하니 참고바람.

- 모델 : HRB 200

- 크기 : W 734 X H 2030 X D 864 (mm)

- 용량 : 664ℓ (450 mℓ 혈액주머니 280개 수용)

- 전기 : AC 220 V (50/60 HZ)   /계속.../

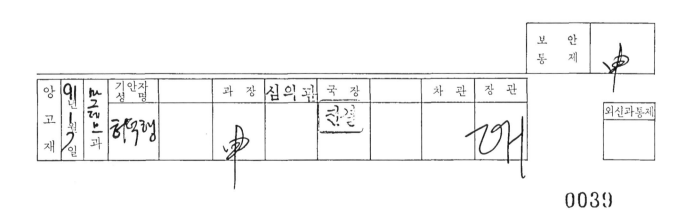

보안통제

91년 1월 2일   기안자 성명 하영령   과장   심의필   국장   차관   장관   외신과통제

0039

○ 기타 : 디지탈 타입온도/전원모니터, 온도기록계 포함
○ 단가 : $14,867.67 (CIF by Air), $ 13,451.72 (CIF by Sea)
○ 선적가능대수
- 1월말 4대
- 2월말 5대
- 3월말 10대

3. 연호 (가)항 1월말까지 선적가능품목(11개)에 대한 선적은 터키측 요청
대로 준비할 예정이며, 연호 (다)항 선적지체 예상품목에 대한 CIF 단가는 확인후
추후 통보 예정임.

(중동아프리카국장 이 해 순)

예고 : 91.6.30. 일반.

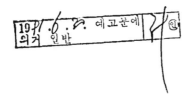

0040

"질서지켜 밝은 사회 예의지켜 명랑사회"

주 터 키 대 사 관

1991·1·7·

주터정 720-004

수 신 : 장관

참 조 : 아프리카국장

제 목 : 걸프사태 관련 지원

연 : TUW-0013

1. 연호 5항, 국내 공급 불가 품목 대신에 주재국측이 희망하는 품목을 아래와 같이 보고하오니 지원 가능여부, 가능시 CIF 이스탄불 가격을 회보하여 주시기 바랍니다.

품 명	수 량
SINGLE BLOOD BAG	300,000 PIECES
DOUBLE BLOOD BAG	40,000 "
TRIPLE BLOOD BAG	10,000 "
BLOOD GIVING SETS	350,000 "
BOXES OF BLOOD TRANSPORT	250 "
STANDARD BLOOD THERMOSTABILIZER	250 "

0041

2. 또한 주재국은 아측이 지원 예정인 각종 차량 (앰뷰런스,
미니뻐스, 트럭등) 에 각각 4개 (1 Set) 의 SPARE TIRES 를 포함시켜
줄것을 희망 하고 있으니 TIRES 를 포함시킬경우 변경된 각종 차량의
대당 CIF ISTANBUL 가격을 획보하여 주시기 바랍니다.

3. 상기 1, 2항의 가격 접수후 당관은 주재국측과 지원 품목 및
수량을 최종 확정할 계획임을 참고하여 주시기 바랍니다.

첨 부 : 품목별 규격 및 설명서 각 1부.

예고 : 1991.6.30. 일반

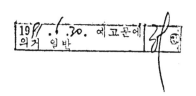

주 터 키 대 사

0042

一般豫算檢討意見書

199 / . / . 8 .　　　마그레브　　　課

事　業　名	걸프만 사태관련 주변피해국지원		
支辨科目	細　項	目	金　額
	/2//	34/	$110,124.⁴⁰

檢　　　討　　　意　　　見	
主　務　審	정부활동, 해외경상이관에서 집행.
擔　當　官	〃
調　整　官	〃

0043

기 안 용 지

분류번호 문서번호	마그20005-	(전화:)	시 행 상 특별취급	
보존기간	영구 · 준영구 10. 5. 3. 1.	차 관	장 관	
수 신 처 보존기간				
시행일자	1991. 1. 7.			

보 조 기 관	국 장		협 조 기 관	기획관리실장	문 서 통 제
	심의관			미 주 국 장	
	과 장			총 무 과 장	
기안책임자		허 덕 행		기획운영담당관	발 송 인

경 유 수 신 참 조	건 의	발 신 명 의	

제 목	걸프만 사태 관련 주변피해국 지원(터키)

1. 걸프사태 관련 주변피해국으로서 아국 지원대상국중

하나인 터키는 23개 품목에 대한 지원여부를 문의함과 동시에 긴급히

필요로 하고있는 혈액냉장고를 우선 항공편으로 송부해줄것을 요망하여

왔읍니다.(별첨 전문 및 주한 터키 대사관 공한참조)

2. 이에따라 상기물품 20대($5,506.22 X 20 = $110,124.4)를

아래와 같은 발송일정에 따라 91.1.19. 이스탄불까지 운송해주기로 합의

되었기 대행업체인 (주)고려무역과 동 물품발주 계약을 체결코자 하오니

재가하여 주시기 바랍니다. 검토필(1991.6.20.)계속...

0044

3. 여타 물품중 11개 품목($3,317,161 상당)은 터키측 요청에

따라 2차로 1월말 선적예정이며 나머지는 터키측의 최종결정에 따라

3차 선적할 예정입니다.

- 아   래 -

가. 지원품목 : Blood Bank Refrigerator

  ○ Model : HRB-95

  ○ 용 량 : 218ℓ (450 ㎖ 혈액주머니 95개 보관가능)

  ○ CIF 단가 : $5,506.22 (운송, 보험료 및 대행수수료포함)

나. 수송일정

  ○ 91.1.16.(수) 대한항공 화물기편 선적, 프랑크푸르트

  까지 수송

  ○ 프랑크푸르트에서 트럭운송, 91.1.19(토) 이스탄불

  도착예정

다. 소요경비

  ○ $5,506.22 X 20대 = $110,124.4   /계속.../

라 . 지출근거

  ○ 정부활동 해외경상이전

첨 부 : 1. 고려무역(주)의 견적서(91.1.7.자 KOOBS-20003/A)

    2. 원가 및 CIF 가격 산정서

    3. 운송일정 검토서

    4. 주한 터키 대사관 공한 (90.12.31자 NO.129-68)

    5. 관련전문

      - TUW-0803 (90.12.27)

      - WTU-0001 (91.1.3.)

      - TUW-0013 (91.1.4.)   끝.

TURKEY 가격 미제시 품목 검토

('91년 1월이후 선적 가능 품목)

1. 품목검토

    가. '91년 3월 10일까지 선적 가능한 품목

품목 번호	품 명	수량	단 가	금 액	제조업체
9	GENERATOR, DG 30K	15 대	@$ 11,084.-	U$ 166,260.-	
10	GENERATOR, DG 48K	10 대	@$ 13,818.-	U$ 138,180.-	
11	GENERATOR, DG 75K	5 대	@$ 16,064.-	U$ 80,320.-	대흥기계
12	GENERATOR, DG 145K	5 대	@$ 22,518.-	U$ 112,590.-	
합 계		35 대		U$ 497,350.-	

    나. '91년 6월 30일까지 선적 가능한 품목

품목 번호	품 명	수량	단 가	금 액	제조업체
13	WATER PURIFICATION UNIT	4 대	@$117,897.-	U$ 471,588.-	만도기계

2. 검토의견

    가. '90년도 12월 22일자 검토의견에서 품목번호 4 (MINI BUS, 6인승밴 WITH
       BLOOD BANK REFRIGERATOR) 및 6 (MINI BUS, 25 인승 WITH BLOOD BANK
       REFRIGERATOR) 는 BLOOD BANK REFRIGERATOR 수급상 문제가 있으므로 냉장고
       없이 공급 하고자 하며, '91년 1월까지 선적 가능함.

    나. 상기 선적 기일은 '91년 1월 10일경 ORDER 확인되는 경우이므로 조속한
       발주가 요망됨.

0047

TURKEY 혈액 냉장고

1991. 1. 7.

1. SPECIFICATION

　가. HRB-200

　　　1) 외　　　형 : W 734 x H 2,030 x D 864 (mm)

　　　2) 유효내용적 : 664ℓ (450㎖ 혈액주머니 280개 수용)

　　　3) 전　　　원 : AC 220V, 50/60HZ

　　　4) 중　　　량 : 205 KGS

　　　5) 비　　　고 : 디지털 타입 온도/전원 모니터, 온도기록계 포합

　나. HRB-95

　　　1) 외　　　형 : W 613 x H 1,115 x D 635 (mm)

　　　2) 유효내용적 : 218ℓ (450㎖ 혈액주머니 95개 수용)

　　　3) 전　　　원 : AC 220V, 50/60HZ

　　　4) 중　　　량 : 98 KGS

　　　5) 비　　　고 : 표시등 타입 온도/전원 모니터, 온도기록계 포합

2. 가격 및 납기

구　　분	단가 (AIR)	단가 (SEA)	납　　　기
HRB-200	@$ 14,867.67	@$13,451.72	. '91년 1월말까지 4대 . '91년 2월말까지 추가로 5대 . '91년 3월말까지 추가로 10대
HRB-95	@$ 5,506.22	@$ 4,775.42	. '91년 1월 16일 KAL 편에 20대 . '91년 1월말까지 15대

0048

품목별원가계산서

o   ITEM : BLOOD BANK REFRIGERATOR

o   COST BREAKDOWN

    . FOB   : U$ 4,571.-

    . FREIGHT   : U$ 813.80

                       (BY AIR, 130kg X @$ 6.26)

    . INSURANCE PREMIUM : U$ 30.- (0.5%)

    . MARGIN   : U$ 91.42 (FOB X 2%)

    TOTAL   : C.I.F. U$ 5,506.22

0049

의 견 서

1990. 12. 31.

제 목 : TURKEY 국 혈액 냉장고 AIR SHIPMENT 에 관한건

아국에서 TURKEY ISTANBUL 의 화물 운송 ROUTE 는 당사가 대한항공을 통하여
KIMPO 에서 FRANKFURT 까지 AIR 로 선적하고 FRANKFURT 에서 ISTANBUL 까지
TRUCKING 하는 방법과 당사가 KIMPO 에서 FRANKFURT 까지만 AIR 로 선적하고
FRANKFURT 에서 ISTANBUL 까지는 터어키측 항공사를 통해 운송하는 두가지
방법이 있습니다.

즉, 제 1 방법) KIMPO ---→ FRANKFURT ---→ ISTANBUL
                   ↑   ↑
        (KAL, 당사부담)   (TRUCKING, 당사부담)

제 2 방법) KIMPO ---→ FRANKFURT ---→ ISTANBUL
                   ↑   ↑
        (KAL, 당사부담)   (THY, 터어키부담)

이들 두 ROUTE 의 단가 내역은 아래와 같습니다.

구 분	제 1 방법	제 2 방법
물 대	U$ 4,571.-	U$ 4,571.-
FREIGHT	U$ 813.80 (130KG X @$ 6.26)	U$ 683.80 (130KG X @$ 5.26)
보 험 료	U$ 30.-	U$ 30.-
MARGIN	U$ 91.42	U$ 91.42
CIF 합 계	U$ 5,506.22	U$ 5,376.22

0050

위의 두가지 방법을 비교해 보면 가격면에서는 당사가 대한항공을 통해
FRANKFURT 까지만 운송하고 TURKEY 측 항공사에 인도하는 방법이 단가에서
U$ 130.- 저렴하나, 운송 항공사가 중간 기착지에서 바뀌는 관계로

① 화물의 분실 위험성이 높아지고
② 중간 기착지에서 분할 선적되는 관계로 최종 화물 도착 시점이 오히려
   늦어질 가능성이 있습니다.

따라서 KIMPO 에서 ISTANBUL 까지 대한항공을 통한 직접 운송이 바람직하다고
사료 됩니다.

0051

EMBASSY OF TURKEY

SEOUL

December 31, 1990

129 - 68

     The Embassy of the Republic of Turkey presents its compliments to the Ministry of Foreign Affairs and with reference to its Note No. 124/63 dated December 24, 1990, has the honour to further communicate the following:

     The Turkish Red-Crescent has informed the relevant Turkish authorities that of the materials to be donated to it, primarily 5 "Blood Bank Refrigerators" are very urgently needed.

     In connection with this urgency:

     The Embassy of the Republic of Korea in Ankara has been informed by the Turkish Foreign Ministry that if the said Blood Bank Refrigerators, numbering 5, could be transported by the Korean Airlines to Singapore, then it would be possible to transport them quickly to Turkey. For this purpose, the Turkish authorities have already taken necessary measures for the shipment of the said refrigerators, with the Turkish airlines, which will be leaving Singapore en route to Turkey, on January 8, 1991.

     The Turkish Embassy would be much obliged to be informed by 4 January, 1991 at the latest if the above-mentioned refrigerators, would be transported to Singapore in order to send them to Turkey.

     The Embassy of the Republic of Turkey avails itself of this opportunity to renew to the Ministry of Foreign Affairs the assurances of its highest consideration.

Ministry of Foreign Affairs
Seoul

0052

EMBASSY OF TURKEY

SEOUL   December 31, 1990

129 - 68

     The Embassy of the Republic of Turkey presents
its compliments to the Ministry of Foreign Affairs
and with reference to its Note No. 124/63 dated
December 24, 1990, has the honour to further
communicate the following:

     The Turkish Red-Crescent has informed the relevant
Turkish authorities that of the materials to be donated
to it, primarily 5 "Blood Bank Refrigerators" are very
urgently needed.

     In connection with this urgency:

     The Embassy of the Republic of Korea in Ankara
has been informed by the Turkish Foreign Ministry that
if the said Blood Bank Refrigerators, numbering 5,
could be transported by the Korean Airlines to Singapore,
then it would be possible to transport them quickly
to Turkey. For this purpose, the Turkish authorities
have already taken necessary measures for the shipment
of the said refrigerators, with the Turkish airlines,
which will be leaving Singapore en route to Turkey,
on January 8, 1991.

     The Turkish Embassy would be much obliged to be
informed by 4 January, 1991 at the latest if the above-
mentioned refrigerators, would be transported to
Singapore in order to send them to Turkey.

     The Embassy of the Republic of Turkey avails itself
of this opportunity to renew to the Ministry of Foreign
Affairs the assurances of its highest consideration.

Ministry of Foreign Affairs
Seoul

0053

외 무 부

종   별 :

번   호 : TUW-0013

수   신 : 장관(마그)

발   신 : 주 터 대사

제   목 : 걸프사태 관련지원

연:TUW-0803

대:WTU-0001

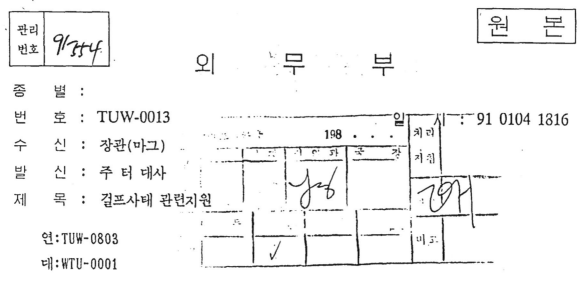

일시 : 91 0104 1816

1.4(금) 당관 민참사관은 TEVFIK OKYAYUZ 외무부 중동,마그레브 경제과장을면담, 대호에 관하여 협의한바 아래 보고함.

1. 주재국은 아측이 제시한 대호 (나)항 수송방법에 동의하였으니 대호 일정대로 물품을 송부후 결과회보바람.

2. 동물품이 이스탄불에 도착, 세관에 보관되면 주재국 적십자사가 봉관수속후 이를 수령키로하였음. 동봉관에는 아측의 기증증명서(DONATION CERTIFICATE)가 필요하다하는바, 페만사태 관련 경제협력계획으로 대한민국정부가 터키정부에 5백만불의 생필품을 지원키로 결정하였으며 터키정부의 요청에따라 터키적십자사에 BLOOD BANK REFRIGERATOR 20 대를 1 차로 기증함을 당관명의 공한으로 외무성에 통보코져하니 승인바람(연호와 같이 면세봉관 문제때문에 터키적십자사를 언급하여 줄것을 희망)

3. 상기 공한에 명시코져하니 REFRIGERATOR 의 MODEL, 용량등 SPECIFICATION 을 회보바람.

4. 주재국은 WTU-0506 으로 통보한 선적가능 품목을 아측이 제시한 선적가능시기에 모두 수령하기를 희망한다하니 선적토록 사전 준비바라며, (다)항 선적기일 지체 예상품목의 CIF 기준가도 회보바람.(91.6. 선적이 가능한 WATER PURIFICATION UNIT 도 아측이 제시한 시기에 수령희망 한다함)

5. 주재국은 WTU-0506 (VE) 항의 국내 공급불가 품목대신에 BLOOD BAG 등을희망한다하며 주재국측이 희망하는 상세품명및 규격은 내주초 접수후 추보위게임.

(대사 김내성-국장)

중아국	장관	차관	1차보	2차보	정문국	안기부

예고:1991.6.30. 일반

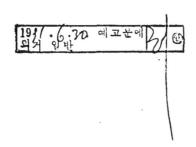

0055

걸프사태 : 주변국 지원, 1990-92. 전12권 (V.9 터키, 1990-91)   61

분류번호	보존기간

발 신 전 보

WTU-0001   910103 1709   FK

민 호 : _____   종별 : _____

수 신 : 주   터 키   대사.총영사관

발 신 : 장 관   (마그)

제 목 : 걸프사태 관련 지원

대 : TUW-0803

연 : WTV-0526

1. 대호 Blood Bank Refrigerator (23번)의 91.1월 중순경까지 공급가능물량은
20대이며 터키항공이 동경 및 심가폴까지 운항하고 있으나 여객기로서 화물수송에는
부적절하므로 아측경비부담으로 이스탄불까지 직접 수송하는 하기방안대로 추진코자
하니 터키측에 통보하고 화물수령등 구체적 접수계획을 수립, 지급 보고바람.

　가. 소요경비

　　ㅇ 운송, 보험 및 수수료 포함(CIF 가격) = $5,506.22

　　　- 물품대 $4,571(규격 130KG)

　　ㅇ 소요경비

　　　$5,506.22 X 20대 = $110,124.4

/계속.../

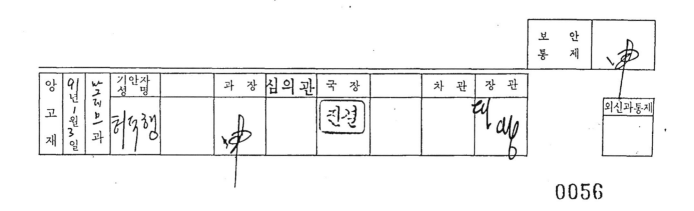

0056

나. 수송방법

　　o 서울 - 프랑크프르트간 대한항공 수송

　　o 프랑크프르트 - 터키까지 트럭운송

　　o 서울출발에서 이스탄불 도착까지 3일 소요

　　　- 1.16(수) 선적경우, 1.19(토) 도착

2. 주한 터키 대사관은 상기물품 5대를 1.8(화) 싱가폴에서 출발하는 터키 항공편으로 긴급 지원해줄것을 요망하여온바, 국내 공급사정상 불가능함을 통보한바 있으니 참고바람.

　　　　　　　　　　　　　　　（중동아프리카국장 대리 양태규）

예고 : 91.6.30. 일반.

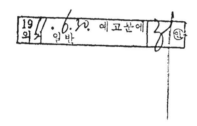

19 의기 ·6·30. 예고문에 일반

0057

관리
번호 9156

종 별 :

번 호 : TUW-0803

수 신 : 장관(마그)

발 신 : 주 터 대사

제 목 : 걸프사태 관련지원

원 본

일 시 : 90 1227 2000

긴급처리

대: WTU-05(052)6

1. 12.27(목) 당관 민참사관이 TEVFIK OKYAYUZ 외무부 중동.마그레브 경제과장을 면담, 대호 선적 가능품목, 불가품목등을 설명하고 가능하면 91.1 월말까지 선적가능한 품목으로 확정하여 줄것을 요청하였음.

2. 동과장은 터측이 긴급 필요한 BLOOD BANK REFRIGERATOR (23 번) 이외에는 선적기일에 크게 문제가 없으므로 주재국 적십자사와 협의, 품목을 확정하겠다고 하였음. 다만 주재국은 BLOOD BANK REFRIGERATOR 가 긴급 필요하므로 항공편으로 1.15. 이전에 주재국에 도착할수 있는 공급가능 물량을 조속 알려줄것을 희망하였음.

3. 아측이 1.15 이전 지원가능한 REFRIGERATOR 물량이 있을경우 KAL 이 터키항공(THY)이 운항하는 공항까지 운송하여 주면(예, 싱가폴) THY 연결공항부터는 터키적십자사 책임및 경부부담하에 REFRIGERATOR 를 운송할 계획이라함.

4.1.15 이전 공급 가능물량, 단가, 연결공항까지의 운송료등을 회보바람.

5. 민참사관은 지원의 성격상 정부대 정부간 협력임을 감안, 정부기관이 수령기관이 되어야할것임을 언급한바, 주재국측도 선편으로 대부분의 물품 도착시 인도식(본직및 주재국 고위정부관리 참석)등을 고려하고 있으나 AIRWAY BILL 상의 수취인은 주재국 국내법상 발생하는 관세문제 때문에 터키적십자사(TURKIYE KIZILAY DERNEGI, ANKARA, TURKEY)로 아측이 양해하여 줄것을 희망하였음.(외무부 또는 정부부처가 수취인이 될경우 국내법상 관세문제가 발생한다함)

6. 마그10005-1640(90.11.26)에 의하면 AMBULANCE 가격이 대당 15,000미불이나 WTU-0506 에 의하면 대당 18,000 미불인바, 대당 가격을 재확인 회보바람.

(대사 김내성-국장)

예고:91.6.30. 일반

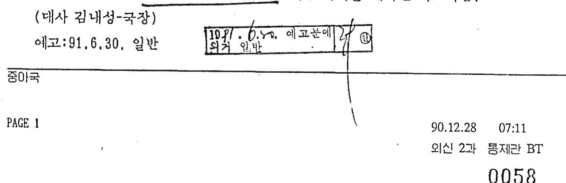

중아국

PAGE 1

90.12.28   07:11

외신 2과   통제관 BT

0058

輸 出 契 約 書

"甲" 　外 　　務 　　部
　　　마그레브課長 　申 　國 　昊

"乙" 　株式會社 　高 　麗 　貿 　易
　　　代表理事 　副社長 　高 　一 　男

上記 "甲" "乙" 兩者間에 다음과 같이 輸出契約을 締結한다.

第 1 條 ： 輸出物品의 表示
　　　　　　別 　　添

第 2 條 ： "甲"은 上記 第1條의 物品貸金을 船積書類 受取後 "乙"에게 支給한다.

第 3 條 ： "乙"은 上記 第1條의 物品을 1991 . 1 . 16. 까지 　　KIMPO 　港
　　　　　（또는 空港）에서 　ISTANBUL 　行 船舶（또는 航空機）에 船積하여야
　　　　　한다. 　但, 불가피한 事由로 船積이 遲延될 境遇에는 1990. 12. 21.
　　　　　外務部長官과 "乙"間에 締結된 輸出代行業體 指定 契約書 第4條 規定에
　　　　　依하여 "乙"은 "甲"에게 船積 遲延事由書를 提出하고 "甲"은 同 遲滯
　　　　　償金 免除 與否를 決定한다.

第 4 條 ： "乙"은 船積完了後 7日 以內에 "甲"이 船積物品 通關에 必要한 諸般
　　　　　船積書類를 "甲" 또는 "甲"의 代理人에게 提出 또는 現地公館에 送付
　　　　　하여야 한다.

- 1 -

0059

第 5 條 : 上記 船積物品의 品質保證 期間은 船積後 1 年間으로 하며, 이 期間中
正常的인 使用에도 不拘하고 製造不良이나 材質 또는 조립상의 하자가
發生할 境遇 "乙"의 責任下에 解決한다.

本 契約에 明示되지 않은 事由에 對하여는 걸프만 事態 供與品 輸出 代行 契約書
에 따른다.

1991 年 1 月 7 日

"甲" 外   務   部   "乙" 株 式 會 社 高 麗 貿 易
                              서울特別市 江南區 三成洞 159
    마그레브課長 申 國 昊   代表理事 副社長 高 一 男

0060

(별 첨)

DESCRIPTION	Q'TY	UNIT PRICE	AMOUNT
BLOOD BANK REFRIGERATOR	20 UNITS	@$ 5,506.22	U$ 110,124.40
(COMPACT REFRIGERATOR MECHANICAL BIOLOGICAL)			
. MODEL NO. : HRB-95			
. NET : 218 L (450ML X 95)			
. TEMPERATURE CONTROL : AUTOMATIC (2℃ - 4℃)			
. TEMPERATURE RECORDER			
TOTAL :			U$ 110,124.40

0061

誓 約 書

受 信 : 外務部長官

題 目 : 걸프만 事態에 따른 供與用 物品供給

       弊社는 貴部가 主管하는 表題 事業이 緊急支援 및 秘密維持를 要하는 國家的 事業임을 認識하고, 今般 TURKEY 國에 供與하는 BLOOD REFRIGERATOR 物品을 供與契約 締結함에 있어 아래 事項을 遵守할 것을 誓約하는 바입니다.

1. 物品供給 契約時 品質 價格面에서 一般 輸出契約과 最小限 同等한 또는 보다
   有利한 條件을 適用한다.

2. 締結된 契約은 보다 誠實하고 協助的인 姿勢로 履行한다.

3. 同 契約 內容은 業務上 目的 以外에는 公開하지 않는다.

                1991 年 1 月 7 日

會 社 名 : 서울特別市 鍾路區 堅志洞 65-1

代 表 者 : 株式會社 高麗貿易

(署名 및 捺印) 代表理事 高一男

0062

一般豫算檢討意見書

199**/** . **/** . **//** .　　　　　마그레브　課

事　業　名	걸프만 사태관련지원 (터키 2차)		
支　辦　科　目	細　　項	目	金　　額
	1211	341	$922,0Ā

檢　　討　　意　　見	
主　務　者	정무활동, 해외경상이전에서 집행
擔　當　官	"
調　整　官	"　　　0063

기 안 용 지

분류번호 문서번호	마그20005-	(전화 :　　　)	시 행 상 특별취급	
보존기간	영구 · 준영구 10. 5. 3. 1.	차　관	장　관	
수 신 처 보존기간				
시행일자	1990. 1. 10.			

보 조 기 관	국 장		협 조 기 관	기획관리실장	문 서 통 제
	심의관			감 사 관	
	과 장			총 무 과 장	
기안책임자	허 덕 행		기획운영담당관	발 송 인	

경 유 수 신 참 조	건　의	발 신 명 의	

제　목	걸프만 사태 관련 지원(터키-2)

　　1. 걸프만 사태관련, 5백만불 상당의 물자를 무상원조할

터키에 대해서 혈액보관냉장고(20대)의 긴급지원에 이어 2차로 다음과

같이 $922,095 상당의 물자를 '91.1월중 선적토록 계약을 체결코자 하니

재가하여 주시기 바랍니다.　　　　　　·

　　2. 금번 계약체결에 이은 터키에 대한 나머지분 3차지원은

91.2월중에 선적할 예정임을 첨언합니다.

　　　　　　　　　　　　　　　　　　　　/계속.../

0064

- 아   래 -

품 명	수 량	단가(CIF)	금 액
Besta 12 EST	20	14,500	290,000
Besta 3 VAN	5	11,393	56,965
Combi Bus 25인승	10	25,680	256,800
Fork lift GPS 15L	10	19,780	197,800
Fork lift GPS 30L	5	24,106	120,530
		합 계 :	922,095

첨 부 : 1. 고려무역(주)의 터키 요청품목별 공급 검토의견서 1부.

　　　2. 수출 계약서 및 서약서 각 1부.

　　　3. 관련 전문사본.

0065

輸 出 契 約 書

"甲" 外　　　務　　　部

　　　 마그레브課長　申　國　昊

"乙" 株式會社　高　麗　貿　易

　　　 代表理事　副社長 高 一 男

　　　上記 "甲" "乙" 兩者間에 다음과 같이 輸出契約을 締結한다.

第 1 條 ：　輸出物品의 表示

　　　　　　別　　　添

第 2 條 ：　"甲"은 上記 第1條의 物品貸金을 船積書類 受取後 "乙"에게 支給한다.

第 3 條 ：　"乙"은 上記 第1條의 物品을 1991 . 1 . 31. 까지　　　PUSAN　港
　　　　　　(또는 空港)에서　ISTANBUL　行 船舶(또는 航空機)에 船積하여야
　　　　　　한다.　但, 불가피한 事由로 船積이 遲延될 境遇에는 1990. 12. 21.
　　　　　　外務部長官과 "乙" 間에 締結된 輸出代行業體 指定 契約書 第4條 規定에
　　　　　　依하여 "乙"은 "甲"에게 船積 遲延事由書를 提出하고 "甲"은 同 遲滯
　　　　　　償金 免除 與否를 決定한다.

第 4 條 ：　"乙"은 船積完了後 7日 以內에 "甲"이 船積物品 通關에 必要한 諸般
　　　　　　船積書類를 "甲" 또는 "甲"의 代理人에게 提出 또는 現地公館에 送付
　　　　　　하여야 한다.

- 1 -

第 5 條 : 上記 船積物品의 品質保證 期間은 船積後 1 年間으로 하며, 이 期間中
正常的인 使用에도 不拘하고 製造不良이나 材質 또는 조립상의 하자가
發生할 境遇 "乙"의 責任下에 解決한다.

本 契約에 明示되지 않은 事由에 對하여는 걸프만 事態 供與品 輸出 代行 契約書
에 따른다.

1991 年 1 月 11 日

"甲" 外 務 部   "乙" 株式會社 高麗貿易
                              서울特別市 江南區 三成洞 1
마그레브課長 申 國 ○   代表理事 副社長 高 一 ○

- 2 -

(별   첨)

DESCRIPTION	Q'TY	UNIT PRICE	AMOUNT
		C.I.F. ISTANBUL	
1. BESTA 12C EST (WITH 10% SPARE PARTS) - AIR CONDITIONER - STANDARD	20 UNITS	@$ 14,500.-	U$ 290,000.-
2. BESTA 3VAN (WITH 10% SPARE PARTS) - STANDARD	5 UNITS	@$ 11,393.-	U$ 56,965.-
3. COMBI (25SEATS) BUS (WITH 10% SPARE PARTS) - AIR CONDITIONER - STANDARD	10 UNITS	@$ 25,680.-	U$ 256,800.-
4. FORK LIFT GPS 15L (WITH RECOMMENDED SPARE PARTS)	10 UNITS	@$ 19,780.-	U$ 197,800.-
5. FORK LIFT GPS 30L (WITH RECOMMENDED SPARE PARTS)	5 UNITS	@$ 24,106.-	U$ 120,530.-
TOTAL :			U$ 922,095.-

0068

誓 約 書

受 信 : 外務部長官

題 目 : 걸프만 事態에 따른 供與用 物品供給

　　　　　　弊社는 貴部가 主管하는 表題 事業이 緊急支援 및 秘密維持를 要하는

國家的 事業임을 認識하고, 今般　　　TURKEY　　　國에 供與하는 BESTA 12C EST, ETC

物品을 供與契約 締結함에 있어 아래 事項을 遵守할 것을 誓約하는 바입니다.

1. 物品供給 契約時 品質 價格面에서 一般 輸出契約과 最小限 同等한 또는 보다

   有利한 條件을 適用한다.

2. 締結된 契約은 보다 誠實하고 協助的인 姿勢로 履行한다.

3. 同 契約 內容은 業務上 目的 以外에는 公開하지 않는다.

　　　　　　　　　　　　　　　　　　1991 年 1 月 11 日

會　社　名 : 서울特別市 鍾路區 堅志洞 65-1

代　表　者　株式會社　高麗貿易

(署名 및 捺印)代表理事　高 一 男

0069

터어키 2차분 업체 선정 경위

1. BESTA 12 인승 및 BESTA 3 인승 VAN

    가. 동 품목은 터어키측의 요청이 KIA BESTA 였으며 국내에서는 기아 (BESTA)
       와 현대 (GRACE) 에서 생산중인 제품임.

    나. 현대제품은 일본 MITSUBISHI의 기술제휴로 인한 특약으로 중동지역 수출이
       불가한 사유도 있어 기아제품을 선정함.

2. MINI BUS 25인승

    가. 동 품목은 아시아(COMBI)와 현대(CHORUS)에서 생산중임.

    나. 현대제품은 일본 MITSUBISHI의 기술제휴로 인한 특약으로 중동지역 수출이
       불가하여 아시아 제품을 선정함.

3. S.PARTS FOR BESTA & COMBI

    가. BESTA 의 S.PARTS에 관해서는 전문업체로 부터 복수 OFFER를 접수하여
       가격 경쟁력이 있는 동서교역을 선정함.

    나. COMBI 의 S.PARTS에 관해서는 아시아와 동서교역으로 부터 복수 OFFER를
       접수 한바, 동서교역의 견적이 상대적으로 일정 예산내에서 공급 가능
       수량이 많은 이유로 동서교역을 선정함.

4. FORK LIFT

    가. 동 품목은 터어키측 요청 자체가 삼성클라크의 MODEL인 GPS SERIES 였으며,
       국내 대우중공업 및 한라중공업에서 생산중인 제품임.

    나. 한라중공업의 경우는 엔진 장착식이 아닌 BATTERY 식의 제품만이 수출가능
       하므로 전시 체제인 현지의 전기사정 및 A/S 면에서 부적격 하였으며,
       대우중공업의 경우는 OEM 방식으로 생산중이며, 기술제휴처인 CATAPILA 와의
       특약으로 수출이 불가능하여 삼성클라크의 제품을 선정함.

0070

76   걸프 사태 주변국 지원 4: 터키, 모로코, 쿠웨이트, 기타

TURKEY 요청 품목별 요약

1. 1991년 1월말까지 선적 가능분

품목번호	품 명	수 량	단 가	금 액	비 고
2	BESTA 12C EST	20 대	@$ 14,500.-	U$ 290,000.-	전 량
3	BESTA 3 VAN	5 대	@$ 11,393.-	U$ 56,965.-	잔량 2대는 2월 선적
5	COMBI BUS 25 SEATS	10 대	@$ 25,680.-	U$ 256,800.-	전 량
7	FORK LIFT GPS 15L	10 대	@$ 19,780.-	U$ 197,800.-	전 량
8	FORK LIFT GPS 30L	5 대	@$ 24,106.-	U$ 120,530.-	전 량
23	BLOOD BANK REFRIGERATOR HRB-95, 218ℓ	20 대	@$ 5,506.22	U$ 110,124.40	1/16 AIR 선적 664ℓ 10대는 2월 선적
합계				U$ 1,032,219.40	예산대비잔액 : U$3,967,780.60

* 선적스케줄 : 1. 출 항 : JAN 29, 1991   2. TRANSIT TIME : 40 DAYS

3. 선 명 : FRESA   4. PORT : ULSAN

5. DESTINATION : ISTANBUL

2. 1991년 2월말까지 선적 가능분

품목번호	품 명	수 량	단 가	금 액	비 고
1	BESTA AMBULANCE	60 대	@$ 18,000.-	U$ 1,080,000.-	전 량
3	BESTA 3 VAN	2 대	@$ 11,393.-	U$ 22,786.-	잔량분 전량
4	BESTA 6 VAN WITH BLOOD REFRIGERATOR (45ℓ)	5 대	@$ 13,413.-	U$ 67,065.-	잔량 15대는 3월 선적
6	COMBI BUS WITH BLOOD REFRIGERATOR (45ℓ)	10 대	@$ 27,330.-	U$ 273,300.-	전 량
14	TRUCK 1 TON CERES	10 대	@$ 9,950.-	U$ 99,500.-	전 량

0071

걸프사태 : 주변국 지원, 1990-92. 전12권 (V.9 터키, 1990-91) 77

15	TRUCK 3 TON K3500	25 대	@$ 14,649.-	U$ 366,225.-	전 량
16	TRUCK DOUBLE CAP	15 대	@$ 15,563.-	U$ 233,445.-	전 량
23	BLOOD BANK REFRIGERATOR HRB-200, 664ℓ	10 대	@$13,451.72	U$ 134,517.20	잔량분 전량 누계 : 30 대
합계				U$ 2,276,838.20 (누계 : U$ 3,309,057.60)	예산대비잔액 U$1,690,942.40

3. 1991년 3월 말까지 선적 가능분

품목번호	품 명	수 량	단 가	금 액	비 고
4	BESTA 6VAN WITH BLOOD REFRIGERATOR	15 대	@$ 13,413.-	U$ 201,195.-	잔량분 전량
9	GENERATOR, DG 30K	15 대	@$ 11,084.-	U$ 166,260.-	전 량
10	GENERATOR, DG 48K	10 대	@$ 13,818.-	U$ 138,180.-	전 량
11	GENERATOR, DG 75K	5 대	@$ 16,064.-	U$ 80,320.-	전 량
12	GENERATOR, DG 145K	5 대	@$ 22,518.-	U$ 112,590.-	전 량
합계				U$ 698,545.- (누계 : U$ 4,007,602.60)	예산대비잔액 U$ 992,397.40

4. 1991년 6월말까지 선적 가능분

품목번호	품 명	수 량	단 가	금 액	비 고
13	WATER PURIFICATION UNIT	4 대	@$117,897.-	U$ 471,588.-	전 량
합계				U$ 471,588.- (누계 : U$ 4,479,190.60)	예산대비잔액 U$ 520,809.40

5. 검토의견

가. 상기 선적 기일은 '91년 1월 10일경 ORDER 확인되는 경우이므로 조속한 발주가 요망됨.

나. 품목번호 17, 18, 19, 20, 21, 22 의 6 품목은 " 1990년 12월 22일자 품목별 검토 의견 " 에서 이미 공급 불가한 것으로 보고 되었음.

다. 1991년 1월말까지 선적 가능한 품목번호 2, 3, 6, 7, 8 의 SAPRE PARTS 는 부품 수급상 애로가 있어 1991년 2월 선적분에 함께 선적하며, 1991년 2월 부터 선적되는 VEHICLES 의 SPARE PARTS 는 VEHICLES 와 동시 선적됨.

라. 품목번호 23 의 BLOOD BANK REFRIGERATOR 는 당초 TURKEY 측에서 용량 500ℓ 의 냉장고를 원했으므로 긴급을 요하는 20 대만 지급 선적 가능한 용량 218ℓ 냉장고로 AIR 편 선적하고 2월말까지 용량 664ℓ 냉장고 10 대를 SEA 편으로 추가 선적함. (TURKEY 요청 60 대중 30 대만 선적 예정)

0073

- 3 -

분류번호	보존기간

발 신 전 보

번 호 : WTU-0014   910111 1631 FK   종별 :

수 신 : 주 터키 대사.총영사

발 신 : 장 관 (마그)

제 목 : 걸프사태 관련 지원

대 : TUW-0013

연 : WTU-0506

1. 대호 지원건 그간 교섭결과 파악된 주재국측 의견, 아측 공급사정, 물품가격, 수량, 선적가능시기등 제반사항을 종합한 결과, 아래와 같이 조치 코자 대행회사와 필요한 계약체결 및 물품주문을 하고있으니 주재국측에 통보바람.

가. 91. 1월말 선적

(단위 : 미불)

품목번호	품 명	수 량	단가(CIF)
2	Besta 12C EST	20	14,500
3	Besta 3 VAN	5	11,393
5	Combi Bus(25인승)	10	25,680
7	Fork lift(GPS 15L)	10	19,780
8	Fork lift(GPS 30L)	5	24,106

합 계 : 922,095

/계속.../

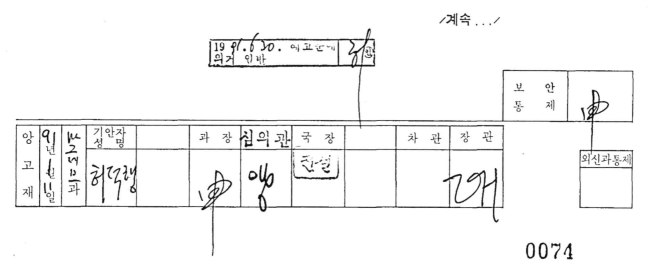

앙 고 재	91년 1월 11일	12 과	기안자 성명 허미량		과 장	심의관	국 장		차 관	장 관	보 안 통 제

19 91.6.20. 예고문에 의거 일반

외신과통제

0074

나. 91.2월중 선적

품목번호	품 명	수량(예정선적기)	단가(CIF)
1	Besta Ambulance	60(91.2)	18,000
3	Besta 3 VAN	2(91.2)	11,393
4	Besta 6 VAN(혈액 냉장고 45ℓ 부착)	5(91.2)	13,413
6	Combi Bus 25인승 (혈액냉장고 45ℓ 부착)	10(91.2)	27,330
14	Truck (1t)	10(91.2)	9,950
15	Truck (3t)	25(91.2)	14,649
16	Truck (DC)	15(91.2)	15,563
23	혈액냉장고(664ℓ)	10(91.2)	13,451.72

합 계 : 2,276,838.2

2. 나머지 잔액 $1,690,942.4 에 대해서는 주재국측에서 CIF 가격을 문의한 하기물품중에서 품목과 수량을 확정토록하고 결과보고바람.

품목번호	품 명	가 격	예상선적일
4	Besta 6 VAN(혈액 냉장고 45ℓ 부착)	13,413	91.3.
9	Generator(DG30K)	11,084	91.3.
10	Generator(DG48K)	13,818	91.3.
11	Generator(DG75K)	16,064	91.3.
12	Generator(DG145K)	22,518.	91.3.
13	정수기	117,897	91.6.

(중동아프리카국장 이 해 순)

예고 : 91.6.30.까지

0075

TURKEY " BLOOD BAG 등 " 추가 요청분 검토

1991. 1. 16.

1. 검토 경위

　가. TURKEY 측 추가 검토 요청 품목중 " THE BOXES OF BLOOD TRANSPORT " 는
　　국내에서도 수입하여 사용중이고 " STANDARD BLOOD THERMOSTABILIZER " 의
　　경우 국내에서는 일반 ICE BOX 를 대체 사용하는 실정이므로 국내 공급이
　　어려움.

　나. 나머지 " BLOOD BAG " 과 " BLOOD GIVING SET " 는 국내에서 공급 가능하나
　　국내 유일의 공급가능 MAKER 인 " 녹십자 의료기 " 에 문의 결과 " BLOOD
　　GIVING SET " 에 대해서는 자재 수급 및 생산 계획상 문제가 많아서 " BLOOD
　　BAG " 에 관해서만 견적 접수함.

2. " BLOOD BAG " 의 SPEC, 납기 및 가격

　가. SPEC

　　1) SINGLE BLOOD BAG

　　　NEEDLE : 16G

　　　BLOOD COLLECTION VOLUME : 320㎖

　　　ANTICOAGULANT : 80㎖ OF ACD-B

　　　EACH 100㎖ OF ACD-B CONTAINS

　　　CITRIC ACID : 0.48g

　　　SODIUM CITRATE : 1.32g

　　　DEXTROSE : 1.34g

　　　DISTILLED WATER : Q.S.

　　　LABEL : KOREAN

　　2. DOUBLE BLOOD BAG

　　　NEEDLE : 16G

　　　BLOOD COLLECTION VOLUME : 500㎖

　　　ANTICOAGULANT : 70㎖ OF CPD

　　　EACH 100㎖ OF CPD CONTAINS

　　　CITRIC ACID : 0.299g

- 1 -

0076

SODIUM CITRATE : 2.63g

SODIUM BIPHOSPHATE : 0.222g

DEXTROSE : 2.55g

DISTILLED WATER : Q.S.

LABEL : ENGLISH

3) TRIPLE BLOOD BAG

NEEDLE : 16G

BLOOD COLLECTION VOLUME : 320㎖

ANTICOAGULANT : 44.8㎖ OF CPD-A

EACH 100ML OF CPD-A CONTAINS

ADENINE : 0.0275g

CITRIC ACID : 0.327g

SODIUM CITRATE : 2.63g

DEXTROSE : 3.19g

SODIUM BIPHOSPHATE : 0.222g

DISTILLED WATER : Q.S.

LABEL : KOREAN

나. 공급 가능 품목, 수량, 시기

공급가능품목	1 월 말	2 월 말	합 계
SINGLE BLOOD BAG	200,000 개	100,000 개	300,000 개
DOUBLE BLOOD BAG	20,000 개	20,000 개	40,000 개
TRIPLE BLOOD BAG	10,000 개	-	10,000 개

* 상기 납기는 1991년 1월 19일까지 ORDER 확정되는 경우임.

다. 가 격

품 명	단 가 (CIF SEA)
SINGLE BLOOD BAG	@$ 1.674
DOUBLE BLOOD BAG	@$ 2.895
TRIPLE BLOOD BAG	@$ 4.332

- 2 -

0077

TURKEY TYRE 검토 요약

1991.　1.　16.

1. 검토 경위

가. 1월 10일자 " TURKEY 요청 품목별 요약 " 에서 기 검토 되었던 품목번호
   1, 2, 3, 4, 5, 6, 7, 8, 13, 14, 15, 16 각각에 대하여 장착되는 TYRE 의
   규격, 가격 및 납기를 검토 요약함.

나. 다만, 품목번호 7, 8 의 TYRE 는 수량이 적어 납품 MAKER 인 " 우성타이어 "
   로 부터 견적 접수가 불가하였기에 자동차 부품 수출입 업체인 " 동서교역 "
   에서 견적을 받았으며, 나머지 품목의 경우는 그동안의 거래관계에 의거
   " 한국타이어 " 에서 견적 접수함.

2. TYRE 의 규격, 가격 및 납기

품목 번호	T Y R E 규 격	대당장착 TYRE 수	단　가 (CIF SEA)	차　　　종	비 고
1	185R - 14 - 6PR	4 개	@$　48.70	BESTA AMBULANCE	60 대
2	185R - 14 - 6PR	4 개	48.70	BESTA 12인승	20 대
3	6.00 - 14 - 8PR	4 개	41.12	BESTA 3인승 VAN	7 대
4	6.00 - 14 - 8PR	4 개	41.12	BESTA 6인승 VAN WITH 혈액냉장고	20 대
5	7.00 - 16 - 10PR	6 개	52.61	COMBI BUS 25인승	10 대
6	7.00 - 16 - 10PR	6 개	52.61	COMBI BUS 25인승 WITH 혈액냉장고	10 대
7	F : 21 X 8 X 8 - 12PR	2 개	102.61	FORK LIFT GPS 15L	10 대
	R : 18 X 7 X 8 - 8PR	2 개	55.35		
8	F: 28 X 9 X 15 - 14PR	2 개	134.98	FORK LIFT GPS 30L	5 대
	R: 6.50 X 10 - 10PR	2 개	76.35		
13	9.00 X 20 - 10PR	8 개	99.41	WATER PURIFICATION UNIT	4 대

- 1 -

0078

품목 번호	T Y R E 규 격	대당장착 TYRE 수	단 가 (CIF SEA)	차 종	비 고
14	6.50 - 14 - 8PR	4 개	@$ 43.43	TRUCK 1TON CERES	10 대
15	7.00 - 16 - 10PR	6 개	52.61	TRUCK K3500 33S	25 대
16	7.00 - 16 - 10PR	6 개	52.61	TRUCK DOUBLE CAB	15 대

* 납기는 각 품목 모두 ORDER 확인후 10일임.

- 2 -

0079

품 목 별 원 가 계 산 서

o   ITEM   :   SINGLE BLOOD BAG

o   COST BREAKDOWN

- F.O.B.   :   U$ 1.584

- FREIGHT   :   U$ 0.039
                   U$ 2,400.- (1/16현재)/20' CNTR ÷ 60,000개/20'CNTR

- INSURANCE   :   U$ 0.019
                   CIF X 1.1 X RATE (1%)

- MARGIN   :   U$ 0.032   (FOB X 2%)

   CIF ISTANBUL :   U$ 1.674

0080

품 목 별 원 가 계 산 서

o ITEM : DOUBLE BLOOD BAG

o COST BREAKDOWN

   - F.O.B.   : U$ 2.772

   - FREIGHT   : U$ 0.039
                      U$ 2,400.- (1/16현재)/20' CNTR ÷ 60,000개/20'CNTR

   - INSURANCE   : U$ 0.029
                      CIF X 1.1 X RATE (1%)

   - MARGIN   : U$ 0.055   (FOB X 2%)

     CIF ISTANBUL : U$ 2.895

0081

품 목 별 원 가 계 산 서

○　ITEM　:　TRIPLE BLOOD BAG

○　COST BREAKDOWN

- F.O.B.　:　U$ 4.158

- FREIGHT　:　U$ 0.044

  U$ 2,400.- (1/16현재)/20' CNTR ÷ 54,500개/20'CNTR

- INSURANCE　:　U$ 0.047

  CIF X 1.1 X RATE (1%)

- MARGIN　:　U$ 0.083　　(FOB X 2%)

  CIF ISTANBUL　:　U$ 4.332

0082

GREEN CROSS MEDICAL CORPORATION, KOREA

#746-5 BANPO-DONG, SEOCHO-KU, SEOUL, KOREA.

YOUNG DONG P.O. BOX 4, SEOUL
TELEX: KGCMEC K28164
FAX: (02) 548-2160
CABLE ADD: GREEN EQUIPMENT
TEL: 548-2161
PLANT: 233-0429

OFFER

Messrs. : KOREA TRADING INT'L INC.
SEOUL, KOREA

Date : JAN 21, 1991
Offer No. : 01-0133
Reg. No. : 82053

Dear Sirs,

We take much pleasure in offering you as follows.

Origin : REPUBLIC OF KOREA

Packing : EXPORT STANDARD PACKING

Shipping port : KOREAN PORT OR AIRPORT

Shipment :

Payment : BY AN IRREVOCABLE LOCAL L/C IN OUR FAVOR

Validity : END OF MARCH, 1991

Remarks :

Accepted by

GREEN CROSS MEDICAL CORPORATION, KOREA

京畿道龍仁郡蒲谷面前岱里壹四五~
綠十字醫料工業株式會社
代表理事 高 英 煥
Young Hwan, Koh, President

S.K. NO.	DESCRIPTION	QUANTITY	UNIT PRICE	AMOUNT
	ATTACHED			
				0083

.S.K.NO.	DESCRIPTION	Q'TY	FOB KOREAN PORT OR AIRPORT	
			UNIT PRICE	AMOUNT
)0490	1. SINGLE BLOOD BAG	300,000 BAGS	U$1.584	U$475,200
,900	NEEDLE: 16G			
	BLOOD COLLECTION VOLUME: 320ML			
	ANTICOAGULANT: 80ML OF ACD-B			
	EACH 100ML OF ACD-B CONTAINS			
	CITRIC ACID: 0.48G			
	SODIUM CITRATE: 1.32G			
	DEXTROSE: 1.34G			
	DISTILLED WATER : Q.S.			
	LABEL : KOREAN			
	2. DOUBLE BLOOD BAG	40,000 BAGS	U$2.772	U$110,880
	NEEDLE: 16G			
	BLOOD COLLECTION VOLUME: 500ML			
	ANTICOAGULANT : 70ML OF CPD			
	EACH 100ML OF CPD CONTAINS			
	CITRIC ACID : 0.299G			
	SODIUM CITRATE : 2.63G			
	SODIUM BIPHOSPHATE: 0.222G			
	DEXTROSE: 2.55G			
	DISTILLED WATER: Q.S.			
	LABEL : ENGLISH			
	3. TRIPLE BLOOD BAG	10,000 BAGS	U$4.158	U$41,580
	NEEDLE: 16G			
	BLOOD COLLECTION VOLUME: 320ML			
	ANTICOAGULANT : 44.8ML OF CPD-A			
	EACH 100ML OF CPD-A CONTAINS			
	ADENINE : 0.0275G			
	CITRIC ACID : 0.327G			
	SODIUM CITRATE: 2.63G			
	DEXTROSE : 3.19G			
	SODIUM BIPHOSPHATE: 0.222G			
	DISTILLED WATER : Q.S.			
	LABEL : KOREAN			
	TOTAL :	350,000 BAGS		U$627,660

* REMARKS

    DELIVERY :

	END OF JAN, 1991	END OF FEB, 1991
SINGLE BLOOD BAG :	200,000 BAGS	100,000 BAGS
DOUBLE BLOOD BAG :	20,000	20,000
TRIPLE BLOOD BAG :	10,000	—

0084

INTERNATIONAL TRANSPORTATION CO., LTD.

株式會社國際트랜스

MAILING ADDRESS
C. P. O. BOX 4976
SEOUL, KOREA

YOUNGDONG BLDG.,
832 YEOKSAM-DONG, KANGNAM-GU
SEOUL, KOREA
PHONE: (02) 588-9186, 9187, 4970, 4971
F A X: (02) 553-8719
T L X: ITCLS K26637

JAN. 16, 1991.

TO : KOREA TRADING INTERNATIONAL INC.

TTN : 사 상 우 대 비 님

FREIGHT QUOTATION

1. DESTINATION : FROM KOREA TO ISTANBUL, TURKEY
2. ITEM : TRUCK, GENERAL MERCHANDISE
3. OCEAN FREIGHT : A) TRUCK : US$125/CBM
   B) GENERAL MERCHANDISE : US$2,400/ 20' CONTAINER

* REMARKS : 상기 금액은 1월 16일 기준이며 실적 운임은 선적 시점에서

걸정됩니다 .

YOURS SINCERELY

R. H. SHIN / EXECUTIVE DIRECTOR & C.E.O.

0085

SINGLE BLOOD BAG

1- It is plastic bag with CAPACİTY of 450 ml.ended with a Plas-
tic tube   with a needle to take blood.

2- Bags and liquid they contain shall be sterile, non-toxic and
pyrogen- free,

3- Bags shall contain 63 ml. anti-coagulant citrate, phosphate ,
dextrose and adenine solution U.S.P (CPDA-I)

Each 100 ml. CPDA-I Contains:

Citric Acid	U.S.P.	327 mg.
Sodium Citrate	"	2630 mg.
Dextrose	"	2900 mg.
Sodıum Biphosphate	"	222 mg.
Adenine		27.5 mg.

4- Blood taking tube attached to the bag shall be at least 70cm. long.

300.000 Pieces

0086

<u>DOUBLE BLOOD BAGS</u>

1- Double blood bag is a set which has, two plastic bags con-
nected to each other through a plastic tube and which contains a plastic
tube for blood taking and two outlet tips for each one adaptable for
blood giving sets and in which the first bag will contain a solution
to preserve the blood and prevent the coagulation of the blood.

2- The first bag must be in a dimension to hold at least 450 ml.
blood. It must have a tube for blood taking and two outlet tips a plastic
tube connected to the second bag.

3- The second bağ must be connected to the main bag with a plastic
tube; and made of plastic with capacity of 300 ml. completely empty.
The second bag must have a plastic tube and two outlet tips.

4- Bags must be produced of materials suitable to international
standards.

5- The bags must be of a sterile, apyrogenic and atoxic quality,
and they should not cquse any toxic or allergic effect on the blood
contained or the persons who midy take the blood.

40.000 pieces

TRIPLE BAG
10.000 pieces

0087

BLOOD GİVİNG SETS

1- Blood giving set will be composed of a partition of adapter suitable to the outlets of blood bags, a filter and drop counter, a tube of enough length, a needle adapter and an administration needle.

2- The material of which the blood giving set is made must not do any harmful effect on the blood flowing through it.

3- Sterility, pyrogenicity and toxicity tests must be made according to USP.

4- There must be a piercing adapter Section suitable to outlet tips of blood bags. The piercing section must have a housing.

5- Filters should be made of a material which will not prevent taking blood and must be soft but not moistened. Each 1 square cm of the filter must have at least 200 holes and its filtering space will not be less than 20 square cm.

6- Plastic tubes must be made of a transparent and flexible material and their inner diameters should not be less than 2.2 mm. Its length must be at least 145 cm.

7- One end of the tube connected to the bottom of drop chamber and the other end to rubbersection for injection in such a way not to leakage of water, and the end of the rubber tube must be me connected to the blood giving needle through an adapter.

8- The length of blood giving set must not be less than 165 cm.

9- Blood giving sets will be thoroughly sterile, apyrogenic and a toxic.

10- In blood giving sets there must be in addition a needle made of stainless steel within a protective cover.

350.000 Pieces

0088

- Should be capacitated to keep 40-60 blood bags.

- Should keep the inner temperature 72 hours.

- Should be able to run with both electricity and vehicle battery.

- 11-26 Volt DC

- 200-250 Volt AC

- Temperature must be adjustable between 38° – 40° C

250 pieces

STANDARD BLOOD THERMOSTABİLİZER

- Instead of cooling system, there should be sufficient quantity
  of dry ice packages.

- Should keep 40-60 pieces blood bags.

- Inner temparature should not chance during 48-72 hours

250 Pieces

0089

	분류번호	보존기간

발 신 전 보

WTU-0029   910117 1733 FC

번   호 : _____   종별 : _____

수   신 : 주   터키   대사. ~~총영사~~

발   신 : 장   관   (마그)

제   목 : 걸프사태 관련 지원

대 : 주터점 720-004(91.1.7)

연 : WTU-0014(91.1.11)

1. 대호 Spare tire 공급에 따른 추가소요경비는 총 $43,507.06 임.

   가. 91.1월말 선적차량 대비 추가소요

   ° Combi bus 는 타이어 6개, 기타는 4개 필요하며

       총 190개, $13,147.5

   나. 91.2월말 선적차량대비 추가소요

   ° Combi bus, Truck (3t), (DC) 는 타이어 6개, 기타는 4개 필요하며

       총 608개, $30,359.56

2. 또한 대호 1항의 혈액보관을위한 터키측 요청품목중 Box,

Thermostabilizer 및 Blood giving set 는 국내생산 공급사정상 지원이 곤란하며,

공급가능한 Blood bag 의 가격 및 공급사정은 하기와 같음.

/계속.../

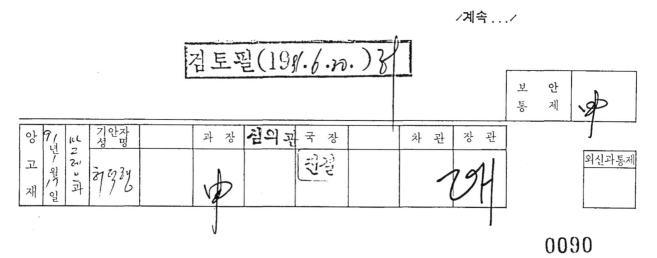

0090

품 목	단가(CIF)	공급물량(선적기)
Blood bag (single)	$1.674	20만개(91.1) 10만개(91.2)
〃 (Double)	$2.895	2만개(91.1) 2만개(91.2)
〃 (Triple)	$4.332	1만개(91.1)
		합계 : 35만개, $661,320 소요

3. 상기 1, 2항의 타이어 및 blood bag 은 총계 $704,827.06 이므로 연호2항의 $1,690,942.4 에서 공제한 잔액 $986,115.4 에서 발전기, 정수기등 기타 지원품목 및 수량을 확정 보고바람. 끝.

(중동아국장 이 해 순)

예고 :91.12.31. 까지

0091

관리
번호 91- 205

외 무 부

종 별 :

번 호 : TUW-0052   일 시 : 91 0118 1816

수 신 : 장관(마그)

발 신 : 주 터 대사

제 목 : 걸프사태관련 지원

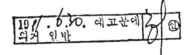

대:WTU 방한0029

1.18. 당관 민참사관은 외무성 OKYAYUZ 중동,마그레브 경제과장을 면담, 아래와같이 품목및 수량을 점정 확정하였으며 이를 공한으로 통보 위계임.

1. BLOOD BANK REFRIGERATORS(WTU-0001) 20 대 불 110,124.40

2. 91.1 월말 선적(WTU-0014) 불 922,095.00

3. 91.2 월말 선적(WTU-0014) 불 2,276,838.20

4. 1 월말 선적 SPARE TIRE(WTU-0029) 불 13,147.50

5. 2 월말 선적 SPARE TIRE(WTU-0029) 불 30,359.56

6. BLOOD BAG(WTU-0029) 불 661,320.00

소계:불 4,013,884.66

7. 91.3 월 선적(품목번호, 품명, 가격(CIF), 수량, 총계 순)(WTU-0014)

4, BESTA 6VAN, 불 13,413.-, 28, 불 375,564.-

9, GENERATOR(DG 30K), 불 11,084.-, 10, 불 110,840.-

10, " (DG 48K), 불 13,818.-, 10, 불 138,180.-

11, " (DG 75K), 불 16,064.-, 5, 불 80,320.-

12, " (DG 145K), 불 22,518.-, 2, 불 45,036.-

소계:불 749,940.-

8. 91.6 월 선적(WTU-0014)

13, 정수기 불 117,897.-, 2, 불 235,794.-

총계:불 4,999,618.66

(대사 김내성-국장)

예고:91.6.30. 일반

1991.6.30. 예고문에 의거 일반

중아국   장관   차관   1차보   2차보

PAGE 1

一般豫算檢討意見書

199 _1_ . _1_ . _22_.　　　_마 2레브_ 課

事 業 名	걸프사태 주변 피해국 지원		
支 辨 科 目	細 項	目	金 額
	1211	341	$3,967,399.^{26}

檢 討 意 見	
主 務 者	정부활동, 해외경상이전 (페만사태 분담표) 이원액에서 집행
擔 當 官	〃
調 整 審	〃　　　0093

기 안 용 지

분류기호 문서번호	마그20005-	(전화 :)	시 행 상 특별취급	
보존기간	영구·준영구. 10. 5. 3. 1.	차 관	장 관	
수 신 처 보존기간				
시행일자	1991. 1. 21.			

보 조 기 관	국 장		협 조 기 관	기획관리실장	문 서 통 제
	심의관			총 무 과 장	
	과 장			기획운영담당관	
기안책임자	허 덕 행				발 송 인

경 유		발 신 명 의	
수 신	건 의		
참 조			

제 목	걸프사태 주변피해국 지원(터키 - 3)

1. 걸프사태관련 주변피해국으로서 아국의 지원이 진행되고

있는 터키에 대해 다음과 같이 제3차 지원품($3,967,399.26)을

발주, 지원코자하니 제가하여 주시기 바랍니다.

2. 이로써 터키에 대한 지원액은 1,2차 발주계약액을 포함

총계 $4,999,618.66 이되어 동 3차 지원에 따라 터키에 대한 물자지원

사업은 종료됨을 첨언합니다.   /계속.../

0094

- 아 래 -

가. 2월말 선적품 (단위 : 미불)

품목번호	품 명	단가(CIF)	수 량
1	Besta Ambulance	18.000	60
3	Besta 3 VAN	11.393	2
4	Besta 6 VAN (혈액냉장고 45ℓ 부착)	13.413	5
6	Combi Bus	27.330	10
14	Truck (1t)	9.950	10
15	Truck (2t)	14.649	25
26	Truck (DC)	15.563	15
23	혈액냉장고(664ℓ)	13.451.72	10
		소계 : $2.276.838.2	

나. 3월말 선적품

품목번호	품 명	단가(CIF)	수 량
4	Besta 6 VAN (혈액냉장고 45ℓ 부착)	13.413	28
9	발전기(DG 30K)	11.084	10

0095

/계속.../

1505-25(2-2) 일(1)을
85. 9. 9. 승인   "내가아낀 종이 한장 늘어나는 나라살림"   190mm×268mm 인쇄용지 2급 60g/㎡
가 40-41 1989. 12. 7.

10	발전기(DG 48K)	13.818	10
11	발전기(DG 75K)	16.064	5
12	발전기(DG145K)	22.518	2
		소계 : $749,940	

다. 10월말 선적품

품목번호	품 명	단 가	수 량
13	정수기	117.897	2
		소계 : $235,794	

라. 스페어 타이어

ㅇ 1월말 선적차량 대비 총 190개 추가. $13,147.5

ㅇ 2월말 선적차량 대비 총 608개 추가. $30,359.56

소계 : $43,507.06

마. 혈액보관용기

Blood bag (single)	30만개	
〃 (Double)	4만개	
〃 (Triple)	1만개	

소계 : $661,320

0096

총계 : $3,967,399.26 /계속../

1505-25(2-2) 일(1)을
85. 9. 9. 승인   "내가아낀 종이 한장 늘어나는 나라살림"
190mm×268mm 인쇄용지 2급 60g/㎡
가 40-41 1989. 12. 7.

102 걸프 사태 주변국 지원 4: 터키, 모로코, 쿠웨이트, 기타

바. 지출근거

　　　ㅇ 정무활동, 해외경상이전비

첨부 : 1. 고려무역(주)의 견적서

　　　2. 물품발주 계약서

　　　3. 관련전문. 끝.

0097

1505－25(2－2) 일(1)을
85. 9 . 9 .승인　　"내가아낀 종이 한장 늘어나는 나라살림"　　190mm×268mm　인쇄용지 2 급 60g/㎡
가　40－41　1989. 12. 7 .

誓 約 書

受 信 : 外務部長官

題 目 : 걸프만 事態에 따른 供與用 物品供給

      幣社는 貴部가 主管하는 表題 事業이 緊急支援 및 秘密維持를 要하는 國家的 事業임을 認識하고, 今般 TURKEY 國에 供與하는 SINGLE BLOOD BAG, ETC 物品을 供與契約 締結함에 있어 아래 事項을 遵守할 것을 誓約하는 바입니다.

1. 物品供給 契約時 品質 價格面에서 一般 輸出契約과 最小限 同等한 또는 보다 有利한 條件을 適用한다.

2. 締結된 契約은 보다 誠實하고 協助的인 姿勢로 履行한다.

3. 同 契約 內容은 業務上 目的 以外에는 公開하지 않는다.

                      1991 年 1 月 21 日

    會 社 名 : 株式會社 高麗貿易

    代 表 者 : 代表理事 高 一 男

    (署名 및 捺印)

0098

輸 出 契 約 書

"甲" 外　　　務　　　部
　　　마그레브課長　申　國　昊

"乙" 株式會社　髙　麗　貿　易
　　　代表理事　副社長　髙　一　男

　　　上記 "甲" "乙" 兩者間에 다음과 같이 輸出契約을 締結한다.

第 1 條 : 輸出物品의 表示
　　　　　　別　　添

第 2 條 : "甲"은 上記 第1條의 物品貸金을 船積書類 受取後 "乙"에게 支給한다.

第 3 條 : "乙"은 上記 第1條의 物品을 別添上의 船積日字와 같이 KOREAN PORT
　　　　　(또는 空港)에서 ISTANBUL 　行 船舶(또는 航空機)에 船積하여야
　　　　　한다.　但, 불가피한 事由로 船積이 遲延될 境遇에는 1990. 12. 21.
　　　　　外務部長官과 "乙"間에 締結된 輸出代行業體 指定 契約書 第4條 規定에
　　　　　依하여 "乙"은 "甲"에게 船積 遲延事由書를 提出하고 "甲"은 同 遲滯
　　　　　償金 免除 與否를 決定한다.

第 4 條 : "乙"은 船積完了後 7日 以內에 "甲"이 船積物品 通關에 必要한 諸般
　　　　　船積書類를 "甲" 또는 "甲"의 代理人에게 提出 또는 現地公館에 送付
　　　　　하여야 한다.

- 1 -

0099

第 5 條 : 上記 船積物品의 品質保證 期間은 船積後 1 年間으로 하며, 이 期間中
正常的인 使用에도 不拘하고 製造不良이나 材質 또는 조립상의 하자가
發生할 境遇 "乙"의 責任下에 解決한다.

本 契約에 明示되지 않은 事由에 對하여는 걸프만 事態 供與品 輸出 代行 契約書
에 따른다.

1991 年 1 月 21 日

"甲" 外　　務　　部　　　　　　"乙" 株 式 會 社 高 麗 貿 易
　　　　　　　　　　　　　　　　서울特別市 江南區 三成洞 159
마그레브課長 申 國　　　　　　代表理事 副社長 高 一

- 2 -

(별 첨)

				C.I.F. ISTANBUL	
A.	JAN 31, 1991 DELIVERY				
	1. SINGLE BLOOD BAG	200,000PCS	$ 1.674	U$ 334,800.-	
	2. DOUBLE BLOOD BAG	20,000PCS	$ 2.895	U$ 57,900.-	
	3. TRIPLE BLOOD BAG	10,000PCS	$ 4.332	U$ 43,320.-	
B.	FEB 28, 1991 DELIVERY				
	4. BESTA AMBULANCE (WITH 10% RECOMMENDED S/PARTS) - AIR-CONDITIONER - 4 WHEEL DRIVE - AIR-CONDITIONER	60UNITS	$ 18,000.-	U$ 1,080,000.-	
	5. BESTA 3VAN (WITH 10% RECOMMENDED S/PARTS) - STANDARD	2UNITS	$ 11,393.-	U$ 22,786.-	
	6. BESTA 6VAN (WITH 10% RECOMMENDED S/PARTS) - BLOOD REFRIGERATOR - STANDARD	5UNITS	$ 13,413.-	U$ 67,065.-	
	7. COMBI (25SEATS) BUS (WITH 10% RECOMMENDED S/PARTS) - BLOOD REFRIGERATOR - AIR-CONDITIONER - STANDARD	10UNITS	$ 27,330.-	U$ 273,300.-	
	8. TRUCK 1 TON CERES (WITH 10% RECOMMENDED S/PARTS) - 4 WHEEL DRIVE	10UNITS	$ 9,950.-	U$ 99,500.-	
	9. TRUCK K3500 33S (WITH 10% RECOMMENDED S/PARTS) - STANDARD	25UNITS	$ 14,649.-	U$ 366,225.-	
	10. TRUCK K3500 DOUBLE CABIN (WITH 10% RECOMMENDED S/APRTS) - STANDARD	15UNITS	$ 15,563.-	U$ 233,445.-	
	11. BLOOD BANK REFRIGERATOR HRB-200 664ℓ	10UNITS	$ 13,451.72	U$ 134,517.20	
	12. SINGLE BLOOD BAG	100,000PCS	$ 1.674	U$ 167,400.-	
	13. DOUBLE BLOOD BAG	20,000PCS	$ 2.895	U$ 57,900.-	
	14. TIRE FOR BESTA AMBULANCE(60UNITS) & BEST 12C EST (20UNITS) 185R-14-6PR	320PCS	$ 48.70	U$ 15,584.-	

0101

15.	TIRE FOR BESTA 3VAN(7UNITS) & 6 VAN (5UNITS) 6.00-14-8PR	48PCS	$ 41.12	U$ 1,973.76
16.	TIRE FOR COMBI BUS(20UNITS) TRUCK K3500 33S(25UNITS) TRUCK K3500 DOUBLE CABIN (15UNITS) 7.00-16-10PR	360PCS	$ 52.61	U$ 18,939.60
17.	FRONT TIRE FOR GPS 15L (10UNITS) 21 X 8 X 8 - 12PR	20PCS	$ 102.61	U$ 2,052.20
18.	REAR TIRE FOR GPS 15L (10UNITS) 18 X 7 X 8 - 8PR	20PCS	$ 55.35	U$ 1,107.-
19.	FRONT TIRE FOR GPS 30L (5UNITS) 28 X 9 X 15 - 14PR	10PCS	$ 134.98	U$ 1,349.80
20.	REAN TIRE FOR GPS 30L (5UNITS) 6.50 X 10 - 10PR	10PCS	$ 76.35	U$ 763.50
21.	TIRE FOR TRUCK 1TON CERES (10UNITS) 6.50-14-8PR	40PCS	$ 43.43	U$ 1,737.20

C. MAR 31, 1991   DELIVERY

22.	BESTA 6VAN (WITH 10% RECOMMENDED S/PARTS) - BLOOD REFRIGERATOR - STANDARD	28UNITS	$ 13,413.-	U$ 375,564.-
23.	GENERATOR (DG 30K)	10UNITS	$ 11,084.-	U$ 110,840.-
24.	" (DG 48K)	10UNITS	$ 13,818.-	U$ 138,180.-
25.	" (DG 75K)	5UNITS	$ 16,064.-	U$ 80,320.-
26.	" (DG 145K)	2UNITS	$ 22,518.-	U$ 45,036.-

D. OCT 31, 1991   DELIVERY

27.	WATER PURIFICATION UNIT 1500 GPH	2UNITS	$ 117,897.-	U$ 235,794.-

---

TOTAL :   U$ 3,967,399.26

///////   /////////   //////

0102

輸 出 契 約 書

터어거 3라분

"甲"　外　　務　　部

　　　마그레브課長　申　國　英

"乙"　株式會社　高　麗　貿　易

　　　代表理事　副社長　高　一　男

　　　上記 "甲" "乙" 兩者間에 다음과 같이 輸出契約을 締結한다.

第 1 條　:　輸出物品의　表示

　　　　　　　　別　　　添

第 2 條　:　"甲"은 上記 第1條의 物品貸金을 船積書類 受取後 "乙"에게 支給한다.

第 3 條　:　"乙"은 上記 第1條의 物品을 別添上의 船積日字와 같이 KOREAN PORT

　　　　　　(또는 空港)에서 ISTANBUL 　　行 船舶(또는 航空機)에 船積하여야

　　　　　　한다.　但, 불가피한 事由로 船積이 遲延될 境遇에는 1990. 12. 21.

　　　　　　外務部長官과 "乙"間에 締結된 輸出代行業器 指定 契約書 第4條 規定에

　　　　　　依하여 "乙"은 "甲"에게 船積 遲延事由書를 提出하고 "甲"은 同 遲滯

　　　　　　貸金 免除 與否를 決定한다.

第 4 條　:　"乙"은 船積完了後 7日 以內에 "甲"이 船積物品 通關에 必要한 諸般

　　　　　　船積書類를 "甲" 또는 "甲"의 代理人에게 提出 또는 現地公館에 送付

　　　　　　하여야 한다.

　　　　　　　　　　　　　　　- 1 -　　　　　　　　　　　0103

第 5 條 : 上記 船積物品의 品質保證 期間은 船積後 1 年間으로 하며, 이 期間中 正常的인 使用에도 不拘하고 製造不良이나 材質 또는 조립상의 하자가 發生할 境遇 "乙"의 責任下에 解決한다.

本 契約에 明示되지 않은 事由에 對하여는 걸프만 事態 供與品 輸出 代行 契約書에 따른다.

1991 年 1 月 21 日

"甲" 外 務 部

마그레브課長 申 國

"乙" 株式會社 高麗貿易
서울特別市 江南區 三成洞
代表理事 副社長 高 一 男

- 2 -

0104

(별 첨)

3월 선력 예정   C.I.F. ISTANBUL

A. JAN 31, 1991   DELIVERY

1.	SINGLE BLOOD BAG	200,000PCS	$ 1.674	U$ 334,800.-
2.	DOUBLE BLOOD BAG	20,000PCS	$ 2.895	U$ 57,900.-
3.	TRIPLE BLOOD BAG	10,000PCS	$ 4.332	U$ 43,320.-

B. FEB 28, 1991   DELIVERY

4. BESTA AMBULANCE   60UNITS $ 18,000.-   U$ 1,080,000.-
   (WITH 10% RECOMMENDED S/PARTS)
   - AIR-CONDITIONER
   - 4 WHEEL DRIVE
   - AIR-CONDITIONER

5. BESTA 3VAN   2UNITS $ 11,393.-   U$ 22,786.-
   (WITH 10% RECOMMENDED S/PARTS)
   - STANDARD

6. BESTA 6VAN   5UNITS $ 13,413.   U$ 67,065.-
   (WITH 10% RECOMMENDED S/PARTS)
   - BLOOD REFRIGERATOR
   - STANDARD

7. COMBI (25SEATS) BUS   10UNITS $ 27,330.-   U$ 273,300.-
   (WITH 10% RECOMMENDED S/PARTS)
   - BLOOD REFRIGERATOR
   - AIR-CONDITIONER
   - STANDARD

8. TRUCK 1 TON CERES   10UNITS $ 9,950.-   U$ 99,500.-
   (WITH 10% RECOMMENDED S/PARTS)
   - 4 WHEEL DRIVE

                            I UNZT   @아 13.317.-   4바 13.317.--
9. TRUCK K3500 33S   25UNITS $ 14,649.-   U$ 366,225.-
   (WITH 10% RECOMMENDED S/PARTS)   3월 선력 예정
   - STANDARD

10. TRUCK K3500 DOUBLE CABIN 15UNITS $ 15,563.-   U$ 233,445.-
    (WITH 10% RECOMMENDED S/APRTS)
    - STANDARD

11. BLOOD BANK REFRIGERATOR   10UNITS $ 13,451.72   U$ 134,517.20
    HRB-200 664ℓ

12. SINGLE BLOOD BAG   100,000PCS $ 1.674   U$ 167,400.-

13. DOUBLE BLOOD BAG   20,000PCS $ 2.895   U$ 57,900.-

14. TIRE FOR BESTA AMBULANCE(60UNITS) 320PCS $ 48.70   U$ 15,584.-
    & BEST 12C EST (20UNITS)
    185R-14-6PR

0105

15.	TIRE FOR BESTA 3VAN(7UNITS) & 6 VAN (5UNITS) 6.00-14-8PR	48PCS	$ 41.12	U$ 1,973.76
16.	TIRE FOR COMBI BUS(20UNITS) TRUCK K3500 33S(25UNITS) TRUCK K3500 DOUBLE CABIN (15UNITS) 7.00-16-10PR	360PCS	$ 52.61	U$ 18,939.60
17.	FRONT TIRE FOR GPS 15L (10UNITS) 21 X 8 X 8 - 12PR	20PCS	$ 102.61	U$ 2,052.20
18.	REAR TIRE FOR GPS 15L (10UNITS) 18 X 7 X 8 - 8PR	20PCS	$ 55.35	U$ 1,107.-
19.	FRONT TIRE FOR GPS 30L (5UNITS) 28 X 9 X 15 - 14PR	10PCS	$ 134.98	U$ 1,349.80
20.	REAN TIRE FOR GPS 30L (5UNITS) 6.50 X 10 - 10PR	10PCS	$ 76.35	U$ 763.50
21.	TIRE FOR TRUCK 1TON CERES (10UNITS) 6.50-14-8PR	40PCS	$ 43.43	U$ 1,737.20

C. MAR 31, 1991   DELIVERY

22.	BESTA 6VAN (WITH 10% RECOMMENDED S/PARTS) - BLOOD REFRIGERATOR - STANDARD	28UNITS	$ 13,413.-	U$ 375,564.-
23.	GENERATOR (DG 30K)	10UNITS	$ 11,084.-	U$ 110,840.-
24.	" (DG 48K)	10UNITS	$ 13,818.-	U$ 138,180.-
25.	" (DG 75K)	5UNITS	$ 16,064.-	U$ 80,320.-
26.	" (DG 145K)	2UNITS	$ 22,518.-	U$ 45,036.-

3월 선적 예정

D. OCT 31, 1991   DELIVERY

27.	WATER PURIFICATION UNIT 1500 GPH	2UNITS	$ 117,897.-	U$ 235,794.-

TOTAL :   U$ 3,967,399.26

///////   /////////   //////

0106

터어키 3차분 업체 선정 경위

1991. 1. 21.

1. BLOOD BAG

   - 녹십자 의료공업의 독점 품목임.

2. BESTA AMBULANCE, 3VAN, 6VAN (혈액냉장고 45ℓ 장착)
   TRUCK 1TON CERES, K3500 33S, K3500 D/C, COMBI (혈액냉장고 장착)

   가. 기아 및 아시아 제품의 선정은 현지의 요청 및 타업체(현대)의 수출
       불가 (MITSUBISHI 와의 기술제휴로 인한 특약) 에 의거함.

   나. 혈액냉장고 45ℓ 의 경우는 소형으로서 국내 혈액냉장고 독점 생산
       업체인 한신메디칼에서는 생산되지 않는 제품으로 탑재 및 설치까지도
       해야 하므로 그동안 경제 협력 사업에서 이를 수행한 경험이 있는
       동룡의료기를 선정 하였음.

3. S. PARTS FOR VEHICLE & TYRE

   가. 복수 견적에 의거하여 S. PARTS 는 동서교역을 선정함.

   나. TYRE 의 경우는 국내 한국타이어에서 공급하는 품목이 대부분이며,
       우성타이어에서 공급되는 일부 TYRE 에 대해서는 소량 다품종으로
       견적이 불가 하였음.

   다. 따라서, 한국타이어의 공급 품목은 한국타이어에서 견적을 접수 하였으나
       동서교역은 한국타이어 제품을 같은 가격에 공급하면서 우성타이어 제품도
       확보하고 있었으므로 효과적인 일괄구매를 위하여 동서교역을 선정함.

4. GENERATOR 및 WATER PURIFICATION UNIT

   가. 현지에서 해당 MODEL 에 대한 요청이 있었으며, 소형 GENERATOR 의 경우는
       대흥기계가 국내 최대 규모의 업체였으므로 선정함.

   나. WATER PURIFICATION UNIT 의 경우도 만도기계가 국내 최대 규모의 업체로 현지의
       요청에 의거 선정하였음.

0107

걸프전 관련 터키 지원 내역

선적일자	물 품 내 용	금 액	비 고
91. 1. 16	혈액 냉장고 20대	US$ 110,124. 40	항공 송부
91. 1. 30	혈액 봉지 23만개	US$ 436,020	
91. 1. 31	페스타등 각종 차량 50대	US$ 901,195	
91. 1. 31	콤비 버스 (혈액냉장고 장착) 10대	US$,273,300	
91. 2. 26	페스타등 각종차량 144대	US$ 2,031,920	
91. 2. 27	혈액 봉지, 각종 차량부품 및 혈액냉장고등	US$ 623,572. 26	
91. 3. 27	트럭 1대	US$ 13,317	
91. 3. 30	발전기 27대	US$ 374,376	
91.10. 31	정수장비 2대	US$ 235,794	

총 액 : US$ 4,999,618. 60

분류번호	보존기간

발 신 전 보

WTU-0044   910123 1559   DP

번   호 : _____   종별 : _____

수   신 : 주   터키   대사. 총영사

발   신 : 장   관   (마그)

제   목 : 걸프사태 지원(1)

연 : WTU-0001, 마그20005-3263(91.1.21)

연호 1.16. 긴급발송한 혈액냉장고는 1.23. 이스탄불 도착 예정인바, 동
화물 Bill No. 및 도착확인 연락처를 아래 통보하니 참고바람.

1. 화물 Bill No

   □ Master Airway Bill No.

      180-22037890

   □ House Airway Bill No.

      FAS-220002

2. 연락처

   BAL-NAK (INBOUND PART)

   NAKLIYAT VE TIC LTD

   STI, ESKI LONDRA ASFALTIEMEK IS

   MERKEZI KAT 3 SIRINEVLER TR 34510

   ISTANBUL, TURKEY

   (Tel) 1-151-7360

1991. 6. 30. 예고문에
의거 일반

(중동아프리카국장 이 해 순)

보 안	통 제

앙고재	91년1월23일	12의2과	예고 91.6.30.까지 기안자 성명	과 장	심의관	국 장	차 관	장 관	외신과통제

0109

분류번호	보존기간

발 신 전 보

WTU-0051   910125 1846   AO

번   호 : _____   종별 : _____

수   신 : 주   터키   대사. 총영사

발   신 : 장 관   (마그)

제   목 : 걸프사태 지원품 인도

대 : TUW-0052

연 : (1) 마그20005-1640(90.11.26), (2) WTU-0014,(91.1.11),

　　　(3) WTU-0044 (91.1.23)

1. 연호(3)함 긴급지원한 대터키 1차 지원품 혈액보관냉장고의 무위 수령
여부 확인보고바라며, 연호(1)함에서 지시한 바와같이 터키 정부와 <del>동</del> 인도식을 거행바람.
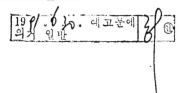 2차분 수령시부터는

2. 연호(2)함의 1월말 선적예정분과 2월이후 선적분에 대해서도 대호 확정한
품목별 수량대로 공급계약을 체결 ~~~~~~~~~~~~~~~~~~~~~~~~~~ 끝.
하였음을 확인바람.

(중동아국장 이 해 순)

예고 : 91.6.30.일반.

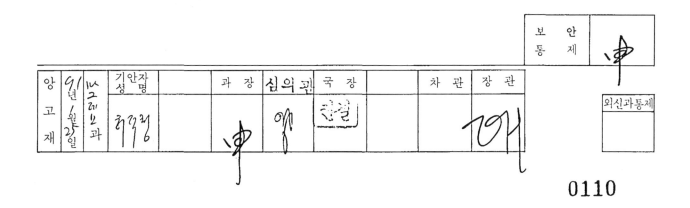

외 무 부

종 별 :

번 호 : TUW-0094

일 시 : 91 0128 1631

수 신 : 장관(마그)

발 신 : 주 터 대사

제 목 : 걸프사태 지원품 인도

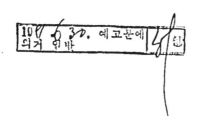

대:WTU-0051

1.1.16. 긴급 지원한 혈액냉장고는 1.23. 이스탄불에 도착, 봉관수속후 1.28. 무위 수령하였다함.

2.1 월말 선적 예정분 도착시 주재국 정부와 인도식을 거행할 예정임.

3(392)TUW-080(135), 5 항으로 보고한바와 같이 지원품 선적분의 수신처는 터키적십자사(TURKIYE KIZILAY DERNEGI, ANKARA, TURKEY)로 기재하여 주시기바람.

(대사 김내성-국장)

예고:91.6.30. 일반

10 6 30. 예고문에
의거 일반

중아국

	분류번호	보존기간

발 신 전 보

WTU-0058   910202 1503 ER

번 호 : _____   종별 : _____

수 신 : 주   터키   대사.총영사
　　　　　　　　 (마그)

발 신 : 장 관

제 목 : 대터키 물자지원

대 : TUW-0052, 0094

연 : WTU-0014, 0029, 0051

1. 주재국에 대한 2차 지원품으로 총 $1,610,515 상당의 물자가 91.1.30.
및 1.31. 각기 선적된바, 주재국 인도를 위한 필요조치□□를 취하고 인도증빙서류등 쓰편문서 파편송부바람.

　가. 1월말 선적통보품 (WTU-0014)

　ㅇ Besta 12인승 20대, 3인승 5대, 콤비버스 10대, Fork lift(15L) 10대,

　　 (30L) 5대

　　 - Fork lift 의 일부부품은 2월중 선적예정

　　 - 총액 $922,095 중 $901,195 (차량50대)

　　 - 91.1.31 선적(선명 : Krasica 1), 91.3.20 경 이스탄불항 도착예정

　나. 2월중 선적예점품(WTU-0014)중 혈액냉장고 부착한 25인승 콤비버스

　　 (품목번호6) 10대

　　 - $273,300   검토필(1991.6.30. 　)

　　 - (가)함과 선적동일

/계속.../

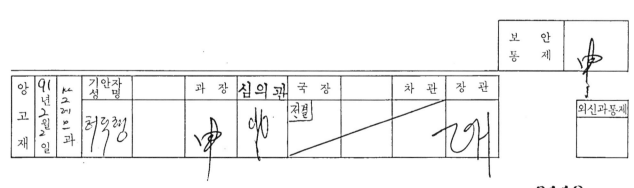

앙고재	91년 2월 2일	02 과	기안자 성명 허□□		과 장	심의관	국 장 전결		차 관	장 관		보안 통제	
												외신과통제	

0112

다. Blood Bag (₩TU-0029)

- Blood Bag 총 35만개중 23만개 선적

- $436,020

- 91.1.30 선적(선명 : Zim Piraeus V-126 ₩). 91.3.9. 이스탄불항 도착예정

2. 동 선적서류는 파편 송부위계임. 끝.

(중동아국장 이 해 순)

0113

분류기호 문서번호	마그20005- **20** (	협조문용지	)	결 재	담 당	과 장	국 장
					허민행		

심의관

시행일자	1991. 2. 2.			
수 신	총무과장(외환)	발 신	중동아프리카국장 (서명)
제 목	외환지불의뢰		

걸프사태 관련 대 터키 지원물자중 91.1.30-31. 선적물자에

대한 경비를 다음과 같이 지불하여 주시기 바랍니다.

- 다   음 -

1. 지불액 : $1,610,515

2. 지불처 : (주) 고려무역

   ㅇ 지불은행 : 제주은행 서울지점

   ㅇ 구좌번호 : 963-THR 109-01-0

3. 지불근거 : 정무활동, 해외경상이전, 걸프사태 주변피해국지원

4. 지불내역

   ㅇ 91.1월말 선적예정분 차량50대

   - 걸프만사태 지원 (터키-2) 91.1.10.재가

   - 총액 $922,095 중 Fork lift 부품을 제외하고 선적한

   $901,195   /계속.../

0114

○ 91.2월말 선적예정분중 조기선적한 콤비버스 및 혈액용기

　일부

　- 걸프만 사태 지원(터키-3) 91.1.21. 재가

　- 총액 $3,967,399.26 중 $709,320

첨 부 : 1. 재가공문(터키-2) 사본 1부.

　　2. 재가공문(터키-3) 사본 1부.

　　3. (주) 고려무역의 청구서 및 선적서류 각 1부.　끝.

0115

1505－25(2－2) 일(1)을
85. 9. 9. 승인　　"내가아낀 종이 한장 늘어나는 나라살림"

190㎜×268㎜　인쇄용지 2 급 60g/㎡
가 40－41　1989. 12. 7.

株式會社 高麗貿易

電 話 : (02) 737-0860
F A X : (02) 739-7011
TELEX : KOTII K34311

서울 特別市 江南區 三成洞 159番地
貿易會館 빌딩 11層
TRADE CENTER P.O. BOX 23,24.

수 신 : 외무부 마그레브 과장

제 목 : 걸프만 사태 관련 지원물대 송금 신청

폐사는 귀부와의 계약에 의거하여 아래와 같이 걸프만 사태 관련 지원물품을 기 선적하였
아오니 송금조치 하여 주시기 바랍니다.

- 아   래 -

1. 선적물품 내역

품 목	수 량	금 액	선적일	도 착 예정일	선 명	선적항	도착항
BESTA 12C	20 UNITS	U$ 290,000.-					
BESTA 3VAN	5 UNITS	U$ 56,965.-					
COMBI BUS	10 UNITS	U$ 256,800.-	1/31	3/20	KRASICA	PUSAN	ISTANBUL
FORK LIFT 15L	10 UNITS	U$ 184,160.-					
FORK LIFT 30L	5 UNITS	U$ 113,270.-					
합 계	50 UNITS	U$ 901,195.-					

2. 비 고

　　가. 터어키 2차 계약분 ('91. 1. 11.) U$ 922,095.- 중 FORK LIFT 의 SPARE PARTS
　　　　U$ 20,900.- (GPS 15L U$ 13,640.-, GPS 30L U$ 7,260.-) 을 제외한 전량 선적 완료.

　　나. FORK LIFT 의 SPARE PARTS 는 2월중 선적 예정임.

3. 송 금 처 : 제주은행 서울지점

　　구좌번호 : 963-THR 109-01-0

　　예 금 주 : (주)고려무역.　　끝.

1991年 2月 2日

鍾 路 輸 出 本 部 海 外 事 業 팀

0116

株 式 會 社 高 麗 貿 易

電 話 : (02) 737-0860
F A X : (02) 739-7011
TELEX : KOTII K34311

서울 特別市 江南區 三成洞 159番地
貿易會館 빌딩 11層
TRADE CENTER P.O. BOX 23,24.

수 신 : 외무부 마그레브 과장

제 목 : 걸프만 사태 관련 지원물대 송금 신청

　폐사는 귀부와의 계약에 의거하여 아래와 같이 걸프만 사태 관련 지원물품을 기 선적하였

아오니 송금조치 하여 주시기 바랍니다.

- 아　　　　　　　래 -

1. 선적물품 내역

품 목	수 량	금 액	선적일	도 착 예정일	선 명	선적항	도착항
BLOOD BAG	23만 BAG	U$ 436,020.-	1/30	3/9	ZIM PIRAEUS	PUSAN	ISTANBUL
COMBI BUS (혈액냉장고장착)	10 UNITS	U$ 273,300.-	1/31	3/20	KRASICA	PUSAN	ISTANBUL
합 계		U$ 709,320.-					

2. 비 고

　가. BLOOD BAG (23만 BAGS, U$ 436,020.-)은 터어키 3차 계약분 ('91. 1. 21.)

　　U$ 3,967,399.26 중 1월 DELIVERY 전량임.

　나. COMBI BUS (혈액냉장고 45ℓ 장착, 10UNITS, U$ 273,300.-)은 터어키 3차

　　계약분중 2월 DELIVERY 예정 품목이나 조기 선적 추진 하였음.

　다. 상기 물품 선적후 터어키 3차 계약분중 2월이후 선적 되어야 할 잔여 물품

　　합계액은 U$ 3,258,079.26 임.

3. 송 금 처 : 제주은행 서울지점

　구좌번호 : 963-THR 109-01-0

　예 금 주 : (주)고 려 무 역.　　끝.

1991年 2月 2日

鍾 路 輸 出 本 部 海 外 事 業 팀

0117

기 안 용 지

분류기호 문서번호	마그20005- 238	(전화:　　　)	시 행 상 특별취급	
보존기간	영구·준영구. 10. 5. 3. 1.		장　　　관	

시행상
특별취급

장　관

(signature) 2개

| 수신처
보존기간 | | | | |
| 시행일자 | 1991. 2. 2. | | | |

보 조 기 관	국　장	전 결	협 조 기 관		문 서 통 제
	심의관	(서명)			접수 1991. 2.
	과　장	(서명)			
기안책임자		허 덕 행			발　송　(인)

| 경유
수신
참조 | 주 터키 대사 | 발신
명의 | | |

| 제 목 | 걸프사태 관련 대터키지원 |

　　　91.1.30-31 선적한 대터키 지원물자 선적서류를 별첨과 같이

송부합니다.

　　첨 부 :　1. 1월말 선적통보품(WTU-0014) 차량 50대 선적서류.

　　　　　　2. Blood Bag 23만개 선적서류.

　　　　　　3. 25인승 콤비버스(혈액냉장고 부착) 10대 선적서류.　끝.

0118

1505-25(2-1) 일(1)갑
85. 9. 9. 승인　　"내가아낀 종이 한장 늘어나는 나라살림"

190mm×268mm 인쇄용지 2급 60g/㎡
가 40-41 1990. 5. 28

L/I	PART NO.	PART NAME	Q'TY	U/PRICE	AMOUNT

A. SPARE PARTS FOR BESTA 12C EST x 20

L/I	PART NO.	PART NAME	Q'TY	U/PRICE	AMOUNT
1.	K710 23 803	ELEMENT AIR	40	U$ 9.24	U$ 369.60
2.	RF01 14 100A	OIL PUMP ASSY	40	106.11	4,244.40
3.	RF03 15 010B	PUMP WATER	20	68.45	1,369.00
4.	R207 16 410B	DISK ASSY CLUTCH	20	68.45	1,369.00
5.	HEOD 16 460B	COVER ASSY CLUTCH	20	39.37	787.40
6.	R201 18 300	ALTERNATOR	20	256.71	5,134.20
7.	R201 18 400	STARTER	20	308.05	6,161.00
8.	S083 26 251	DRUM BRAKE	40	61.60	2,464.00
9.	S083 26 310	BRAKE SHOE ASSY	40	38.34	1,533.60
10.	K711 51 030	HEAD LAMP RH	20	39.37	787.40
11.	K711 51 040	HEAD LAMP LH	20	39.37	787.40
12.	K710 67 345B	MOTOR ASSY WIPER	20	67.94	1,358.82

TOTAL AMOUNT .... US$ 26,365.82

B. SPARE PARTS FOR BESTA 3 VAN X 5

L/I	PART NO.	PART NAME	Q'TY	U/PRICE	AMOUNT
1.	RF03 23 802	ELEMENT OIL	5	U$ 11.36	U$ 56.80
2.	RF01 14 100A	OIL PUMP ASSY	10	112.75	1,127.50
3.	RF03 15 010B	PUMP WATER	5	72.74	363.70
4.	R207 16 410B	DISK ASSY CLUTCH	5	72.74	363.70
5.	HEOD 16 460B	COVER ASSY CLUTCH	5	41.83	209.15
6.	R201 18 400	STARTER	5	327.34	1,636.70
7.	S083 26 251	DRUM BRAKE	10	65.46	654.60
8.	S083 26 310	BRAKE SHOE ASSY	10	40.74	407.40
9.	K710 67 345B	MOTOR ASSY WIPER	5	71.70	358.51

TOTAL AMOUNT .... US$ 5,178.06

0119

SPARE PARTS FOR COMBI BUS
==========================

L/I	PART NO.	PART NAME	Q'TY	U/PRICE	AMOUNT
1	K80010100A	CYLINDER HEAD ASSY	2	489.54	979.08
2	K62218510	SENSRO WATER THERMOSTAT	3	2.35	7.05
3	052710311A	CYLINDER LINER	25	29.24	731.00
4	052711351	BRG SET, MAIN STD	5	38.20	191.00
5	052711352	BRG SET, MAIN 254	5	38.20	191.00
6	052711353	BRG SET, MAIN 508	5	38.20	191.00
7	063611383	THRUST BEARING UPPER	10	1.54	15.40
8	063611384	THRUST BEARING LOWER	10	1.54	15.40
9	SE0811399	OIL SEAL, E/G	20	3.75	75.00
10	V10110602	SEAL, E/G	20	2.11	42.20
11	052823200A	PISTON SET, STD	20	27.13	542.60
12	063611201	PISTON PIN	20	3.98	79.60
13	052723206	PISTON RING SET, STD	5	66.30	331.50
14	995743200	CLIP, PISTON PIN	20	0.44	8.80
15	V10111210	CONNECTING ROD	13	44.91	583.83
16	063611213	BUSH, CONNECTING ROD	25	1.26	31.50
17	V10123105	BRG SET, CONROD STD	5	26.08	130.40
18	V10123106	BRG SET, CONROD 254	5	26.08	130.40
19	V1011301	CRANK SHAFT	2	809.64	1619.28
20	063611304	PILOT BEARING	5	7.59	37.95
21	063612111	INLET VALVE	20	2.48	49.60
22	052712121	EXHAUST VALVE	20	4.53	90.60
23	063612115	INNER SPRING, VALVE	20	0.18	3.60
24	063612114	INNER SPRING, VALVE	20	0.51	10.20
25	078412421	CAM SHAFT	3	160.65	481.95
26	063612311	PUSH ROD	10	1.74	17.40
27	K80023802	OIL FILTER CARTRIDGE	150	8.28	1242.00
28	KG0155270	UNIT, OIL PRESSURE METER	3	2.44	7.32
29	063613650	NOZZLE	10	11.87	118.70
30	K62123570	CARTRIDGE, FUEL FILTER	150	4.86	729.00
31	330413800	INJECTION PUMP	1	789.18	789.18
32	K80018300P02	ALTERNATOR	3	251.90	755.70
33	MA34721100	STARTER	3	245.14	735.42
34	269118501A	S/W, OIL PRESSURE	3	5.54	16.62
35	K62018510	UNIT SET, HEAT GAGE	3	4.06	12.18
36	135418140A	GLOW PLUG	20	5.59	111.80
37	136318154A	CONNECTOR, GLOW PLUG	3	0.18	0.54
38	136318651B	RELAY, GLOW PLUG	3	10.28	30.84
39	XK0118381	V-BELT	5	12.35	61.75
40	W074251200	UNIT, FUEL METER	3	3.98	11.94
41	K82015010P02	WATER PUMP	5	63.31	316.55
42	V10115140	COOLING FAN	2	96.08	192.16
43	103415171C	THERMOSTAT	3	12.97	38.91
44	K80015188	HOSE, WATER BY PASS	3	1.44	4.32
45	MA91151600A	TANK RESERVE	3	2.34	7.02
46	W41402100C	SILENCER	1	40.31	40.31
47	072723603	ELEMENT, AIR CLEANER	100	9.15	915.00
48	015516103	OIL SEAL, T/M	10	1.00	10.00
49	075016214	COVER, DUST, T/M	10	1.25	12.50
50	W46162000	DISC, CLUTCH	30	16.95	508.50
51	W46161000	COVER, CLUTCH	3	50.91	152.73
52	022216222	BEARING, CLUTCH RELEASE	3	24.96	74.88

0120

SPARE PARTS FOR COMBI BUS
==========================

L/I	PART NO.	PART NAME	Q'TY	U/PRICE	AMOUNT
53	082016510	COLLAR, RELEASE	3	27.57	82.71
54	MA91161100	CLUTCH RELEASE CYL	3	11.61	34.83
55	W11160030	HOSE, FLEXIBLE	3	6.01	18.03
56	W02341990A	CLUTCH MATER CYL	3	22.95	68.85
57	W50117111	GASKET, T/M	5	0.86	4.30
58	W50117335A	OIL SEAL, T/M	5	1.12	5.60
59	W50117361A	GASKET, RR COVER, T/M	5	0.86	4.30
60	W50117432	GASKET, T/M	5	0.99	4.95
61	W50117201B	GEAR, MAIN DRIVE	1	58.17	58.17
62	W50117204	BEARING, TAPER	1	23.14	23.14
63	072717210A	BEARING, NEEDLE	3	9.02	27.06
64	W50117242	SLEEVE, CLUTCH HUB	1	27.06	27.06
65	W50117262	SLEEVE, CLUTCH HUB	1	43.58	43.58
66	W50117263A	KEY, SYNCHONIZER	5	1.25	6.25
67	W50217265C	RING SYNCHRONIZER	5	11.69	58.45
68	W06539340	RUBBER MISSION MOUNTING	10	1.17	11.70
69	K41025121	YOKE, UNIVERSAL JOINT	10	26.57	265.70
70	072725026	SEAL DUST, P/SHAFT	10	0.86	8.60
71	016425060	JOINT, UNIVERSAL	5	11.59	57.95
72	MA91251100A	SHAFT, PROPELLER FRT	1	116.28	116.28
73	MA91251200A	SHAFT, PROPELLER RR	1	119.26	119.26
74	W00225150A	BALL BEARING	5	9.94	49.70
75	W00225321	RUBBER CTR BEARING	5	26.51	132.55
76	W07553110A	SWITCH, STOP	3	4.17	12.51
77	K41043990	BRAKE MASTER CYLINDER	3	48.04	144.12
78	136243540	SENSOR	3	1.82	5.46
79	MA91441100D	CABLE ASSY	5	8.20	41.00
80	MA91281100	SPRING ASSY RR	1	106.68	106.68
81	055934330	BUSH, RUBBER FRT	10	1.45	14.50
82	068028330	RUBBER BUSH, RR	10	1.36	13.60
83	MA91281400	DAMPER RR	3	15.72	47.16
84	MA91341100	SPRING ASSY, FRT	1	71.23	71.23
85	068034330	RUBBER BUSH, FRT	10	4.58	45.80
86	MA91341500	DAMPER, FRT	3	16.56	49.68
87	W113405000	BUSH, RUBBER	10	0.27	2.70
88	9965215560	DISC WHEEL	3	71.23	213.69
89	MA914111100	ROD, ACCEL PEDAL	3	5.58	16.74
90	W41415100B	CABLE, ACCEL	10	4.30	43.00
91	MA91321500A	LINK ASSY, DRAG	3	29.55	88.65
92	W02332281	STUD SEAL	10	4.48	44.80
93	W02332289	SEAL DUST	10	3.15	31.50
94	W02332631B	TIE ROD	5	42.79	213.95
95	W02332450	JOINT BALL RH	5	12.24	61.20
96	W02332510	JOINT BALL LH	5	12.24	61.20
97	W02333313	RIVET TUBULER	300	0.72	216.00
98	W02333312	BRAKE LINING, FRT	100	3.98	398.00
99	055933075	OUTER BEARING FRT	5	11.10	55.50
100	W00133065	OIL SEAL, FRT	10	1.25	12.50
101	MA91335410	WHEEL CYL RH, FRT	3	16.03	48.09
102	MA91335510	WHEEL CYL LH, FRT	3	16.03	48.09
103	W02933080	THRUST BEARING	5	12.59	62.95
104	W02526043	PLATE SET	5	2.09	10.45

0121

SPARE PARTS FOR COMBI BUS
==========================

L/I	PART NO.	PART NAME	Q'TY	U/PRICE	AMOUNT
105	W02526154A	OIL SEAL, RR BRAKE	10	1.73	17.30
106	W02533312	BRAKE LINING, RR	100	3.98	398.00
107	MA91335610	WHEEL CYL RH, RR	3	16.03	48.09
108	MA91335710	WHEEL CYL LH, RR	3	16.03	48.09
109	W155810800	WEATHERSTRIP, FRT DOOR	3	3.70	11.10
110	W155810700	WEATHERSTRIP, FRT DOOR	3	3.70	11.10
111	W155810600	WEATHERSTRIP, FRT DOOR	3	3.81	11.43
112	W155810100	GLASS, FRT DOOR	1	11.06	11.06
113	W155811000	CATCH ASSY	3	3.46	10.38
114	W155820200	GLASS, FRT DOOR	1	12.19	12.19
115	W155820600	GLASS, FRT DOOR	1	32.48	32.48
116	W10911200D	DOOR LOCK ASSY RH	3	19.29	57.87
117	W10912200D	DOOR LOCK ASSY LH	3	19.29	57.87
118	W10911100D	DOOR REGULATOR ASSY RH	3	19.29	57.87
119	W10912100D	DOOR REGULATOR ASSY LH	3	19.29	57.87
120	W15779300B	WEATHERSTRIP, FRT	5	13.59	67.95
121	W15779400B	WEATHERSTRIP REAR	3	9.61	28.83
122	KC0117301A	GEAR, COUNTER SHAFT	3	107.20	321.60
123	W50117400	GEAR, SPEEDO	3	10.87	32.61
124	KC0117611D	GEAR, OVER TOP	3	34.85	104.55
125	W47554600	S/W VENTILATOR	1	8.28	8.28
126	MA93991000	WIPER, BLADE	20	3.60	72.00
127	MA34221120C	MOTOR WIPER, FRT	3	38.76	116.28
128	W076712600	WASHER ASSY	1	11.04	11.04
129	MA93992000A	WIPER, ARM	3	3.70	11.10
130	MA93993000	LINK, WIPER	3	12.43	37.29
131	MA34101300	HEAD LAMP ASSY, RH	5	26.33	131.65
132	MA34101400	HEAD LAMP ASSY, LH	5	26.33	131.65
133	MA34101600C	LAMP SET, FRT RH	5	21.54	107.70
134	MA34101500C	LAMP SET, FRT LH	5	21.54	107.70
135	MA34311100B	COMBINATION LAMP LH	5	14.91	74.55
136	MA34312100B	COMBINATION LAMP RH	5	14.91	74.55
137	E57311500	LAMP, BACK UP	3	7.97	23.91
138	MA34411100A	LAMP, ROOM	1	54.02	54.02
139	MA34243100	KEY SET	1	16.57	16.57
140	MA34245100	COMBINATION S/W	5	33.13	165.65
141	MA34242300C	S/W, AUTO DOOR	3	4.95	14.85
142	DA34242400	S/W, STEP LAMP	3	2.73	8.19
143	DA34242100	SWITCH, ROOM LAMP	3	2.73	8.19
144	MA34242200	S/W BACK MIRROR	3	5.48	16.44
145	MA34231400B	SPEEDOMETER	1	13.24	13.24
146	K42766730	FUSE BLOCK	3	5.65	16.95
147	330499100	GASKET SET, ENGINE	10	29.00	290.00
148	063611512	WASHER, CLUTCH WHEEL	3	0.92	2.76
149	063612123	TAPERED SLEEVE	3	1.04	3.12
150	072710500A	CASE, TIMING GEAR	3	69.11	207.33
151	072710601A	COBER ASS'Y, TIMING CASE	3	21.91	65.73
152	072715621A	G/K COVER	10	1.07	10.70
153	072739040A	RUBBER MOUNTING	3	2.81	8.43
154	072799100A	PACKING SET E/G	10	36.83	368.30
155	807210155	OIL DEFLECTOR	3	0.32	0.96
156	K41013840	SEDIMENTER	3	10.79	32.37

0122

SPARE PARTS FOR COMBI BUS
===========================

L/I	PART NO.	PART NAME	Q'TY	U/PRICE	AMOUNT
157	K41067820	RELAY, WIPER INT	3	5.14	15.42
158	K80011375	RING TAPERED	3	5.11	15.33
159	K85067740	RELAY, AUTO DOOR	3	6.54	19.62
160	MA32461200C	RELAY ASS'Y, STOP LAMP	3	18.88	56.64
161	MA34575200	CABLE POSITIVE	1	0.46	0.46
162	MA91151100	RADIATOR	3	161.10	483.30
163	MA91162200A	CLUTCH PEDEL ASS'Y	1	6.50	6.50
164	MA91321100	STEERING & KEY ASS'Y	1	223.81	223.81
165	MA91435400	VACUUM POWER ASSIST	1	161.55	161.55
166	MA91462600A	ROD A ASS'Y SHIFT	1	4.97	4.97
167	MA91462700A	ROD B SELECTION	1	6.96	6.96
168	MA91462800B	ROD B ASS'Y SHIFT	1	6.96	6.96
169	MA93910100C	GRILL RODIATOR	3	26.51	79.53
170	W071851300	S/W, WATER LEVEL	1	0.85	0.85
171	W07552190A	S/W PACKING LAMP	3	0.61	1.83
172	W155810400	WEATHERSTRIP, SIDE GLASS	5	5.30	26.50
173	W15779100B	WINDSHIELD FRT	1	53.37	53.37
174	W15779200B	GLASS RR	1	166.80	166.80
175	W158810100	GLASS, SIDE	1	11.06	11.06
176	W50117341A	GEAR, DRIVE	3	5.91	17.73
177	W50117632A	GASKET	5	0.80	4.00
178	WB34965100	AUTO DOOR MECHANISM	1	309.92	309.92
179	W50817231B	GEAR, 3RD	1	51.47	51.47
180	F40117243A	KEY, SYNCHRONIZER	5	0.43	2.15
181	W50117245A	RING, SYNCHRONIZER	5	7.10	35.50
182	W50817251B	GEAR, 2ND	1	43.88	43.88
183	W50817271C	GEAR, 1ST	1	51.49	51.49
184	KC0117611	GEAR, OVER TOP	1	33.20	33.20
185	P-252041011	COMPRESSOR ASSY	1	417.20	417.20
186	P-253241050	CONDENSOR ASSY	1	66.26	66.26
187	P-252321030	ACTULATOR	1	22.61	22.61
188	P-254211070	EVAPOLATOR ASSY	1	152.58	152.58
189	P-850210240	V-BELT	5	7.38	36.90
190	P-262245030	RELAY	5	11.84	59.20

*** Total ***

                                            1866   23148.27

0123

심의관

분류기호 문서번호	중동이20005-32	협조문용지 ( )	결재	담당	과장	국장
시행일자	1991. 3. 4.					
수 신	총무과장(외환)	발 신	중동아프리카국장			(서명)
제 목	걸프사태 지원사업					

걸프사태 관련 대 터키 지원물자의 '91.2.26 및 '91.2.27. 선적에 따른 경비를 다음과 같이 지불하여 주시기 바랍니다.

- 다 음 -

1. 지 불 액 : $2,655,492.26

2. 지 불 처 : (주) 고려무역

   ㅇ 지불은행 : 제주은행 서울지점

   ㅇ 구좌번호 : 963-THR 109-01-0

3. 내 역

   가. 91.2.26. 선적물자($2,031,920 상당)

   ㅇ 각종차량 144대 (상세별첨 참조)

/계속.../

0124

1505-8일(1) 190㎜×268㎜(인쇄용지 2급 60g/㎡)
85. 9. 9 승인 "내가아낀 종이 한장 늘어나는 나라살림" 가 40-41 1989. 6. 8

나. 91.2.27. 선적물자(＄623,572.26 상당)

ㅇ 혈액봉지, 각종차량부품 및 혈액냉장고(상세별첨참조)

4. 지불근거 : 정부활동, 해외경상이전, 걸프사태 주변피해국지원

첨 부 : 1. 재가공문 사본 1부.

2. (주) 고려무역의 청구서 및 선적서류 각 1부. 끝.

0125

1505-25(2-2) 일(1)을
85. 9. 9. 승인   "내가아낀 종이 한장 늘어나는 나라살림"

190mm×268mm 인쇄용지 2 급 60g/㎡
가 40-41 1989. 12. 7.

걸프사태 : 주변국 지원, 1990-92. 전12권 (V.9 터키, 1990-91) 131

분류기호 문서번호	중동이 20005-502 (전화 :)	시행상 특별취급	
보존기간	영구·준영구. 10. 5. 3. 1.	장 관	

기 안 용 지

수 신 처 보존기간			
시행일자	1991. 3. 4.	예	

보 조 기 관	국 장 전 결	협 조 기 관		문 서 통 제
	심의관 여			1991. 3. 7
	과 장 초			
기안책임자	허 덕 행			발 송 인

경 유 수 신 참 조	주 터키 대사	발 신 명 의		1991. 3. 7 외무부
제 목	대 터키 물자지원			

연 : WTU-0091

'91.2.26. 및 91.2.27. 각기 선적된 걸프사태 관련 대터키 지원

물자의 선적서류를 별첨과 같이 송부합니다.

첨 부 : 관련 선적서류 각 2부씩.   끝.

91 6 30

0126

품 목 별 원 가 계 산 서

o   ITEM : BESTA AMBULANCE WITH STANDARD EQUIPMENT

o   COST BREAKDOWN

    - F.O.B.   :   U$ 15,730.-

                      차 량 : U$ 14,300.-

                      S/PARTS : U$ 1,430.-

    - FREIGHT   :   U$ 1,757.40

                      U$ 125 X 14.06CBM

    - INSURANCE   :   U$ 198.-

                      CIF X 1.1 X RATE (1%)

    - MARGIN   :   U$ 314.60   (FOB X 2%)

    CIF ISTANBUL :   U$ 18,000.-

0127

품 목 별 원 가 계 산 서

o   ITEM : BESTA 3VAN WITH STANDARD EQUIPMENT

o   COST BREAKDOWN

- F.O.B.   :   U$ 8,944.-

                     차 량 : U$ 8,131.-

                     S/PARTS : U$ 813.-

- FREIGHT   :   U$ 2,144.80

                  U$ 125 X 17.16CBM

- INSURANCE   :   U$ 125.32

                  CIF X 1.1 X RATE (1%)

- MARGIN   :   U$ 178.88   (FOB X 2%)

  CIF ISTANBUL :   U$ 11,393.-

0128

품 목 별 원 가 계 산 서

o   ITEM   :   BESTA 6VAN WITH STANDARD EQUIPMENT/
             BLOOD BANK REFRIGERATOR (45ℓ)

o   COST BREAKDOWN

    - F.O.B.   :   U$ 10,938.43
                    차 량 : U$ 8,515.-
                    S/PARTS : U$ 852.-
                    BLOOD REFRIGERATOR : U$ 1,571.43 (장치비 포함)

    - FREIGHT   :   U$ 2,108.26
                    U$ 125 X 16.87CBM

    - INSURANCE   :   U$ 147.54
                    CIF X 1.1 X RATE (1%)

    - MARGIN   :   U$ 218.77   (FOB X 2%)

    CIF ISTANBUL :   U$ 13,413.-

0129

품 목 별 원 가 계 산 서

o ITEM : TRUCK 1 TON CERES WITH STANDARD EQUIPMENT

o COST BREAKDOWN

- F.O.B. : U$ 7,695.-

차 량 : U$ 6,995.-

S/PARTS : U$ 700.-

- FREIGHT : U$ 1,991.65

U$ 125 X 15.93CBM

- INSURANCE : U$ 109.45

CIF X 1.1 X RATE (1%)

- MARGIN : U$ 153.90   (FOB X 2%)

CIF ISTANBUL : U$ 9,950.-

0130

품 목 별 원 가 계 산 서

o   ITEM   :   TRUCK 3 TON K3500 33S WITH STANDARD EQUIPMENT

o   COST BREAKDOWN

   - F.O.B.   :   U$ 11,362.-

                 차   량   :   U$ 10,329.-

                 S/PARTS :   U$ 1,033.-

   - FREIGHT   :   U$ 2,898.62

                     U$ 125 X 23.19CBM

   - INSURANCE   :   U$ 161.14

                     CIF X 1.1 X RATE (1%)

   - MARGIN   :   U$ 227.24   (FOB X 2%)

    CIF ISTANBUL :   U$ 14,649.-

0131

품 목 별 원 가 계 산 서

o   ITEM : TRUCK DOUBLE CABIN WITH STANDARD EQUIPMENT

o   COST BREAKDOWN

- F.O.B. : U$ 12,232.-

         차 량 : U$ 11,120.-

         S/PARTS : U$ 1,112.-

- FREIGHT : U$ 2,915.17

         U$ 125 X 23.32CBM

- INSURANCE : U$ 171.19

         CIF X 1.1 X RATE (1%)

- MARGIN : U$ 244.64   (FOB X 2%)

    CIF ISTANBUL : U$ 15,563.-

0132

Kia Motors Corporation
Seoul, Korea
Tel. (02)764-1101
Fax. (02)764-0746
Telex K27327 KIACO

OFFER SHEET

IACI Reg. No

To   KOREA TRADING INTERNATIONAL INC.

Our Ref. : KTO-91012

Date : JAN. 21, 1991

Gentlemen:

We have the pleasure to submit you our offer as follows on the terms and conditions set forth hereunder:

Description	Quantity	Unit Price	Amount
KIA VEHICLES		FOB KOREAN PORT IN U.S. DOLLARS	
BESTA 4X4 AMB. WITH POWER-STEERING, AIR-CONDITIONER, AM/FM STEREO CASSETTE, HEATER AND STANDARD EQUIPMENT	60 UNITS	@USD14,300	@USD858,000
BESTA 3 VAN WITH AM/FM STEREO CASSETTE, HEATER AND STANDARD EQUIPMENT	2 UNITS	@USD8,131	@USD16,262
BESTA 6 VAN WITH AM/FM STEREO CASSETTE, HEATER AND STANDARD EQUIPMENT	33 UNITS	@USD8,515	@USD280,995
CERES 4X4 WITH AM RADIO, HEATER, P.T.O. WITH TACHOMETER, SEARCH LIGHT, FRONT GUARD, TROOP SEAT & CANVAS AND STANDARD EQUIPMENT	10 UNITS	@USD5,905	@USD59,050
K3500 3.5S WITH 2-WAY SHIFT, AM/FM STEREO CASSETTE, HEATER, EX-BREAK WITH AIR-HEATING SYSTEM AND STANDARD EQUIPMENT	25 UNITS	@USD10,329	@USD258,225
K3500 D/C WITH 2-WAY SHIFT, AM/FM STEREO CASSETTE, HEATER, EX-BREAK WITH AIR-HEATING SYSTEM AND STANDARD EQUIPMENT	15 UNITS	@USD11,120	@USD166,800
TOTAL	145 UNITS		@USD1,659,232

Origin   REPUBLIC OF KOREA.
Shipment   WITHIN TWO (2) MONTHS AFTER RECEIPT OF YOUR LOCAL L/C
Destination   KOREAN PORT
Packing   EXPORT STANDARD PACKING(BARE)
Payment   BY T/T OR CASH

Validity   UNTIL THE 25TH OF JAN. 1991
Remarks   - OTHER TERMS AND CONDITIONS NOT STIPULATED HEREIN SHALL BE DISCUSSED LATER ON AND SUBJECT TO
                OUR FINAL WRITTEN CONFIRMATION.
              - THE OFFERED VEHICLES ARE BASED ON OUR STANDARD SPECIFICATIONS AND FEATURES.
              - PARTIAL SHIPMENT SHOULD BE ALLOWED.

Very truly yours,

Kia Motors Corporation

Accepted by:

0133

EAST WEST ENTERPRISES LTD.

PHONE : 555-2490/2   TOP-2 TEOK SAH-DONG   TELEX : K24692 HANSEN
FAX : 555-2490   MAPO MAH-KU, SEOUL, KOREA.   K.P.O.BOX : 1797

OFFER SHEET

YOUR REF.   OUR REF. EW-91-0121
TO. KOREA TRADING INTERNATIONAL INC.,   DATE.   JAN. 21, 1991
(TURKEY)

Gentlemen :

    In compliance with your request/solicitation, we are pleased to make an offer for sale to you upon the terms and conditions set forth hereunder and in the attached page here of :

Commodity :   SPARE PARTS FOR RESTA APPEARANCE(SEE 1 ADD&COUNITS)
    (Specifications and descriptions, as per described in the attached page of this offer)

Quantity :

Amount (Total) :   FOB PRICE US$ 85,600.00

Payment :   BY A KOREAN CURRENCIES

Shipment :

    Partial Shipments : NOT ALLOWED   Transhipment : NOT ALLOWED

Packing :   EXPORT STANDARD PACKING

Shipping Port :

Discharging Port :

Inspection :   MAKER'S INSPECTION AT PLANT TO BE FINAL

Country of Origin :   REPUBLIC OF KOREA

Validity :

Remarks :

Agreed and accepted by :   Yours faithfully,

(Name) _____   (Name) H. S. LEE
(Title) _____   (Title) MANAGING DIRECTOR

0134

EAST WEST ENTERPRISES LTD.

PHONE : 558-2490/2   789-2 YEOK SAM-DONG   TELEX : KZ4092 HANSEN
FAX   : 558-2490   KANG NAM-KU, SEOUL, KOREA.   K.P.O.BON : 1797

OFFER SHEET

YOUR REF.   OUR REF. ES-91-0121
TO. KOREA TRADING INTERNATIONAL INC.,   DATE,   JAN. 21, 1991
   (TURKEY)

Gentlemen :

In compliance with your request/solicitation, we are pleased to make an offer for sale to you upon the terms and conditions set forth hereunder and in the attached page here of :

Commodity : ·   SPARE PARTS FOR BESTA 3 VAN(US$ 813x2UNITS)
                 (Specifications and descriptions, as per described in the attached page of this offer)

Quantity :

Amount (Total) :   FOB PRICE US$ 1,626,00

Payment   :   BY A KOREAN CURRENCIES

Shipment   :
                Partial Shipments : NOT ALLOWED   Transhipment : NOT ALLOWED

Packing   :   EXPORT STANDARD PACKING

Shipping Port :

Discharging Port :

Inspection :   MAKER'S INSPECTION AT PLANT TO BE FINAL

Country of Origin : REPUBLIC OF KOREA

Validity :

Remarks :

Agreed and accepted by :   Yours faithfully,

(Name)   (Name) H. S. LEE
(Title)   (Title) MANAGING DIRECTOR

0135

EAST WEST ENTERPRISES LTD.

PHONE : 656-2490/2   789-2 YEOK SAM-DONG   TELEX : K24692 HANMUN
FAX : 562-2490   KANG NAM-KU, SEOUL, KOREA. K.P.O.BOX : 1797

OFFER SHEET

YOUR REF.   OUR REF. ES-91-0121
TO. KOREA TRADING INTERNATIONAL INC.,   DATE   JAN. 21. 1991
    (TURKEY)

Gentlemen :

    In compliance with your request/solicitation, we are pleased to make an offer for sale to you upon the terms and conditions set forth hereunder and in the attached page here of :

Commodity :   SPARE PARTS FOR VESTA 6 VAN(USS 682X33UNITS)
    (Specifications and descriptions, as per described in the attached page of this offer)

Quantity :

Amount (Total) :   FOB PRICE US$ 23,110.00

Payment :   BY A KOREAN CURRENCIES

Shipment :
    Partial Shipments : NOT ALLOWED   Transhipment : NOT ALLOWED

Packing :   EXPORT STANDARD PACKING

Shipping Port :

Discharging Port :

Inspection :   MAKER'S INSPECTION AT PLANT TO BE FINAL

Country of Origin : REPUBLIC OF KOREA

Validity :

Remarks :

Agreed and accepted by :   Yours faithfully,

(Name) _____   (Name) H. S. LEE
(Title) _____   (Title) MANAGING DIRECTOR

0136

걸프 사태 주변국 지원 4: 터키, 모로코, 쿠웨이트, 기타

DONG RYUNG MEDICAL CO.

MEDICAL INSTRUMENT &
EQUIPMENTS IMPORTER

MAIL ADDRESS: K.P.O. BOX 1549   TEL : 764-4796

OFFER SHEET

Messrs.   Ref. No._____

· We are plesaed to offer you as follows :   Date : ___JAN. 21,1991___

                                                                 M. J. Chang, President

Validity : _____ Days

ITEM	DESCRIPTIONS	QUANTITY	UNIT PRICE	AMOUNT
MOTOR BLOOD REFRIGETERATION		43 SET	U$1,571.43	U$67,571.49
			TOTAL	U$67,571.49

* 2월 28일 까지 선적 가능.
* ACCESSORIES 포함.
* 설치 비용 포함.
* 부가세 별도.

0137

PHONE : 588-2490/2   789-2 YEOK GAM-DONG   TELEX : K24692 HANSEN
FAX   : 558-2490   KANG NAM-KU, SEOUL, KOREA.   K.P.O.BOX : 1797

OFFER SHEET

YOUR REF.   OUR REF. ES-91-0121
TO. KOREA TRADING INTERNATIONAL INC.,   DATE. JAN. 21, 1991
   (TURKEY)

Gentlemen :

　　　　In compliance with your request/solicitation, we are pleased to make an offer
　　　　for sale to you upon the terms and conditions set forth hereunder and in the
　　　　attached page here of :

Commodity :.   SPARE PARTS FOR CERES(US$ 700x10UNITS)
                (Specifications and descriptions, as per described in the attached page of
                this offer)

Quantity :

Amount (Total) :   FOB PRICE US$ 7,000.00

Payment   :   BY A KOREAN CURRENCIES

Shipment   :
                Partial Shipments : NOT ALLOWED   Transhipment : NOT ALLOWED

Packing   :   EXPORT STANDARD PACKING

Shipping Port :

Discharging Port :

Inspection :   HAKER'S INSPECTION AT PLANT TO BE FINAL

Country of Origin :   REPUBLIC OF KOREA

Validity :

Remarks :

Agreed and accepted by :   Yours faithfully,

(Name) _____   (Name) H. S. LEE
(Title)_____   (Title) MANAGING DIRECTOR

0138

EAST WEST ENTERPRISE LTD.

PHONE : 558-2490/2   769-2 YEOK SAM-DONG   TELEX : K24692 HANSEN
FAX   : 558-2490   KANG NAM-KU, SEOUL, KOREA.   K.P.O.BOX : 1797

OFFER SHEET

YOUR REF._____   OUR REF. FS-91-0121_____

TO. KOREA TRADING INTERNATIONAL INC.,   DATE, ' JAN. 21, 1991 .
    (TURKEY)

Gentlemen :

    In compliance with your request/solicitation, we are pleased to make an offer for sale to you upon the terms and conditions set forth hereunder and in the attached page here of :

Commodity :   SPARE PARTS FOR K3500 3US(US$ 1,033x25UNITS)
    (Specifications and descriptions, as per described in the attached page of this offer)

Quantity :

Amount (Total) :   FOB PRICE US$ 25,825.00

Payment :   BY A KOREAN CURRENCIES

Shipment :
    Partial Shipments : NOT ALLOWED   Transhipment : NOT ALLOWED

Packing :   EXPORT STANDARD PACKING

Shipping Port :

Discharging Port :

Inspection :   MAKER'S INSPECTION AT PLANT TO BE FINAL

Country of Origin : REPUBLIC OF KOREA

Validity :

Remarks :

Agreed and accepted by :   Yours faithfully,

(Name) _____   (Name) H. S. LEE
(Title)_____   (Title) MANAGING DIRECTOR_____ .

0139

ST WEST ENTERPRISE LTD.

PHONE : 550-2490/2   789-2 YEOK SAM-DONG   TELEX : K24692 HANSEN
FAX   : 558-2490   KANG NAM-KU, SEOUL, KOREA.   K.P.O.BOX : 1797

OFFER SHEET

YOUR REF. _____   OUR REF. ES-91-0121
TO. KOREA TRADING INTERNATIONAL INC.,   DATE.   JAN. 21, 1991
   (TURKEY)

Gentlemen :

    In compliance with your request/solicitation, we are pleased to make an offer for sale to you upon the terms and conditions set forth hereunder and in the attached page here of :

Commodity : .   SPARE PARTS FOR X3500 DOUBLE CABIN(US$ 1,112x15UNITS)
    (Specifications and descriptions, as per described in the attached page of this offer)

Quantity :

Amount (Total) :   FOB PRICE US$ 16,680.00

Payment   :   BY A KOREAN CURRENCIES

Shipment :
    Partial Shipments : NOT ALLOWED   Transhipment : NOT ALLOWED

Packing   :   EXPORT STANDARD PACKING

Shipping Port :

Discharging Port :

Inspection :   MAKER'S INSPECTION AT PLANT TO BE FINAL

Country of Origin : REPUBLIC OF KOREA

Validity :

Remarks :

Agreed and accepted by :   Yours faithfully,

(Name) _____   (Name) H. S. LEE
(Title)_____   (Title) MANAGING DIRECTOR

0140

품 목 별 원 가 계 산 서

o   ITEM   :   AM 815 COMBI BUS (LHD), 24+1 SEATS WITH

                         BLOOD BANK REFRIGERATOR (45ℓ)

o   COST BREAKDOWN

     -   F.O.B.   :   U$ 23,190.17

                           차   량   :   U$ 19,670.-

                           S/PARTS   :   U$ 1,948.74

                           BLOOD REFRIGERATOR   :   U$ 1,571.43 (장치비 포합)

     -   FREIGHT   :   U$ 3,375.40

                           U$ 130 X 25.96CBM

     -   INSURANCE   :   U$ 300.63

                           CIF X 1.1 X RATE (1%)

     -   MARGIN   :   U$ 463.80   (FOB X 2%)

     CIF ISTANBUL   :   U$ 27,330.-

0141

Manufacturer, Exporter & Importer of Buses, Commercial Trucks & Military Vehicles

Asia Motors Co., Inc

15 YOIDO DONG YONGDEUNGPO KU
SEOUL KOREA

CABLE ADDRESS: ASIAMOTORS SEOUL
TELEX: 724574, 24547 ASIAMCO

OFFER SHEET

Date : JANUARY 7, 1991
Ref.No.: 91-E-01-003

Messers.

KOREA TRADING INTERNATIONAL INC.

Gentlemen :

In reply to your inquiry of   AMS15 COMBI BUS (LHD)   , we have the pleasure
of offering you the following on the terms and conditions set forth hereunder.

Price   : F.O.B. KOREAN PORT IN U.S.DOLLAR.
Shipment : WITHIN 1(ONE)MONTH AFTER OUR RECEIPT OF YOUR COMPETENT L/C.
Payment   : BY AN IRREVOCABLE L/C TO BE DRAWN 100% AT SIGHT IN FAVOR OF US.

Destination: KOREAN PORT
Packing   : BARE
Validity : UNTIL THE END OF JANUARY, 1991.
Remarks   : NOTE I.

Yours faithfully,

Item No.	Description	Quantity	Unit Price	Amount
1.	AMS15 COMBI BUS (LHD), 24+1 SEATS WITH BELOW ACCESSORIES	20 UNITS	US$19,670.-	US$393,400.-
	TOTAL.....................................	20 UNITS..		..US$393,400.-

COMBI ACCESSORIES

-DRIVER HEATER
-RADIO & CASSETTE
-WHEEL CAP (4 EA)
-TUBELS TYRE RADIAL TYPE (7.00-16-10PR)
-AIR-CON & DUCT
-FOLDING TYPE MAIN DOOR (AUTOMATIC)
-SIDE GLASS: SLIDING COLOR GLASS
-REAR VIEW MIRROR (CONVEX MANUAL)

-- TO BE CONTINUED --

0142

Item No.	Description	Quantity	Unit Price	Amount
	-LINOLEUM COVERED FLOOR MAT			
	-SUN VISOR: CURTAIN (2EA)			
	-VENTILATOR (2 EA)			
	-SEAT: 25 SEATS DLX			
	-REAR WIPER & WASHER			
	-REAR UNDER VIEW MIRROR			
	-FOG LAMP (2 EA)			
	-VINYL COVERED TOP CEILING			
	-SAFETY BELT: .2 POINT:1 EA			
	.3 POINT:2 EA			

NOTE I.
========

1. THIS OFFER IS BASED ON OUR STANDARD SPECIFICATIONS AND VALID ONLY
   FOR TURKEY.

2. MANUFACTURER'S INSPECTION BEFORE SHIPMENT TO BE FINAL.
   IF ANY ADDITIONAL INSPECTION IS REQUIRED, SUCH CHARGES SHALL BE BORNE
   BY THE BUYER.

3. OTHER TERMS AND CONDITIONS NOT STIPULATED HEREIN SHALL BE DISCUSSED
   LATER ON AND SUBJECT TO OUR FINAL WRITTEN CONFIRMATION.

- E. & O. E. -

0143

EAST WEST ENTERPRISES LTD.

PHONE: 736-3455(5 LINES)

HAI YONG BLDG 1009,
ANN KUK-DONG, CHONG RO-KU,
SEOUL, KOREA

CABLE   :
TELEX   : K27637 HANJE
K.P.O.BOX : 1797

MCI REG: NO.

OFFER SHEET

YOUR REF.

OUR REF. ES-90-1122

TO. KOREA TRADING INTERNATIONAL INC.,

(TURKEY)

DATE. NOV. 22, 1990

Gentlemen:

In compliance with your request/solicitation, we are pleased to make an offer for sale to you upon the terms and conditions set forth hereunder and in the attached page here of:

Commodity: AUTO SPARE PARTS

(Specifications and descriptions, as per described in the attached page of this offer)

Quantity: TOTAL 190 ITEMS

Amount(Total): TOTAL EX-FACTORY PRICE US$ 38,974.88 (20대분)

Payment: BY A KOREAN CURRENCIES

Shipment:

Partial Shipments: NOT ALLOWED   Transhipment: NOT ALLOWED

Packing: EXPORT STANDARD PACKING

Shipping Port: KOREAN PORT

Discharging Port:

Inspection: MAKER'S INSPECTION AT PLANT TO BE FINAL.

Country of Origin: REPUBLIC OF KOREA

Validity:

Remarks:

Agreed and accepted by:

Yours faithfully,

(Name)

(Title)

(Name) H.S. LEE

(Title) EXPORT MANAGER

0144

DONG RYUNG MEDICAL CO.

MEDICAL INSTRUMENT &
EQUIPMENTS IMPORTER

MAIL ADDRESS: K.P.O. BOX 1549   TEL : 764-4796

OFFER SHEET

Messrs.   Ref. No. _____

We are plesaed to offer you as follows :   Date : __JAN. 21,1991__

M. J. Chang, President

Validity : _____ Days

ITEM	DESCRIPTIONS	QUANTITY	UNIT PRICE	AMOUNT
MOTOR BLOOD REFRIGETERATION		43 SET	U$1,571.43	U$67,571.49
			TOTAL	U$67,571.49

* 2월 28일 까지 선적 가능.

* ACCESSORIES 포함.

* 설치 비용 포함.

* 부가세 별도.

0145

품 목 별 원 가 계 산 서

o   ITEM   :   BLOOD BANK REFRIGERATOR HRB-200, 664ℓ

o   COST BREAKDOWN

    -   F.O.B.   :   U$ 12,907.80

    -   FREIGHT   :   U$ 137.79

                           U$ 96.- X 1.44CBM

    -   INSURANCE   :   U$ 147.97

                           CIF X 1.1 X RATE (1%)

    -   MARGIN   :   U$ 258.16   (FOB X 2%)

    CIF ISTANBUL   :   U$ 13,451.72

0146

견 적 서

1989 1 년 1 월 8 인

하기와 같이 견적합니다

(주) 고 려 무 역 　귀중

한개금　U$325,506.50·

공급자	등록번호	130 - 81 - 17456		
	상 호	한신메디칼(주)	성명	김 성
	사 업 장	경기도 부천시 도당동 17		
	업 태	제 조	종목	의료용구

품 명	규 격	수 량	단 위	단 가	공 급 가 액	세 액	비 고
COMPACT							
REFRIGERATOR MECHANICAL BIOLOGICAL							
	HRB-95	27	SET	U$3,928.57	U$106,071.39		
	HRB-60	23	SET	3,928.57	90,357.11		
	HRB-200	10	SET	12,907.80	129,078.00		
				TOTAL	U$325,506.50		
* HRB-95 20 SET 1991. 1. 15 일 까지 선적가능.							
HRB-95 7 > 1991. 1. 30 일 까지 선적가능.							
" 60 8							
" 60. 15 > 1991. 2. 28 일 까지 선적가능.							
" 200 10							
* 부가세 별도.							

0147

품 목 별 원 가 계 산 서

o   ITEM   :   TYRE FOR BESTA AMBULANCE/BESTA 12C EST

  (18.5R-14-6PR)

o   COST BREAKDOWN

-   F.O.B.   :   U$ 39.37

-   FREIGHT   :   U$ 8.-

  U$ 2,400.- (1/16현재)/20' CNTR ÷ 300개/20'CNTR

-   INSURANCE   :   U$ 0.54

  CIF X 1.1 X RATE (1%)

-   MARGIN   :   U$ 0.79   (FOB X 2%)
- -
  CIF ISTANBUL :   U$ 48.70

0148

품 목 별 원 가 계 산 서

o   ITEM   :   TYRE FOR BESTA 3VAN/BESTA 6VAN WITH BLOOD REFRIGERATOR

        (6.00-14-8PR)

o   COST BREAKDOWN

    - F.O.B.   :   U$ 32.03

    - FREIGHT   :   U$ 8.-

                      U$ 2,400.- (1/16현재)/20' CNTR ÷ 300개/20'CNTR

    - INSURANCE   :   U$ 0.45

                      CIF X 1.1 X RATE (1%)

    - MARGIN   :   U$ 0.64   (FOB X 2%)

      CIF ISTANBUL :   U$ 41.12

0149

품목별원가계산서

o ITEM : TYRE FOR COMBI BUS/COMBI BUS WITH BLOOD REFRIGERATOR/
          TRUCK K3500 33S/TRUCK DOUBLE CAB (7.00-16-10PR)

o COST BREAKDOWN

    - F.O.B.   : U$ 43.17

    - FREIGHT   : U$ 8.-
                       U$ 2,400.- (1/16현재)/20' CNTR ÷ 300개/20'CNTR

    - INSURANCE   : U$ 0.58
                       CIF X 1.1 X RATE (1%)

    - MARGIN   : U$ 0.86   (FOB X 2%)

    CIF ISTANBUL   : U$ 52.61

0150

품 목 별 원 가 계 산 서

o ITEM : TYRE FOR TRUCK 1 TON CERES

      (6.50-14-8PR)

o COST BREAKDOWN

  - F.O.B. : U$ 34.26

  - FREIGHT : U$ 8.-

       U$ 2,400.- (1/16현재)/20' CNTR ÷ 300개/20'CNTR

  - INSURANCE : U$ 0.48

       CIF X 1.1 X RATE (1%)

  - MARGIN : U$ 0.69   (FOB X 2%)

   CIF ISTANBUL : U$ 43.43

0151

품 목 별 원 가 계 산 서

o   ITEM   :   TYRE FOR FORK LIFT GPS 15L FRONT

(21 X 8 X 9 - 12PR)

o   COST BREAKDOWN

- F.O.B.   :   U$ 91.65

- FREIGHT   :   U$ 8.-

U$ 2,400.- (1/16현재)/20' CNTR ÷ 300개/20'CNTR

- INSURANCE   :   U$ 1.13

CIF X 1.1 X RATE (1%)

- MARGIN   :   U$ 1.83   (FOB X 2%)

CIF ISTANBUL :   U$ 102.61

0152

품 목 별 원 가 계 산 서

o   ITEM   :   TYRE FOR FORK LIFT GPS 15L REAR

              (18 X 7 X 8 - 8PR)

o   COST BREAKDOWN

     - F.O.B.   :   U$ 45.82

     - FREIGHT   :   U$ 8.-

                           U$ 2,400.- (1/16현재)/20' CNTR ÷ 300개/20'CNTR

     - INSURANCE   :   U$ 0.61

                           CIF X 1.1 X RATE (1%)

     - MARGIN   :   U$ 0.92   (FOB X 2%)

        CIF ISTANBUL :   U$ 55.35

0153

품 목 별 원 가 계 산 서

o   ITEM : TYRE FOR FORK LIFT GPS 30L FRONT

             (28 X 9 X 15 - 14PR)

o   COST BREAKDOWN

   - F.O.B.   :   U$ 123.04

   - FREIGHT   :   U$ 8.-

                 U$ 2,400.- (1/16현재)/20' CNTR ÷ 300개/20'CNTR

   - INSURANCE   :   U$ 1.48

                 CIF X 1.1 X RATE (1%)

   - MARGIN   :   U$ 2.46   (FOB X 2%)

     CIF ISTANBUL :   U$ 134.98

0154

품 목 별 원 가 계 산 서

○ ITEM : TYRE FOR FORK LIFT 30L REAR

        (6.50 X 10 - 10PR)

○ COST BREAKDOWN

  - F.O.B.   : U$ 66.19

  - FREIGHT   : U$ 8.-

                U$ 2,400.- (1/16현재)/20' CNTR ÷ 300개/20'CNTR

  - INSURANCE : U$ 0.84

                CIF X 1.1 X RATE (1%)

  - MARGIN   : U$ 1.32   (FOB X 2%)

    CIF ISTANBUL : U$ 76.35

0155

EAST WEST ENTERPRISES LTD.

PHONE : 558-2490/2   789-2 YEOK SAM-DONG   TELEX : K24692 HANSEN
FAX   : 558-2490   KANG NAM-KU, SEOUL, KOREA.   K.P.O.BOX : 1797

OFFER SHEET

YOUR REF.   OUR REF. ES-91-0121
TO. KOREA TRADING INTERNATIONAL INC.,   DATE.   JAN. 21, 1991
    (TURKEY)

Gentlemen :

In compliance with your request/solicitation, we are pleased to make an offer
for sale to you upon the terms and conditions set forth hereunder and in the
attached page here of :

Commodity :   TIRES FOR KOREAN MADE VEHICLES
(Specifications and descriptions, as per described in the attached page of
this offer)

Quantity :   TOTAL 12 ITEMS

Amount (Total) :   FOB PRICE US$ 35,689.14

Payment   :   BY A KOREAN CURRENCIES

Shipment :
        Partial Shipments : NOT ALLOWED   Transhipment : NOT ALLOWED

Packing   :   EXPORT STANDARD PACKING

Shipping Port :

Discharging Port :

Inspection :   MAKER'S INSPECTION AT PLANT TO BE FINAL

Country of Origin : REPUBLIC OF KOREA

Validity :

Remarks :

Agreed and accepted by :   Yours faithfully,

_____   _____
(Name)   (Name) H. S. LEE
(Title)_____   (Title) MANAGING DIRECTOR

TIRES FOR KOREAN MADE VEHICLES

L/I	CAR MODEL	SIZE	Q'TY	U/PRICE	AMOUNT
1.	BESTA AMBULANCE	185R 14 6PR	240	39.37	9,448.80
2.	BESTA 12C EST	185R 14 6PR	80	39.37	3,149.60
3.	BESTA 3 VAN	6.00 14 8PR	28	32.03	896.84
4.	BESTA 6 VAN	6.00 14 8PR	20	32.03	640.60
5.	CERES	6.50 14 8PR	40	34.26	1,370.40
6.	K3500 33S	7.00 16 10PR	150	43.17	6,475.50
7.	K3500 D/B	7.00 16 10PR	90	43.17	3,885.30
8.	COMBI AM 815	7.00 16 10PR	120	43.17	5,180.40
9.	FOLK LIFT GPS 15S(FRT)	21x8x9 12PR	20	91.65	1,833.00
10.	FOLK LIFT GPS 15S(RR)	18x7x8 8PR	20	45.82	916.40
11.	FOLK LIFT GPS 30L(FRT)	28x9x15 14PR	10	123.04	1,230.40
12.	FOLK LIFT GPS 30L(RR)	6.50x10 10PR	10	66.19	661.90

TOTAL FOB PRICE...US$ 35,689.14

****

NOTE : TIRE ONLY

0157

품 목 별 원 가 계 산 서

o   ITEM   :   GENERATOR DG 30K

o   COST BREAKDOWN

     - F.O.B.   :   U$ 10,549.-

     - FREIGHT   :   U$ 202.10

                     U$ 96.-   (1/16현재)/20' CNTR ÷ 300개/20'CNTR

     - INSURANCE   :   U$ 121.92

                     CIF X 1.1 X RATE (1%)

     - MARGIN   :   U$ 210.98   (FOB X 2%)

     CIF ISTANBUL :   U$ 11,084.-

0158

품 목 별 원 가 계 산 서

o ITEM : GENERATOR DG 48K

o COST BREAKDOWN

   - F.O.B.   : U$ 13,169.-

   - FREIGHT   : U$ 233.62

                  U$ 96 X 2.43CBM

   - INSURANCE   : U$ 152.-

                  CIF X 1.1 X RATE (1%)

   - MARGIN   : U$ 263.38   (FOB X 2%)

   CIF ISTANBUL : U$ 13,818.-

0159

품 목 별 원 가 계 산 서

o   ITEM   :   GENERAL DG 75K

o   COST BREAKDOWN

  - F.O.B.   :   U$ 15,211.-

  - FREIGHT   :   U$ 372.08
                       U$ 96 X 3.88CBM

  - INSURANCE   :   U$ 176.70
                       CIF X 1.1 X RATE (1%)

  - MARGIN   :   U$ 304.22   (FOB X 2%)

     CIF ISTANBUL :   U$ 16,064.-

0160

품 목 별 원 가 계 산 서

o ITEM : GENERATOR DG 145K

o COST BREAKDOWN

   - F.O.B. : U$ 21,408.-

   - FREIGHT : U$ 434.14
                      U$ 96 X 4.52CBM

   - INSURANCE : U$ 247.70
                      CIF X 1.1 X RATE (1%)

   - MARGIN : U$ 428.16   (FOB X 2%)

   CIF ISTANBUL : U$ 22,518.-

0161

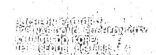

DAEHEUNG MACHINERY CO., LTD.

Messrs. <u>KOREA TRADING INTERNATIONAL INC</u>

DATE. <u>JAN. 21, 1991</u>

NO. <u>DHO-91-026</u>

OFFER SHEET

Dear Sirs,

We are pleased to Submit our best price subject to the terms and conditions as undermentioned

Shipment: WITHIN THREE MONTHS AFTER RECEIPT OF YOUR L/C.

Payment: BY AN IRREVOCABLE L/C AT SIGHT IN OUR FAVOR.

Inspection: MAKER'S INSPECTION TO BE FINAL.

Validity: UNTIL END OF FEB, 1991.

Remarks: EXPORT STANDARD PACKING.

No.	Description	Quantity	Unit price	Amount	Remarks
	DAE HEUNG DIESEL GENERATOR		F.O.B.KOREA		
	MODEL : DG30K	10SETS	@$10,549.	U$105,490.	
	DG48K	10 "	13,169.	131,690.	
	DG75K	5 "	15,211.	76,055.	
	DG145K	2 "	21,408.	42,816.	
	TOTAL :	27SETS		U$356,051.	

///

소재지 김천市 内洞 12-1번지
大興기계工業株式會社

0162

품 목 별 원 가 계 산 서

o   ITEM   :   WATER PURIFICATION UNIT

o   COST BREAKDOWN

- F.O.B.   :   U$ 107,321.-

- FREIGHT   :   U$ 7,132.71
                    U$ 96 X 74.30CBM

- INSURANCE   :   U$ 1,296.87
                    CIF X 1.1 X RATE (1%)

- MARGIN   :   U$ 2,146.42   (FOB X 2%)

    CIF ISTANBUL :   U$ 117,897.-

0163

견 적 서

	고 려 무 역 (주)	귀하	**만도기계주식회**[종]
합계금 US$ 214,642		원정	경기도 안양시 박달동 120번[ ] 전화번호 856-6411~4

No.	품 명	규 격	수 량	단 가	금 액	비 고
1	정수기구셋	1500GPH	2	US$ 107,321	US$ 214,642	
				1. 상기금액은 FOB	금액임	
				2. V.A.T 별도		

선적일자 91.10.31

19 91 년 1 월 21 일

납품장소 _____

상기와 여히 견적합니다.

유효기간   2 개월

0164

株 式 會 社 高 麗 貿 易

電 話 : (02) 737-0860
F A X : (02) 739-7011
TELEX : KOTII K34311

서울 特別市 江南區 三成洞 159番地
貿易會館 빌딩 11層
TRADE CENTER P.O. BOX 23,24.

수 신 : 외무부 마그레브 과장

제 목 : 걸프만 사태 관련 지원물대 송금 신청

폐사는 귀부와의 계약에 의거하여 아래와 같이 걸프만 사태 관련 지원물품을 기 선적하였 아오니 송금조치 하여 주시기 바랍니다.

- 아   래 -

1. 선적물품 내역

품 목	수 량	금 액	선적일	도 착 예정일	선 명	선적항	도착항
BESTA AMB	60 UNITS	U$ 981,840.-					
BESTA 3 VAN	2 UNITS	U$ 20,714.-					
BESTA 6 VAN W/혈액냉장고	33 UNITS	U$ 407,088.-	2/26	3/26	KERN PASSAT V. 26	INCHON	ISTANBUL
TRUCK 1 TON	10 UNITS	U$ 90,450.-					
TRUCK K3500 33S	24UNITS	U$ 319,608.-					
TRUCK K3500 D/C	15UNITS	U$ 212,220.-					
합 계	144UNITS	U$2,031,920.-					

2. 비 고

　가. 터어키 3차 계약분 ('91. 1. 21.) U$ 3,967,399.26 중 1월 선적분을 제외한 2월 및 3월 DELIVERY 의 차량 145대중 기아변속 장치 불량의 TRUCK K3500 33S 1대 (3월선적 예정) 만 제외하고 144대 선적 완료.

　나. 당초 3월선적 예정이던 BESTA 6VAN (혈액냉장고 장착) 28대는 조기 선적 완료함.

3. 송 금 처 : 제주은행 서울지점

　구좌번호 : 963-THR 109-01-0

　예 금 주 : (주)고려무역.   끝.

1 9 9 1 年 3 月 2 日

鍾 路 輸 出 本 部 海 外 事 業 팀

0165

분류번호	보존기간

발 신 전 보

WTU-0091   910302 1547 DP

번   호 : _____   종별 : _____

수   신 : 주 터키   대사. //총영사//

발   신 : 장   관 (중동이)

제   목 : 대 터키 물자 지원

연 : WTU-0058 (91.2.2)

1. 주재국에 대한 3차 지원품중 각종 차량 144대($ 2,031,920)가 91.2.26.
   선적(선명 : KERN PASSAT V-26)되어 귀지 ISTANBUL 항에는 3.26.경 도착
   예정임.

2. 또한 혈액봉지, 각종 자동차 부품 및 혈액 냉장고등 $ 623,572.26 상당의
   물자가 91.2.27. 선적(선명 : ZIM TRIESTE V-129W)되어 4.5.경 도착 예정임.

3. 상기 선적서류는 차 파편 송부함. 끝.

(중동아국장   이 해 순)

예 고 : 91.12.31. 까지

검토필(1991.6.30.)

보 안 통 제	호

앙 고 재	91 년 3 월 2 일	중 동 2 과	기안자 성명 허명행		과 장 호		국 장 전결		차 관		장 관	

외신과통제

0166

관리 번호	91- 208

외 무 부

종 별 :

번 호 : TUW-0219

수 신 : 장관(중동일)

발 신 : 주 터 대사

제 목 : 걸프사태 관련지원

일 시 : 91 0312 1859

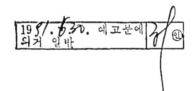

대:WTU-0029, 0058

주재국 외무성 BURHAN ANT 양자경제국 아중동 부국장은 3.11. 당관 이참사관에게 전화, 대호 기증품품중 BLOOD BAG SET (총 35 만개) 사용과관련, 주재국의 수입관계 규정상 동품목이 혈액수혈(BLOOD TRANSFUSION)에 사용해도 안전하다는 아국 공인기관의 안전검사필증(CERTIFICATE)이 있어야만 사용이 가능하다고 하면서 동필증을 조속 인도해주기를 요청해온바, 적의 조치해주시기바람.

(대사 김내성-국장)

예고:91.6.30. 일반

| 1991. 6.30. 예고문에
의거 일반 | |

중아국

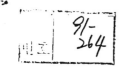

"땀도 함께 꿈도 함께 번영도 함께"

주 터 키 대 사 관

1991·3·13·

주 터정 10007-020

수 신 : 장관

참 조 : 안중동국장, 구주국장

제 목 : 걸프 관련 물품 지원 사의 표명

대 : WTU-0058

걸프 관련 대 터키 원조와 관련, 주재국 외무성과 적십자사로 부터 별첨과 같이 혈액냉장고 20대를 기증한데 대해 사의를 표명하고 이들 냉장고는 주재국내 15개 적십자 지사에 배정 사용하고 있음을 통보 해온바, 참고로 보고합니다.

첨 부 : 관련문서 1건. 끝.

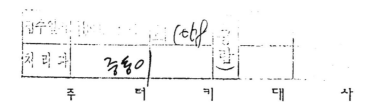

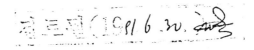

0168

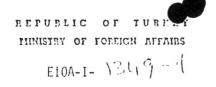
The Ministry of Foreign Affairs of the Republic of
Turkey presents its compliments to the Embassy of the
Republic of Korea and with reference to the Embassy's
Note No. KTU/061/91 dated January 9, 1991, concerning
the donation of the Government of the Republic of Corea
to the Government of the Republic of Turkey in connection
with the adverse effects of the Gulf Crisis on the Turkish
economy, has the honour to inform the esteemed Embassy
that the Turkish Red Crescent Society has received the
twenty units of blood bank refrigerators mentioned in
the above Note.

While thanking to the honourable Embassy and the
other esteemed relevant Korean authorities for their
efforts on this subject, the Ministry of Foreign Affairs
of the Republic of Turkey avails itself of this opportunity
to renew to the Embassy of the Republic of Korea the
assurances of its high consideration.

Ankara, March 4, 1991

Embassy of the
Republic of Korea
ANKARA

0169

To the Embassy of the Republic of Korea
ANKARA

No   :
Branch   : General Directorate
                Blood Services
Enclosed   : 1 list

                    Ref: a)-Translated letters dated 9.1.91/KTV/061/91
                            of Ankara Embessy of the Rep.of Korea
                         b)-Letter dated 15.1.1991 no.EİOA-I-360.130-91-
                            337 Ministry of Foreign Affairs of the Rep.
                            of Turkey

1)- Reference to the letter of the Embassy of the Republic of
    Korea, it is mentioned about the aids within the framework
    of Gulf Crisis which Korea has done and 20 blood bank freezer
    have been sent to to İstanbul.
2)- Reference to the letter of Ministry of Foreign Affairs of
    the Republic of Turkey, one additional list concerning the
    aids of the Republic of KOrea has been received.
3)- Received 20 blood freezer have been delivered to the Redcrescent
    Blood Stations as in the list.
4)- This merciful aids of the Republic of KOrea is above the all
    kind of appreciations and as Turkish Redcrescent made us very
    happy.

            I present it for your information.

                                        Ünal Somuncu
                                        General Director

                                        0170

TÜRKİYE KIZILAY DERNEĞİ

GENEL BAŞKANLIĞI
_____

Telgraf adresi : Kızılay · Ankara

26.02.91 ★ 02378

No. ....

Şubesi ....Kan Hiz.md.lüğü

Eki ....1..Liste

Ankara . ...

Özeti ....

....

....

KORE BÜYÜKELÇİLİĞİNE
ANKARA

İlgi: a) Kore Cum.Ankara Büyükelçilğinin 9.1.1991/KTV/061/91 sayılı
         tercüme yazıları,
      b) T.C.Dışişleri Bak.nın 15.1.1991 tarih ve EİOA-I-360.130-
         91-337 sayılı yazıları,

         1) Ankara'daki Kore Büyükelçiliğinin ilgi a yazılarıyla; körfez
krizi çerçevesinde yapacağı yardıma ilişkin hususlar ve bu meyanda ilk
etapta 20 adet Kan bankası soğutucusunun İstanbul'a gönderildiği bildiril-
miştir.

         2) Dışişleri Bakanlığının ilgi (b) yazılarında; Kore Cumhuriye-
tinin yapacağı bu yardımı kapsayan EK liste alınmıştır.

         3) Teslim alınan 20 adet Kan Muhafaza dolabının Kızılay Kan Mer-
kezlerine ve Kan İstasyonlarına dağıtımı ek listede gösterildiği şekilde
yapılmıştır.

         4) Kore Cumhuriyeti'nin insancıl amaç taşıyan bu yardımı her
türlü takdirin üzerinde olup, Türkiye Kızılay Derneği olarak bizleri
ziyadesiyle mutlu kılmıştır.

         Bilgilerinizi ve gereğini saygılarımla arz ederim.

                                              ÜNAL SOMUNCU
                                              GENEL MÜDÜR

DAĞITIM
DIŞİŞLERİ BAKANLIĞINA
KORE BÜYÜKELÇİLİĞİNE

0171

Karşılıklarda : dosya sayısı, şubesi ve tarihinin yazılması rica olunur.
Telefon Santral : 17 40 50 · 17 40 51 · 17 40 52

20 ADET KAN MUHAFAZA DOLABININ DAĞITIMI

İSTANBUL	3	adet
ADANA	2	"
İZMİR	2	"
ANKARA	2	"
EDİRNE	1	"
KONYA	1	"
BURSA	1	"
ZONGULDAK	1	"
GAZİANTEP	1	"
DİYARBAKIR	1	"
ANTALYA	1	"
ŞANLIURFA	1	"
SAMSUN	1	"
İSKENDERUN	1	"
DENİZLİ	1	"
TOPLAM	20	adet

0172

분류번호	보존기간

발 신 전 보

번 호 : WTU-0110   910314 1932 FK 종별 :

수 신 : 주 터키   대사 총영사

발 신 : 장 관   (중동이)

제 목 : 걸프사태 관련지원

대 : TUW-0219

　　대호 Blood bag 의 사용관련, 보사부 발행 안전검사필증 및 제조사인

녹십자사의 제품분석증서를 3.18.파편 송부예정임.

(중동아국장 이 해 순)

예고 : 91.6.30 까지

1991. 6.30 예고분에
의거 일반

양고재	91년 3월 4일	능률과	기안자 성명 허덕행	과장	심의관	국장 전결		차관	장관

보안통제

외신과통제

0173

9461

기 안 용 지

분류기호 문서번호	중동이 20005-	(전화 :	)	시 행 상 특별취급	
보존기간	영구 · 준영구. 10 . 5 . 3 . 1 .		장 관		
수 신 처 보존기간					
시행일자	1991. 3.14.		예		

보 조 기 관	국 장	전 결	협 조 기 관		문 서 통 제
	심의관	*dp*			전여 1.1.8.15
	과 장	*서명*			
기안책임자		허 덕 행			발 송 인

경 유 수 신 참 조	주 터키 대사	발 신 명 의	

제 목	걸프사태 관련 지원

　

대 : TUW-0219

대호 관련 보사부 발행 검사필증 및 녹십자사의 제품분석증서를

별첨과 같이 송부합니다.

~~예고 · 91.6.30. 까지~~

0174

1505-25(2-1) 일(1)갑
85. 9. 9. 승인　　"내가아낀 종이 한장 늘어나는 나라살림"
190㎜×268㎜ 인쇄용지 2급 60g/㎡
가 40-41 1990. 5. 28

13748

기 안 용 지

(전화 :   )

분류기호 문서번호	중동이20005-		시 행 상 특별취급	
보존기간	영구·준영구. 10. 5. 3. 1.		장 관	
수 신 처 보존기간				
시행일자	1991. 4. 10.			

보 조 기 관	국 장	전 결	협 조 기 관	구 주 국 장	문 서 통 제	[도장] 1991. 4. 11
	심의관					
	과 장					
기안책임자		허 덕 행			발 송 인	[도장] 1991. 4. 11

경 유 수 신 참 조	주 터키 대사	발 신 명 의	

제 목	걸프사태 관련 지원에 대한 터키정부의 사의표명

Firat 주한 터키대사는 91.4.3자 중동아프리카국장앞 서한에서

아국의 걸프사태 관련 대터키 지원에 대해 사의를 표명하여 왔는바

관련 서한 사본을 별첨과 같이 송부하니 참고하시기 바랍니다.

첨 부 : 1. 주한 터키 대사의 중동아국장앞 공한 1부.

　　　　　2. 중동아국장의 회신 1부. 끝.

0175

1505-25(2-1) 일(1)갑　　　　　　　　　　　190mm × 268mm 인쇄용지 2급 60g/㎡
85. 9. 9. 승인　"내가아낀 종이 한장 늘어나는 나라살림" 가 40-41 1989. 2. 20.

EMBASSY OF TURKEY

SEOUL

April 3, 1991

Director General,

    I have the pleasure to extend to you on behalf
of the Turkish Red Crescent our heartfelt thanks,
and appreciation of the efforts exercised by the
Government of the Republic of Korea, in order to
contribute to solve humanitarian problems and to
meet the needs caused by the Gulf crises, Relatedly,
the 5 million US Dollar portion of the assistance
extended to the Turkish Red-Crescent by the Korean
Government in the form of donation in kind, has already
been partly realized, and the remaining part will be
donated within a specified period of time. The materials
acquired by the Turkish Red-Crescent will no doubt
highly increase the ability of action in times of
urgency and thus help to speedily carry on the
humanitarian help and services.

    Taking this opportunity I wish to express to you
my best wishes and regards.

Turhan FIRAT
Ambassador

Mr. LEE Hae Soon
Director General
Middle East and African Affairs Bureau
Ministry of Foreign Affairs
Seoul

0176

9 April, 1991

Your Excellency,

I have the honour to acknowledge receipt of your letter of 3 April, 1991, in which your Excellency conveyed Turkish Red Crescent's gratitude and appreciation for the contribution made by the Korean Government to help ease humanitarian problems caused by the Gulf Crisis.

Remembering the sacrifice and contribution of Turkish people during the Korean War to secure peace and freedom in the Korean peninsula, the Government and people of the Republic of Korea were very much pleased to be able to come to the aid of Turkish friends in their difficult situation.

I hope earnestly that Korea's assistance to Turkey will serve as a momentum to further reinforce the traditional bonds of friendship and cooperation.

Please accept, Excellency, the assurances of my highest consideration.

Hae-Soon Lee
Director-General
Middle East and
African Affairs Bureau

His Excellency
Mr. Turhan Firat,
Ambassador of the Republic of Turkey,
Seoul.

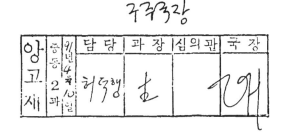

0177

MINISTRY OF FOREIGN AFFAIRS
REPUBLIC OF KOREA

11 April, 1991

Your Excellency,

I have the honour to acknowledge receipt of your letter of 3 April, 1991, in which your Excellency conveyed Turkish Red Crescent's gratitude and appreciation for the contribution made by the Korean Government to help ease humanitarian problems caused by the Gulf Crisis.

Remembering the sacrifice and contribution of Turkish people during the Korean War to secure peace and freedom in the Korean peninsula, the Government and people of the Republic of Korea were very much pleased to be able to come to the aid of Turkish friends in their difficult situation.

I hope earnestly that Korea's assistance to Turkey will serve as a momentum to further reinforce the traditional bonds of friendship and cooperation.

Please accept, Excellency, the assurances of my highest consideration.

Hae-Soon Lee
Director-General for
Middle East and African
Affairs Bureau

His Excellency
 Mr. Turhan Firat,
  Ambassador of the Republic of Turkey,
   Seoul.

0178

분류기호	중동이	협조문용지		결	심의관: (서명)
문서번호	20005-46	( )			담 당 / 과 장 / 국 장
시행일자	1991. 4. 10.			재	허덕행 (서명)
수　신	총무과장(외환)	발　신		중동아국장	

제　목　걸프사태 지원사업

걸프사태 관련 대터키 지원물자가 다음과 같이 선적된바,

동 경비를 지불하여 주시기 바랍니다.

- 다　　　　음 -

　　1. 지 불 액 : $387,693

　　2. 지 불 처 : (주) 고려무역

　　　o 지불은행 : 제주은행 서울지점

　　　o 구좌번호 : 963-THR 109-01-0

　3. 선적내역

　　　o 대 터키지원 3차 계약분($3,967,399.26)중 2월에

　　　선적하지 못한 트럭 1대 및 3월 선적 예정이던

　　　발전기 27대

　　　o 트럭은 3.27 선적(4.25 도착예정)하고 발전기는 3.30

　　　선적(5.10 도착예정) 함.

　첨부 : 1. 재가공문사본 1부.

　　　2. (주) 고려무역의 청구서 및 선적서류 각 1부.　끝.

0179

15808

기 안 용 지

분류기호 문서번호	중동이20005-	(전화 :　　　　)	시 행 상 특별취급	
보존기간	영구·준영구. 10. 5. 3. 1.		장　　　　관	
수 신 처 보존기간				
시행일자	1991. 4.10.			

보조기관	국 장	전 결	협 조 기 관			문 서 통 제
	심의관					
	과 장					
기안책임자	허 덕 행				발　송　인

경 유		발 신 명 의		
수 신	주 터키 대사			
참 조				

제 목	대 터키 지원물자 선적

　대 터키 3차 지원물자중 2월에 선적하지 못한 트럭 1대(K3500)

와 발전기 27대가 각기 3.27 및 3.30 선적되었는바 동 선적서류를

별첨과 같이 송부합니다.

　　첨부 : 선적서류 2부. 끝.

0180

株 式 會 社 高 麗 貿 易

電 話 : (02) 737-0860　　　　　　서울 特別市 江南區 三成洞 159番地
F A X : (02) 739-7011　　　　　　　　貿易會館 빌딩 11層
TELEX : KOTII K34311　　　　　　TRADE CENTER P.O. BOX 23,24.

수 신 : 외무부 마그레브 과장

제 목 : 걸프만 사태 관련 지원물대 송금 신청

　페사는 귀부와의 계약에 의거하여 아래와 같이 걸프만 사태 관련 지원물품을 기 선적하였
아오니 송금조치 하여 주시기 바랍니다.

- 아　　　　　　　　　　래 -

1. 선적물품 내역

품　　목	수 량	금 액	선적일	도 착 예정일	선 명	선적항	도착항
SINGLE BLOOD BAG	100,000BAGS	US$ 167,400.-	2/27	4/5	ZIM TRIESTE V-129W	BUSAN	ISTANBUL
DOUBLE BLOOD BAG	20,000BAGS	U$ 57,900.-					
S/PARTS FOR BESTA AMBULANCE	60SETS	U$ 98,160.-					
S/PARTS FOR BESTA 3VAN	2SETS	U$ 2,072.-					
S/PARTS FOR BESTA 6VAN	33SETS	U$ 35,541.-					
S/PARTS FOR TRUCK 1 TON	10SETS	U$ 9,050.-					
S/PARTS FOR TRUCK K3500 33S	25SETS	U$ 33,300.-					
S/PARTS FOR TRUCK K3500 D/C	15SETS	U$ 21,225.-					
TIRE FOR BESTA AMB & BESTA 12C	320PCS	U$ 15,584.-					
TIRE FOR COMBI BUS & TRUCK K3500 33S & K3500 D/C	360PCS	U$ 8,939.60					
TIRE FOR BESTA 6VAN & 3VAN	48PCS	U$ 1,973.76					

0181

TIRE FOR TRUCK 1TON CERES	40PCS	U$ 1,737.20						
FRONT TIRE FOR FORK LIFT GPS 15L	20PCS	U$ 2,052.20						
REAR TIRE FOR FORK LIFT GPS 15L	20PCS	U$ 1,107.-						
FRONT TIRE FOR FORK LIFT GPS 30L	10PCS	U$ 1,349.80						
REAR TIRE FOR FORK LIFT GPS 30L	10PCS	U$ 763.50						
BLOOD BANK REFRIGERATOR HRB-200, NET 664 LITTER	10UNITS	U$ 134,517.20						
RECOMMENDED SPARE PARTS FOR FORK LIFT GPS 15L	10SETS	U$ 13,640.-						
RECOMMENDED SPARE PARTS FOR FORK LIFT GPS 30L	5SETS	U$ 7,260.-						
합 계		U$ 623,572.26						

2. 가. TURKEY 3차 계약분 (JAN 21, 1991) 중 혈액봉지, 자동차 부품, TIRE 및 혈액냉장고

   전량 선적 완료 하였으며,

   나. 이번 선적에서 제외된 K3500 33S 1대분의 부품도 금번 선적시 같이 선적 하였음.

   다. TURKEY 2차 계약분 잔량 FORK LIFT 부품 U$ 20,900.- 도 선적 완료함.

3.   송 금 처 : 제주은행 서울지점

     구좌번호 : 963-THR 109-01-0

     예 금 주 : (주)고 리 무 역.   끝.

1 9 9 1 年   3 月   2 日

鍾 路 輸 出 本 部   海 外 事 業 팀

0182

株 式 會 社 高 麗 貿 易

電　話 ：(02) 737-0860	서울 特別市 江南區 三成洞 159番地
F A X ：(02) 739-7011	貿易會館 빌딩 11層
TELEX ：KOTII K34311	TRADE CENTER P.O. BOX 23,24.

수 신 ：외무부 중동 2과장

제 목 ：걸프만 사태 관련 지원물대 송금 신청

　　　 폐사는 귀부와의 계약에 의거하여 아래와 같이 걸프만 사태 관련 지원물품을 기 선적하였
아오니 송금조치 하여 주시기 바랍니다.

- 아　　　　　　래 -

1. 선적물품 내역

품　　　목	수　량	금　　　액	선적일	도 착 예정일	선　　　명	선적항	도착항
TRUCK K3500 33S	1 UNITS	U$ 13,317.-	3/27	4/25	LITA DEL MAR V. 18	INCHON	ISTANBUL
GENERATOR DG 30K	10 UNITS	U$ 110,840.-					
GENERATOR DG 48K	10 UNITS	U$ 138,180.-	3/30	5/10	ZAGREB V-2/91	PUSAN	ISTANBUL
GENERATOR DG 75K	5 UNITS	U$ 80,320.-					
GENERATOR DG145K	2 UNITS	U$ 45,036.-					
합　　　계	28 UNITS	U$ 387,693.-					

2. 비 고

　　가. 터어키 3차 계약분 ('91. 1. 21.) U$ 3,967,399.26 중 기아변속 장치의 불량으로

　　　　2월에 선적하지 못한 TRUCK K3500 33S 1대와 3월 선적예정이던 발전기 27대를

　　　　예정대로 선적 완료.

　　나. 터어키 3차 계약분중 미선적 잔량은 WATER PURIFICATION UNIT 1,500 GPH 2대

　　　　(U$ 235,794.-) 로서 10월 선적 예정임.

3. 송 금 처 ： 제주은행 서울지점

　　　구좌번호 ： 963-THR 109-01-0

　　　예 금 주 ： (주)고려무역.　　끝.

1991年　4月　2日

鍾 路 輸 出 本 部　海 外 事 業 팀 長

0183

원 가 계 산 (9. TRUCK K3500 33S)

단위 : US$

비고	F. O. B.	F			I			M	합
		C B M	단 가	운 임	기준가 (CIFx1.1)	보험여율	보험료	(FOB X 2%)	
	10,329 X 1 대 = 10,329.- (기아자동차)	21.07944	125.-	2,634.93	14,648.70	1%	146.49	206.58	13,317.-

0184

원 가 계 산 (23. GENERATOR DG 30K)

비 고	F. O. B.		F			I			M (FOB X 2%)	합 계
		C B M	단 가	운 송 료	기 준 가 (CIFx1.1)	요 율	보 험 료			
	10,549 X 10 대 = 105,490.- (대형기계)	16.16768	125.-	2,020.96	121,924.-	1%	1,219.24		2,109.80	110,840.-

0185

원 가 계 산 (24. GENERATOR DG 48K)

단위 : US

| 구 | F.O.B. | | F | | | I | | M (FOB X 2%) | 계 |
		C B M	단 가	송 료	기준가 (CIFx1.1)	요 율	보 험 료		합
비	13,169 X 10 대 = 131,690.- (대총기계)	18.68976	125.-	2,336.22	151,998.-	1%	1,519.98	2,633.80	138,180.-

원 가 계 산 (25. GENERATOR DG 75K)

단위 : US$

고	F.O.B.	F			기준가 (CIFx1.1)	I		M (FOB X 2%)	계
		C B M	단 가	송 료		요 율	보 험 료		합
	15,211 X 5 대 = 76,055.- (대흥기계)	14.88304	125.-	1,860.38	88,352.-	1%	883.52	1,521.10	88,320.-

0187

원 가 계 산 (26. GENERATOR DG 145K)

단위 : US$

고		F			I			M	합 계
F. O. B.	C B M	단 가	운 임	기준가 (CIFx1.1)	요 율	보험료	(FOB X 2%)		
21,408 X 2 대 = 42,816.- (대동기계)	6.94624	125.-	868.28	49,539.60	1%	495.40	856.32	45,036.-	

관리 번호	91 -396

외 무 부

종 별 :

번 호 : TUW-0382

일 시 : 91 0503 2045

수 신 : 장관(중동이)

발 신 : 주 터 대사

제 목 : 대터키 물자지원

대:WTU-0091

금 5.4 외무성 BURHAN ANT 양자경제국 부국장은 당관 이참사관에게 주재국관련 법규상 대호 기증차량 144 대의 봉관및 등록에 필요하다하면서 동차량의 PROFORMA INVOICES 를 보내줄것을 요청해온바, 송부해주시기 바람.

(대사 김내성-국장)

예고:91.12.31. 까지

검토필(1981. 6.30.

중아국

PAGE 1

91.05.04   07:28

외신 2과 통제관 DO

0189

기 안 용 지

			시 행 상 특별취급	
분류기호 문서번호	중동이20005-1177	(전화 :)		
보존기간	영구·준영구. 10. 5. 3. 1.	장 관		
수 신 처 보존기간				
시행일자	1991. 5.7.			

보조기관	국 장 전 결	협조기관	문 서 통 제
	심의관		
	과 장 초		
기안책임자	허 덕 행		발 송 인

경 유 수 신 참 조	주 터키대사	발신명의	

제 목   대 터키물자지원

대 : TU₩ -0382

대호 요청자료를 별첨괴 같이 송부합니디.

첨부 : (주) 고려무역의 Pro Forma Invoice   1부.   끝.

정르핀(1991. 6. 30. 차용

0190

1505-25(2-1) 일(1)갑   190㎜ × 268㎜ 인쇄용지 2급 60g/㎡
85. 9. 9. 승인   "내가아낀 종이 한장 늘어나는 나라살림" 가 40-41 1989. 2. 20.

외 무 부

종 별 :

번 호 : TUW-0432

일 시 : 91 0517 1653

수 신 : 장관(중동이,구이)

발 신 : 주 터 대사대리

제 목 : 대터키 물자지원

대:중동이 20005-1177

연:TUW-0382

주재국 외무성측은 대호 기증차량의 PROFORMA INVOICE 에는 봉관및 차량등록에 필요한 각차량의 엔진 NO., CHASSIS NO., 상표및 모델이 표시된것이어야 한다하니 재송부하여 주시기바람.

(대사 대리 이시호-국장)

예고:91.12.31. 까지

검토필(1991.6.30.

중아국   구주국

91.05.17   23:26

외신 2과 통제관 CE

0191

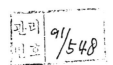

분류기호 문서번호	중동이20005-/317	기 안 용 지	시 행 상 특별취급	
보존기간	영구·준영구. 10.5.3.1.	(전화 :	장 관
수 신 처 보존기간		
시행일자	1991. 5. 23.	

기 안 용 지

보 조 기 관	국 장	전 결	협 조 기 관		문 서 통 제
	심의관			
	과 장			발 인
기안책임자	허 덕 행		

| 경 유
수 신
참 조 | 주 터키대사 | 발신명의 | |

| 제 목 | 대 터키 물자지원 |

대 : TUW - 0432

걸프사태관련 터키에 지원한 차량통관에 필요한 서류틀

별첨과 같이 송부합니다.

첨   부 : (주)고려무역의 Pro Forma Invoice 1부.   끝.

에   고 : 91.12.31.까지   검토필(1991.6 30.   )

0192

분류기호 문서번호	중동이 20005- **40559**	기 안 용 지 (720-3869)	시 행 상 특별취급	

보존기간	영구.준영구 10. 5. 3. 1	장	관

수 신 처
보존기간

시행일자	1991.11. 1.

보조기관	국 장	전 결	협조기관		문 서 통 제
	심 의 관				검열 1991. 11 0 2 동제관
	과 장	本			
기안책임자	김 은 석			발 송 인

경 유		발신명의		
수 신	주 터키 대사			
참 조				

제 목	대터키 지원물자 선적

전:중동이 20005-13808

연호 대터키 3차 지원물자중 마지막 선적분인 정수장비 2대에

대한 선적서류를 별첨과 같이 송부합니다.

첨부 : 선적서류 2부. 끝.

0193

분류기호 문서번호	중동이 20005- 128	협조문용지 ( )	심의관 :

분류기호 문서번호	중동이 20005-128	협조문용지 ( )		심의관 :			
			결 재	담 당	과 장	국 장	
				(서명)			
시행일자	1991. 11. 1.						
수 신	총무과장 (외환계장)	발 신	중동2과장				
제 목	대터키 지원물자 경비지불						

걸프사태 관련 대터키 물자지원의 마지막 선적품목인 정수장비

2대가 91.10.31 선적됨에 따른 경비지불을 아래와 같이 의뢰하오니

조치하여 주시기 바랍니다.

- 아   래 -

1. 지 불 처 : (주) 고려무역

　　ㅇ 지불은행 : 제주은행 서울지점

　　ㅇ 구좌번호 : 963-THR 189-01-0

2. 지 불 액 : $235,794

3. 내　　역 : 정수장비 2대

4. 지출예산 : 정무활동, 해외경상이전, 걸프전 주변피해국

　　　　　　지원 (터키)

　첨 부 : 1. 재가공문 사본 1부.

　　　　2. (주) 고려무역 청구서 및 선적서류 각 1부. 끝.

0194

株 式 會 社 高 麗 貿 易

電 話 : (02) 737-0860

F A X : (02) 739-7011　이 동실 과장

TELEX : KOTII K34311　해외사업과

서울 特別市 江南區 三成洞 159番地

貿易會館 빌딩 11層

TRADE CENTER P.O. BOX 23,24.

수 신 : 외무부 중동 2 과장

제 목 : 걸프만 사태 관련 선적 물품대금 송금 신청

　　폐사는 귀부와의 계약에 의거하여 아래와 같이 걸프만 사태 관련 지원물품을 기 선적하였
아오니 송금조치 하여 주시기 바랍니다.

- 아　　　　　　　　　　　　래 -

1. 선적물품 내역

품　목	수　량	금　액	선적일	도 착 예정일	선　명	선적항	도 착 항
WATER PURI- FICATION UNIT & ACCE- SSORIES	2 UNITS 2W/BOXES	U$235,794.-	OCT.31 1991	DEC.10 1991	PRIMORJE V-5/91	PUSAN KOREA	ISTANBUL TURKEY

2. 비 고

　　걸프만 사태관련 TURKEY 지원 계약분 ('91. 1. 21.) 중의 최종 선적분임.

3.　송 금 처 : 재주은행 서울지점

　　구좌번호 : 963-THR 109-01-0

　　예 금 주 : (주)고려무역.

1 9 9 1 年　11 月　1 日

鍾 路 貿 易 本 部　海 外 事 業 팀　

0195

KOREA TRADING INTERNATIONAL INC.

PHONE : (02) 551-3114
FAX : (02) 551-3100
TELEX : KOTII K27434
CABLE : KOTII SEOUL

11TH FLOOR, TRADE TOWER,
159, SAMSUNG-DONG, KANGNAM-KU,
SEOUL, KOREA
C. P. O. BOX 3667, 4020

DATE: NOV.1,1991

YOUR REF:

OUR REF: D2-91-20004/5

Messrs. KOREAN EMBASSY IN TURKEY

Gentlemen,

Shipping Notice of WATER PURIFICATION UNIT

we are pleased to inform you that the captioned goods have been shipped per PRIMORJE V-5/91

on OCT. 31, 1991 (E.T.A DEC. 19, 1991)

and we have negotiated our draft(s) amounting U$235,794.-

of the Invoice value through

in accordance with the Letter of Credit No. KOOBS-20003/E

For your information, we are enclosing the copies of shipping documents as follows.

(X) Bill of Lading   : 2 ORIGINAL & 1 COPY
(X) Invoice   : 1 ORIGINAL & 1 COPY
(X) Packing List   : 1 ORIGINAL & 1 COPY
(   ) Certificate of Origin   :
(X) Marine Insurance policy   : 1 ORIGINAL & 1 COPY
(   )   :
(   )   :

We trust that the goods will arrive at destination in good and sound condition.

Very truly yours,

KOREA TRADING INTERNATIONAL INC.

K. J. PARK/MANAGER.

0196

정 리 보 존 문 서 목 록					
기록물종류	일반공문서철	등록번호	2020110083	등록일자	2020-11-18
분류번호	721.1	국가코드	XF	보존기간	영구
명 칭	걸프사태: 주변국 지원, 1990-92. 전12권				
생 산 과	중동2과/북미1과	생산년도	1990~1992	담당그룹	
권 차 명	V.10 모로코, 1990-91				
내용목차					

0001

분류번호	보존기간

발 신 전 보

번 호 : WMO-0241   901027 1222 FA   종별 : 기급

수 신 : 주   모로코   대사. 총영사
발 신 : 장 관   (마그)
제 목 : 페만 관련국 지원

　1. 정부는 페만 관련 피해국 지원 방침에 따라 귀주재국에 200만불 상당의
군수물자 지원을 결정하였는바 귀주재국측에 공식 통보바람.

　2. 동 관련 품목협의시 차능한, 방독면, 침투보호의, 해독제, 모포 및 배낭을
. 주대상으로 제시바라며 아국 지원 가능한 품목 리스트 별첨 타전함.(단, 품명,
규격 또는 재원 순서임) 끝.

　　　　　　　　　　　　　　　(중동아국장 이 두 복)

예고 : 90.12.31. 일반

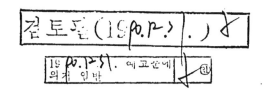
검토필(1990.12.) 8
19 90.12.31. 예고안내
의거 일반

앙고재	90년10월24일과	기안자성명		과 장		국 장		차 관	장 관		보안통제	
											외신과통제	

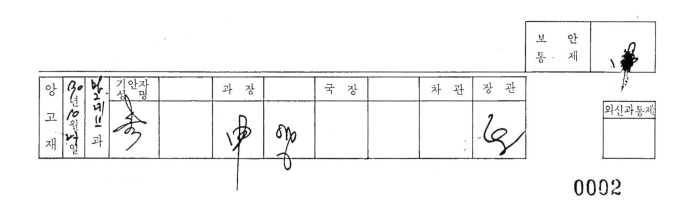

0002

SERIAL NO.	H. S. NO.	ITEM	SPECIFICATION (MATERIAL)
60	9018.90	ECG MONITOR	CS 502 H
61	9019.20	OPERATION EQUIPMENT	-
62	9018.39	1. GENERAL MEDICAL EQUIPMENT	50 SICK BED
63	6203.12	2. CAMOUFLAGE UNIFORM FATIGUE UNIFORM	T/C 65/35
64	6204.33	3. FIELD JACKETS	T/C 65/35
65	6201.11 6201.13	4. MILITARY OUTER GARMENTS	-
66	6403.91	5. COMBAT BOOTS	-
67	6506.10	6. NRP BALUSTIC HELMET	NYLON REINFORCED PLASTIC
68	6306.21 6306.22	7. TENT	NYLON OR COTTON
69	4202.12	8. FIELD PACK (MEDIUM)	NYLON
70	4202.12	9. DUFFLE BAG	NYLON & OTHERS
71	6301.20 6301.40	10. MILITARY BLANKET	WOOL & OTHERS

0003

SERIAL NO.	H. S. NO.	I T E M	SPECIFICATION (MATERIAL)
72	9402.90	11. LITTER	ALUMINIUM
73	6207.92	12. MILITARY ARMOR BODY	
74	6201.11	13. PONCHO	NYLON TAFFETA
75	8201.10	14. SHOVEL, MATTOK	STEEL
76	3923.29	15. WATER CANTEEN	PLASTIC
77	4202.92	16. SHOVEL COVER, CANTEEN COVER	NYLON
78	4202.12	17. AMMUNITION POUCH	NYLON OR COTTON
79	6209.30	18. PISTOL BELT	NYLON
80	6302.60	19. MILITARY TOWEL	COTTON
81	6115.91	20. MILITARY SOCKS	WOOL & OTHERS
82	6305.31	21. SAND BAG	P.P.
83	6211.33	22. NBC SUIT	

<REF> 1. ABOVE QUANTITY IS BASED ON ORDER CONFIRMATION UNTIL OCT. 31
2. IN CASE OF LATE ORDER CONFIRMATION AROUND NOV. 15, QUANTITY WILL BE REDUCED ABOUT 50%.

0004

관리 번호	90- 711

외 무 부

종 별 :

번 호 : MOW-0418
　　　　　　　　　　　　　　　　일 시 : 90 1102 1230

수 신 : 장관(마그)

발 신 : 주 모로코 대사

제 목 : 페만관련국 지원

대:WMO-0241

　　본직은 11.1 주재국 외무성 CHERKAOUI 외무차관을 방문, 대호 봉보하였음.

　　동 차관은 이사실을 주재국 국왕에게 직접 보고한후 국방부등 관련부처와 협의 그 결과를 회답하여 주겠다고하고, 한국정부의 이러한 지원은 주재국에대한각별한 우의 표시이며 동시에 국제사회 책임있는 일원으로서걸프만 사태로 피해를보는 국가들에 대한 한국정부의 유대표시로서 모로코 정부는 한국정부에 진심으로 감사한다고 하였음. 끝.

　　(대사이종업-국장)

　　예고:91.6.30 일반

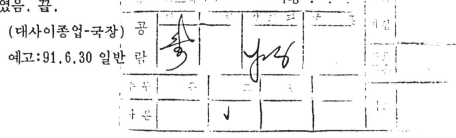

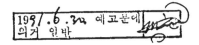

검 토 필 (1990. 0.31.)

중아국

외 무 부

종   별 :

번   호 : MOW-0465   일   시 : 90 1212 1700

수   신 : 장관(마그,국방부)

발   신 : 주 모로코 대사

제   목 : 걸프만 지원

대:WMO-0283

대호 아래와같이 보고함.

1. 요청 품목및 수량(괄호안은 수량)

방독면(150),   방독면정화봉(150),   침부성보호의(150),   참대(10 조),
전부화(2,000), 대형텐트(100), 개인텐트(72,200)

2. 상기 품목의 CIF 총가격은 200 만불보다 약 300 불 가량 초과하고 있는바,
필요시 주재국 정부가 부담할수 있다하며, 만약의 경우 상기 품목중 약간의 수량을
감하되 큰 차이가 나지않도록 조정가함.

3. 동 지원품의 카사블랑카 도착 예정일을 봉보바람. 끝.

(대사이종업-국장)

예고:90.12.31 일반

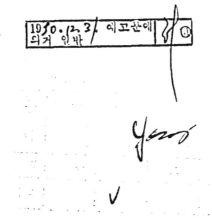

중아국   2차보   국방부

PAGE 1   90.12.13   02:45
                                                외신 2과 통제관 CA

                                                0006

모 로 코

1. 방독면

    $61.5 X 150개 = $9,225

2. 방독면 정화통

    $15.1 X 150개 = $2,265

3. 침투성 보호의

    $108.85 X 150개 = $16,327.5

4. 전투화

    $19.83 X 2천족 = $39,660

5. 대형텐트

    $2,116.2X 100개 = $211,620

6. 개인텐트

    $16.1 X 72,200 = $1,162,420

7. 일반수술기구세트

    $55,878 X 10조 = $558,780

합 계 : $2,000,297.5

0007

발 신 전 보

	분류번호	보존기간

번 호 : WMO-0286   901214 1758 DN   종별 : _____

수 신 : 주   모로코   대사.총영사

발 신 : 장 관   (마그)

제 목 : 걸프만 지원

대 : MOW-0465

대호 요청품목중 침대는 General Surgery Instrument 의 착오로 사료되는바
확인보고바람.   끝.

(중동아프리카국장 이 해 순)

예고 : 90.12.31.일반.

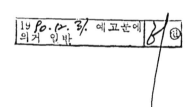

19 90.12.31. 예고문에
의거 일반

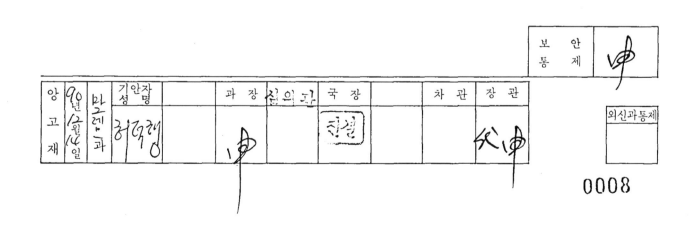

		보 안 통 제	

앙 고 재	90년 4월 4일	마렌과	기안자 성명 허덕행		과 장	심의관	국 장		차 관	장 관	

외신과통제

0008

외 무 부

종   별 :

번   호 : MOW-0469   일   시 : 90 1214 1700

수   신 : 장관(마그,국방부)

발   신 : 주 모로코 대사

제   목 : 걸프만 지원

대:WMO-0286, 마그 1667

1. 대호 침대는 GENERAL SURGERY INSTRUMENT 로 정정함.

2. 수령기관:모로코 국방성(MINISTERE DE LA DEFENSE NATIONAL)

3. 주재국측 역시 동 원조품을 긴급히 수령하기를 원하고있음.

예2 : 91. 12. 31 이반.

검토필(1981. 6. 30.)

분류기호 문서번호	마그20005 3024	# 기 안 용 지 (전화 :)	시 행 상 특별취급	
보존기간	영구·준영구. 10. 5. 3. 1.	장 관		
수 신 처 보존기간		예		
시행일자	1990.12.19.			

보조 기관	국 장	전결	협조 기관		문 서 통 제	
	심의관				1990.12.19	
	과 장					
기안책임자		허 넉 행			발 송 인	

경 유 수 신 참 조	국방부장관 군수국장	발신명의	반송중 1990 12 19 의무국

제 목	걸프만 사태 주변피해국 지원

1. 모로코 정부는 표제관련 하기품목의 지원을 요청하여

왔읍니다.

    ㅇ 방독면

       $61.5 X 150개 = $9,225

    ㅇ 방독면 정화통

       $15.1 X 150개 = $2,265

    ㅇ 침투성 보호의

       $108.85 X 150개 = $16,327.5   /계속.../

o 전투화

    $19.83 X 2,000족 = $39,660

o 대형텐트

    $2,116.2 X 100개 = $211,620

o 개인텐트

    $16.1 X 72,200개 = $1,162,420

o 일반수술기구

    $55,878 X 10조 = $558,780   합계 : $2,000,297.5

* 단가는 CIF 가격 기준임.

2. 상기 지원요청과 관련, 귀부 비축물자중 품목별 순환기간

등을 고려 우선 공급이 가능한 품목 및 수량을 확인, 당부에 지급

회신하여 주시기 바라며, 공급예정분은 가능한 신속히 지원될수

있도록 적극 협조하여 주시기 바랍니다.

3. 동 구입대금은 당부에서 예비비로 확보한 걸프만사태 관련

지원금에서 지출될 예정이니 참고하시기 바랍니다. 끝.   0011

1505-25(2-2) 일(1)을
85. 9. 9. 승인   "내가아낀 종이 한장 늘어나는 나라살림"   190mm×268mm 인쇄용지 2급 60g/㎡
가 40-41 1989. 12. 7.

걸프사태 : 주변국 지원, 1990-92. 전12권 (V.10 모로코, 1990-91) 213

CHO KWANG LEATHER CO., LTD.
Leather . Manufacturers Exporters & Importers

447-1, SANGDAIWON-DONG
SUNGNAM-CITY, KYONGGI
-PROVINCE, KOREA.
TEL: (02)233-6345
      (0342) 2-5591
FAX: (0342) 45-8652
C. P. O. BOX: 137 SEOUL, KOREA

ATTN : 서 상무요

DATE: 1990. 12/19

Subject : Your Inquiry

아래와 같이 가격및 delivery를 통보하오니
참조하시기 바랍니다.

1. spec : Same as yours

2. price : US$ 1950 / PR FOB Busan

3. Packing : / PR in a polybag, 12prs per a C/T

4. Delivery : 20000prs within 3months after
   receipt of your L/c

0012

분류번호	보존기간

발 신 전 보

번 호 : WUS-4215   901221 1735 CG   종별 : _____

수 신 : 주 미 대사 ~~총영사~~ (사본 주모로코대사) ^{WMO -0291}

발 신 : 장 관 (마그)

제 목 : 걸프사태 관련 지원

1. Carl Ford 미국방성 제1차관보는 권용해 국방부 차관보앞 서한에서 다국적군 지원의 일환으로 모로코군에 대해 chemical protective gear를 300만불상당 지원해 줄것을 요청하였음.

2. 아측은 이미 모로코에 대해 200만불상당 군용물자 지원을 표명했고 이에따라 모로코측은 총계 200만불 상당의 gas mask 150개, canister 150개, NBC suit 150개, combat boots 2,000벌, general medical equipment 10조, tent (개인용 72,200개, 대형 100개)를 지원희망 품목으로 제시하여 현재 동 물품송부를 준비하고 있음.

3. 상기 Ford 차관보의 요청이 아국의 대모로코 지원약속액 200만불에 대한 100만불 추가요청인지, 별도의 ~~요청~~요청인지 또는 모로코측이 요청한 희망품목의 가격계산상 나온 수치인지 여부를 확인하여 보고바람.   끝.

(중동아프리카국장 이 해 순)

예고 : 91.6.30. 까지

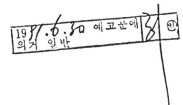

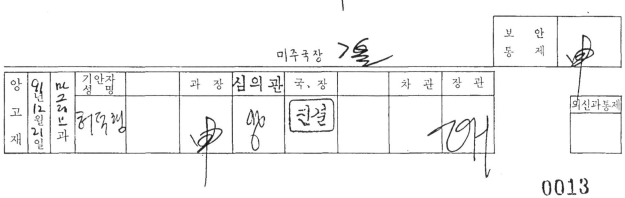

미주국장

보 안 통 제	

앙 고 재	91년 12월 21일	기안자 성명	과 장	십의관	국, 장	차 관	장 관	외신과통제

0013

국 방 부

군계24403-*1376*　　　　　　　(5722)　　　　　　　　　　90. 12. 28
수신 외무부장관　　　　　　　　　　32　　　　　　　　　　(1년)
참조 중동아프리카국장
제목 걸프만사태 군수물자 지원 검토 결과(통보)

　　　1. 관련근거: 마그20005-3024(90.12.21) 걸프만 사태 주변피해국지원
　　　2. 위 관련근거에 의거 걸프만 사태와 관련 주변 피해국에 지원되는 군수
물자 지원에 관한 건을 당부에서 검토한 결과 아래와 같이 통보합니다.
　　　　가. 귀부에서 요청한 7개 품목중 일반 수술기구를 제외한 6개품목
(방독면, 방독면정화통, 침투성보호의, 전투화, 대형텐트, 개인텐트)은 당부에서
즉각 지원이 가능하며
　　　　나. 본 건을 효과적으로 추진하기 위해 귀부에서 대행업체로 지정한
고려 무역상사는 당부 방산 특별조치법 시행규칙 제 62조(주요 방산물자 수출허가)
에 의거 지원 업무를 대행할 수 없습니다.
　　　　다. 당부에서 방산물자 수출업체로 지정되어 있는 대우종합상사(주)로
하여금 본 건을 대행할 수 있도록 결정 하였음을 통보드립니다.
　　　　라. 차후 추가 계획도 동일 절차에 의해서 추진되기를 첨언합니다.
　　　　　　　　　　　　　　　　　　　　　　　　　　　　　　　　　　끝.

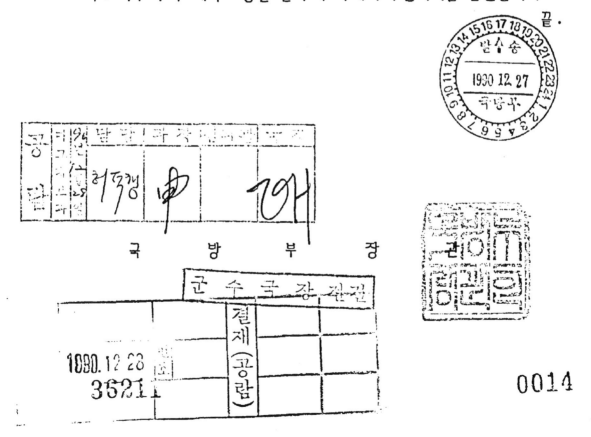

국　　　방　　　부　　　장

0014

관리
번호 90-858

외 무 부

종 별 :

번 호 : USW-5720

일 시 : 90 1228 1735

수 신 : 장관(마그,미북)

발 신 : 주 미 대사

제 목 : 대 모로코 군수지원

대:WUS-4215

연:USW-5606

1. 대호건, 당관 무관부를 통해 국방부측에 문의중인바, 국방부 담당 실무자의 부재로 인해 상금 미확인 상태인바, 동건 접촉시 참고코저 하니 대호 1 항 서한 전문(발송일자 포함) 을 당관에 알려주기 바람.

2. 한편, 연호 2 항으로 기보고한바 와 같이 12.18. 반기문 미주국장과 국방부 FORD 부차관보간의 면담시도 표제 문제를 협의한바 있음을 첨언함.

(대사 박동진- 국장)

91.6.30. 일반

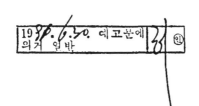

중아국   미주국

PAGE 1

90.12.29   08:33
외신 2과 통제관 BT

0015

발 신 전 보

번 호 : WUS-4292   901229 1242 FC   종별 :

수 신 : 주 미   대사.~~총영사~~

발 신 : 장 관   (마그)

제 목 : 대 모로코 군수지원

대 : USW-5720

1. 대호 Corl Ford 미국방성 제1차관보의 권녕해 차관보(현 국방차관) 앞 서한내용을 별첨 타전함.

2. 날자는 현재 확인이 않된 상태인바 국방부에 문의, 확인되는대로 추보 위계임.

첨 부 : 서한내용 1부.

(중동아국장대리 양 태 규)

예고 : 91.6.30.까지

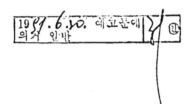

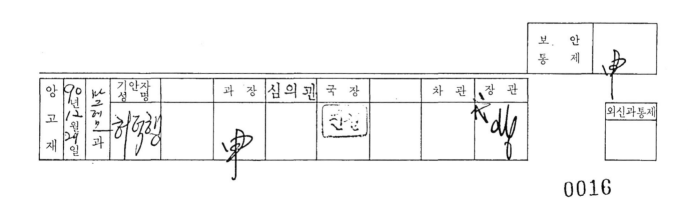

0016

The Honorable Kwon Yong Hae
Assistant Minister of National Defense
Ministry of National Defense
Seoul, Korea

Dear Mr. Minister,

I want to express my personal appreciation as well as Secretary Cheney's for the Ministry's superb cooperation in coming to Washington for the 22nd SCM earlier this month.

Mr. Cheney was pleased with the results and delighted to meet Minister Lee Jong Koo; I know he is looking forward to a lasting association with the Minister that will further the mutual security relationship on the Korean peninsula.

I want to assure you that the U.S. Government and the Multi-National Force under the auspices of the Government of Saudi Arabia deeply appreciate your contributions to the efforts in the Persian Gulf. I feel this latter assistance in particular will increase the importance of the Republic of Korea as a respected member of the international community.

Accordingly, I want to reiterate the importance of the Korean medical unit to our--and your--allies in the efforts to restore the legal government of Kuwait. This vital non-lethal medical assistance rendered to allied forces will be remembered and appreciated long after the crisis is resolved.

Similarly, another valued ally, the Government of Morocco, has deployed a contingent of ground forces into the region. This force currently is deployed with significant shortfalls of chemical protective gear and would appreciate assistance in this area. I feel that your assistance in helping Moroccan forces would be one highly effective use of a portion of the monetary assistance you have pledged to the Multi-National effort. It would also significantly demonstrate the Republic of Korea's resolve in this most important matter. The initial estimate of the shortfall is approximately $3.0 million U.S. Dollars.

Again, the U.S. Government stands ready to assist you in coordination with the Saudi Government, if it is required.

Sincerely,

CARL W. FORD, JR.
Principal Deputy Assistant Secretary
International Security Affiars

0017

발 신 전 보

번 호 : WMO-0001   910103 1707 FK   종별 : _____

수 신 : 주   모로코   대사 <s>총영사</s>

발 신 : 장 관   (마그)

제 목 : 걸프만 지원

대 : MOW-0465

대호관련 국방부 비축분 또는 방산업체 수출품의 공급을 검토하고있는바,

각 품목별 공급사정을 아래 롱보하니 주재국측과 협의, 희망사항 파악 보고바람.

1. 방독면

	가 격	선 적	도 착
비축분	$72.5	91.1.말	91.3.중순
수출품	$63.29	91.3.중순	91.4.말

2. 방독면 정화롱

	가 격	선적 및 도착
비축분	$17.8	방독면과 동일
수출품	$15.48	

3. NBC SUIT

	색 상	가 격	선 적	도 착	기 타
비축분	Wood land pattern	$98	91.1.말	91.3.중순	12.21.견본 DHL 발송
수출품	Sand pattern	$115	91.5.중순	91.6.말	

			보 안	
			/계속롱../ 제	

앙고재	91년1월3일	마그과	기안자 성명 허덕행	과 장	의관 국 장	차 관	장 관	외신과통제

0018

4. 전투화

	가 격	형 태	색 상	접 착	Tonque	선 적	도 착
비축분	$32	Short and Wide	Black	Weak	Short	91.1.말	91.2.말
수출품	$20.02	Long and Narrow	Sand color	Strong	Long	91.3.중순	91.4.중순

ㅁ 12.31. 견본 DHL 발송

ㅁ 사막전용으론 수출품이 적당

5. 대형텐트

	규 격	가 격	선 적	도 착	기 타
비축분	24인(중형)	$2.320	91.1.말	91.3.중순	48인(대형)은 비축분없음.
수출품	48인(대형)	$1.796.85	91.2.중순	91.3.말	

6. 개인텐트

	가 격	재 질	선 적	도 착	기 타
비축분	61.5	Cotton + Rayon	91.1.말	91.3.중순	비축분 선정시 공급수량 축소조점필요(18,000-19,000개)
수출품	16.07	Cotton	91.3.말	91.5.중순	끝.

(중동아프리카국장 대리 양태규)

예고 : 91.6.30. 일반.

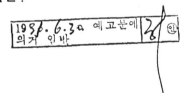

0019

기 안 용 지

분류기호 문서번호	607	(전화 :)	시 행 상 특별취급	

보존기간	영구·준영구. 10. 5. 3. 1.	장 관

수 신 처 보존기간	

시행일자	1991. 1. 8.

보 조 기 관	국 장	전결	협 조 기 관		문 서 통 제
	심의관				접수 1991. 1. 10
	과 장				
기안책임자		허덕행			발 송 인

경 유 수 신 참 조	(주) 고려무역 대표이사 고일남 발 주소 : 서울 강남구 삼성동 159 의

제 목	걸프만 사태 주변피해국 지원사업

1. 군수물자 지원업무는 국방부 방산특별조치법 시행규칙

제62조에 의거 귀사에서 대행할수 없으므로 모로코에 대한 지원

사업은 국방부 추천업체인 (주) 대우를 통하여 추진할 예정이니

양지하시기 바랍니다.

2. 상기 대행업무 지정변경에 따라 그간 귀사에서 추진해온

제반사항은 (주) 대우가 인계받아 동 업무를 신속히 실시할수 있도록

협조하여 주시기 바랍니다.   끝.

0020

주식회사 대우

서울·중구 남대문로 5가 541 (대우센터) 우편번호 100 - 714 (텔렉스 : DAEWOO K23341, K24295, K24444)
• 무역부문 : 중앙사서함2810/전화 : 759 - 2114 • 건설부문 : 중앙사서함 8269/전화 : 759 - 2114 • FACSIMILE : 753 - 9489

대우특자 제 91-008호   1991. 1. 9.

수 신 : 외무부 장관

참 조 : 중동 아프리카 국장

제 목 : MOROCCO향 현물 지원건

　　　　1. 평소 귀부의 후의에 감사드립니다.

　　　　2. 금번 귀부서의 MOROCCO향 현물 지원건과 관련 지원품목 및 선적 SCHEDULE에
대한 폐사의 검토의견서를 유첨하오니 업무에 참조하시기 바랍니다.

유 첨 : 검토의견서. 끝.

　　　　대 표 이 사　　　윤　　　영　　　정

0021

검 토 의 견 서

가. 지원품목

1. 품목 및 공급가용품

품 목	공급 가용품
- 방독면 (K1 GAS MASK)	조달비축분
- 정화봉 (CANISTER)	〃
- 보호의 (PERMEABLE PROTECTIVE SUITS)	〃
- 개인용 텐트 (INDIVIDUAL TENT)	〃
- 24인용 텐트 (TENT FOR 24 PERSONS)	
- 군화 (COMBAT BOOTS)	일반수출품
- 일반수술용 기자재	

의 견 : · 일반수출품 사용의 경우 봉상 2-3개월간의 생산기간이 소요되는바 긴급지원을 위해서는 조달비축분을 사용함이 타당합니다.
· 군화의 경우 조달비축분이 사용상 문제가 있으므로 동 지역 일반 수출품으로 공급코자 합니다.

2. 수량 및 가격

품 목	수 량	단가(CIF CASABLANCA BY SEA)	금 액
- 방독면	150PCS	U$61.50	U$9,225.-
- 정화봉	150PCS	U$15.10	U$2,265.-
- 보호의	150SETS	U$108.85	U$16,327.50
- 개인용 텐트	25,877PCS	U$44.63	U$1,154,890.51
- 24인용 텐트	100SETS	U$2,163.00	U$216,300.-
- 군화	2,000PRS	U$21.10	U$42,200.-
- 일반수술용 기자재	10 SETS	U$55,878.00	U$558,780.-
TOTAL		:	U$1,999,988.01

나. 선적 SCHEDULE

1. 예상 선적일 : 1991. 2. 5.

2. 예상 도착일 : 1991. 3. 10.

0022

발 신 전 보

번 호 : WMO-0010   910109 1826   CG   종별 :

수 신 : 주 모로코 대사. 총영사

발 신 : 장 관   (마그)

제 목 : 걸프만 지원

    연 : WMO-0001

    귀주재국에 대한 지원사업은 대부분의 품목이 방산품에 속해있어 그간
국방부 비축품과 수출품 발주중 선택문제, 대행업체인 고려무역(주)과 방산품
수출업체인 대우(주)중 선정문제 및 미측의 추가지원요청 여부확인문제등으로
조속한 조치가 어려웠으나 제반사항 검토결과 조기시행을 위해 아래와 같이
조치코자하니 주재국측에 통보하고 가급적 이에 동의해주도록 요망바람.
(대우로 지정함에 따라 가격은 약간 차이가 있음)

    가) 당초 주재국측 요청과 같은 것으로 변동사항이 없는 품목

        (1) 방독면 : $61.50 X 150 개 = $9,225

        (2) 정화통 : $15.10 X 150 개 = $2,265

        (3) 보호의 : $108.85 X 150 개 = $16,327.50

        (4) 군 화 : $21.10 X 2,000착 = $44,200

        (5) 수술기구셋트 : $55,878 X 10조 = $558,780

    ※ (1),(2),(3)은 국방부 비축분, (4),(5)는 수출품임.

                                        /계속.../

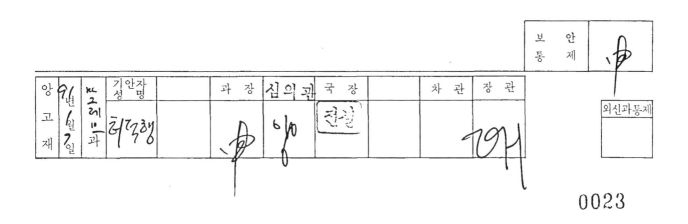

나) 당초 수출품을 요청했으나 국방부 비축품으로 대체함으로써 가격과

　　수량이 변경된 품목

　　(1)　24인용 텐트 : $2,163 X 100 = $216,300

　　(2)　개인용 텐트 : $44.63 X 25,877 = $1,154,890.51

다) 총액 : $1,999,988.01

라) 선적일정

　　(1)　91. 2. 5. 선적

　　(2)　91. 3.10. 도착 (카사블랑카)

~~2.　상기 일정대로 지원하려면 조속한 물자발주가 필요하며, 주재국측 동의가~~
~~지연되면 동 선적이 지연될 우려가 있으니 참고바람.~~ 끝.

(중동아국장 이 해 순)

예고 : 91.6.30.까지

19○1 . 6 . 2. 예고단에
의거 일반

0024

관리번호 91/1083

외 무 부

종 별 : 지급
번 호 : USW-0110
수 신 : 장관(마그,미북)
발 신 : 주 미 대사
제 목 : 대 모로코 군수 지원

일 시 : 91 0110 1711

대 WUS-4292

대호 관련 금 1.10 당관 임성남 서기관이 국방부 국제 안보국의 한국 담당 JORDAN 대령으로부터 확인한바에 의하면, 대호 300 만불은 추가 지원 요청이 아니며, 미측이 모로코측 희망 품목의 가격을 OVERESTIMATE 한것으로 본다고 설명함. 특히, 동 대령은 한-모로코간에 구체적인 지원 품목과 수량에 관한 합의를 보았다면 미측으로서는 이견이 없다고 하면서, 다만 가능한 조속히 여사한 지원이 실현된다면 더욱 바람직할것이라는 견해를 표명함.

(대사 박동진-국장)

91.6.30 일반

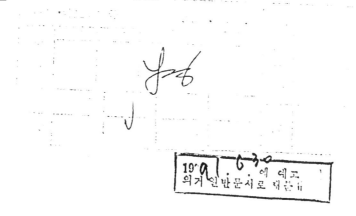

19'91 6 30 에 대고
의거 일반문서로 대분비

중아국   미주국

PAGE 1

一般豫算檢討意見書

199*1* . *1* . *11* .　　　마그레브　課

事業名	걸프만 사태관련　주변피해국 지원(모로코)		
支辦科目	細項	目	金額
	1211	341	$1,990,853.81 ~~$1,990,000~~

檢	討	意	見

主務者	정무활동, 해외경상이전에서 집행
擔當官	＂
調整官	＂

0026

기 안 용 지

<table>
<tr><td>분류번호
문서번호</td><td colspan="2">마그20005-</td><td colspan="2">(전화 :   )</td><td>시 행 상
특별취급</td><td></td></tr>
<tr><td>보존기간</td><td colspan="2">영구·준영구
10. 5. 3. 1.</td><td colspan="2" style="text-align:center">차   관</td><td colspan="2" style="text-align:center">장   관</td></tr>
<tr><td>수 신 처
보존기간</td><td colspan="2"></td><td colspan="4"></td></tr>
<tr><td>시행일자</td><td colspan="2">1990. 1. 10.</td><td colspan="4"></td></tr>
<tr><td rowspan="3">보조
기관</td><td>국 장</td><td></td><td rowspan="3">협조
기관</td><td>기획관리실장</td><td colspan="2">문 서 통 제</td></tr>
<tr><td>심의관</td><td></td><td>감 사 관</td><td colspan="2"></td></tr>
<tr><td>과 장</td><td></td><td>총 무 과 장</td><td colspan="2"></td></tr>
<tr><td>기안책임자</td><td colspan="2">허 덕 행</td><td>기획운영담당관</td><td colspan="2">발 송 인</td></tr>
<tr><td>경 유
수 신
참 조</td><td colspan="3">건   의</td><td>발
신
명
의</td><td colspan="2"></td></tr>
<tr><td>제 목</td><td colspan="6">걸프만 사태 관련 주변피해국 지원(모로코)</td></tr>
</table>

1.   당부는 걸프사태 관련국에 대한 물자무상원조 추진을

위하여 고려무역(주)과 수출대행계약을 체결한바 있읍니다.

2.   연이나 모로코에 대한 군수물자 지원은 국방부 방산특별

조치법 시행규칙 제62조에 의거 고려무역에 지원업무를 대행케할수

없으므로 별첨 국방부 추천업체인 대우(주)를 통하여 아래 지원품의

수출업무를 대행코자하며, 이에따라 별첨(3) 및(4)와 같이 수출업무

대행 및 물품공급 계약을 체결코자 하오니 재가하여 주시기 바랍니다.

/계속.../

0027

- 아   래 -

(단위 : 미불)

품목명	수 량	단가(CIF by Sea)	금 액	비 고
ㅇ 방독면	150	61.5	9,225	(국방부비축분)
ㅇ 정화통	150	15.1	2,265	(")
ㅇ 보호의	150	108.85	16,327.5	(")
ㅇ 24인용텐트	100	2,163	216,300	(")
ㅇ 개인텐트	25,877	44.63	1,154,890.51	"
ㅇ 군 화	2,000	21.1	42,200	수출품
ㅇ 수술기구세트	10	54,964.58	549,645.8	"

총   계 : 1,990,853.81

　　　3. 따라서 상기품목중 수술기구세트 $549,645.8 은 (주)고려무역과

기타 방산품 $1,441,208.01은 (주)대우와 각기 공급계약을 체결코자 합니다.

　　첨부 : 1. 국방부의 군수물자 지원검토 결과서 사본 1부.

　　　　　2. 대우와 체결예정인 수출대행 계약서 2부.

　　　　　3. 동 수출계약서 및 서약서 각 2부씩 (대우 및 고려무역)

　　　　　4. 관련 전문 및 공문사본 각 1부씩.　　　　　　끝.

0028

ECONOMIC COOPERATION FOR MOROCCO

1 9 9 0 .   1 2 .   2 0 .

KOREA TRADING INTERNATIONAL INC.

0020

A. 품목별 추진 경위

1. K-1 GAS MASK COMPLETE SET & CANISTER

   삼공물산(주)의 독점 품목으로 동사의 견적서 접수

2. NBC SUIT

   가. 군납업체인 삼공물산(주) 및 삼양화학은 주문수량이 소량인 이유로
   견적이 불가.

   나. 상기 사유로 코오롱 상사에서만 견적서 접수 하였으나

   첫째, 기존 국내 MAKER 제품의 CAMOUFLAGE PATTERN 이 KOREAN
   STYLE (사진 및 견본유첩)로서 중동지역의 PATTERN 과는
   상이하며,

   둘째, 납기가 기존 PATTERN 은 4개월, 중동 PATTERN 은 6개월로서
   (가격도 10% 정도 상승) 지체될 가능성 예상

   세째, 따라서 CAMOUFLAGE PATTERN 의 KOREAN STYLE 공급 가능성 및
   국방부 비축품에서의 대여 수출 가능여부 타진 요망.

   네째, 또한 당사 제시 CATALOGUE 상의 SIZE ASSORTMENT 결정 요망.

3. GENERAL SURGERY INSTRUMENT

   솔고산업사, 동륭의료기 및 신안의료기상사 등 3개 업체의 견적서 접수

4. COMBAT BOOT

   가. 국내 MAKER 는 모두 4개 업체로서 이중 2개 업체는 군납만 취급하므로
   대동화학과 조광피혁에서만 견적서 접수함.

   나. 다만, 하청생산으로 수출 진행중인 (주)써니상사의 견적서도 참고로
   접수 하였음.

   다. 전체 수량에 관한 SIZE ASSORTMENT 결정 요망.

5-1. TENT, GENERAL PURPOSE, LARGE

   우신산자, 풍국기업 및 청마기업등 3개업체의 견적서 접수

- 1 -

0030

5-2. TENT, SHELTER HALVES

　　가. 상기 품목에 대해 기존 당사제시 MATERIAL 인 NYLON 과 현재까지
　　　　MOROCCO 로 수출해 왔던 COTTON 에 대해서 각각 견적서 접수함.
　　　　(NYLON 4개업체, COTTON 3개 업체)

　　나. 당사 검토 의견으로는 기존 MOROCCO 수출 경험으로 소재는 COTTON
　　　　20'S/2 X 20'S/2 로 결정함이 바람직함.

B. 품목별 견적 내역

　1-1. K-1 GAS MASK COMPLETE SET (납기 : 1991년 3월)

업 체 명	단 가(FOB)	수 량	합 계	비 고
삼공물산	U$ 60.-	150 SETS	U$ 9,000.-	독 점

　1-2. CANISTER (FILTER) FOR K-1 GAS MASK (납기: 1991년 3월)

업 체 명	단 가(FOB)	수 량	합 계	비 고
삼공물산	U$ 15.-	150 PCS	U$ 2,250.-	독 점

　2. NBC SUIT (납기 : 발주후 4-6 개월)

업 체 명	단 가(FOB)	수 량	합 계	비 고
코오롱상사	U$ 102.-	150 SETS	U$ 15,300.-	타업체 견적 불가

　3. GENERAL SURGERY INSTRUMENT (납기 : 1991년 3월)

업 체 명	단 가(FOB)	수 량	합 계	비 고
솔고산업사	U$ 34,055.33	10 SETS	U$ 340,553.30	일부 품목만 견적 (90 ITEMS)
✓ 동륭의료기	U$ 52,790.87	10 SETS	U$ 527,908.70	전체 품목 견적 (99 ITEMS)
신안의료기	U$ 18,374.20	10 SETS	U$ 183,742.-	일부 품목만 견적 (9 ITEMS)

　* 가격 비교상 솔고산업사의 90 ITEMS 및 동륭의료기의 9 ITEMS 가 저가임.

- 2 -

0031

4. COMBAT BOOT (납기 : 1991년 3월)

업 체 명	단 가(FOB)	수 량	합 계	비 고
대동화학	U$ 18.20	2,000PRS	U$ 36,400.-	제조업체
조광피혁	U$ 19.50	2,000PRS	U$ 39,000.-	제조업체 FAX OFFER
써니상사	U$ 18.40	2,000PRS	U$ 36,800.-	하 청 생 산 수 출 업 체

5-1. TENT, GENERAL PURPOSE, LARGE (납기 : 1991년 3월)

업 체 명	단 가(FOB)	수 량	합 계	비 고
우신산자	U$ 1,620.-	100 SETS	U$ 162,000.-	제조업체, 최저가
청마기업	U$ 1,780.-	100 SETS	U$ 178,000.-	제 조 업 체
풍국기업	U$ 1,875.-	100 SETS	U$ 187,500.-	제 조 업 체

5-2. TENT, SHELTER HALVES (납기 : 1991년 3월)

가. MATERIAL : NYLON 210D X 210D

업 체 명	단 가(FOB)	수 량	합 계	비 고
청마기업	U$ 13.90	72,200PCS	U$ 1,003,580.-	제조업체, 최저가
우신산자	U$ 14.21	72,200PCS	U$ 1,025,962.-	제 조 업 체
풍국기업	U$ 14.50	72,200PCS	U$ 1,046,900.-	제 조 업 체
대정산업	U$ 14.20	72,200PCS	U$ 1,025,240.-	제 조 업 체

0032

- 3 -

나. MATERIAL : COTTON 20'S/2 X 20'S/2

업 체 명	단 가(FOB)	수 량	합 계	비 고
청마기업	U$ 13.90	72,200PCS	U$ 1,003,580.-	제조업체, 최저가
우신산자	U$ 17.70	72,200PCS	U$ 1,277.940.-	제 조 업 체
대정산업	U$ 17.20	72,200PCS	U$ 1,241,840.-	제 조 업 체

C. 품목별 업체 견적서 및 원가 계산서

　　　별　　　첨　　　참　　　조

D. 당사 검토의견 및 요망사항

1. 검토의견

　　가. 납기 문제에 따른 국방부 비축 품목 공급타진에 있어서는 첫째, 제품
　　　　사양의 일치여부 (예 : NBC SUIT 의 CAMOUFLAGE PATTERN) 둘째, 비축
　　　　제품상 아국의 표식이 MOROCCO 에서 접수 가능한지의 여부 및 세째로
　　　　비축 제품의 품질 보증 문제가 검토되어야 할 것으로 판단함.

　　나. 예산 대비 U$ 114,331.70 에 대해서는 비교적 단가가 저렴한 소모성 제품
　　　　인 SERIAL NO. 5-2 TENT, SHELTER HALVES 로 7,586 PCS (U$ 114,321.02)
　　　　추가 공급하는 것이 타당한 것으로 사료됨.

2. 요망사항

　　가. NBC SUIT, COMBAT BOOT 및 TENT, SHELTER HALVES 에 관한
　　　　"A 품목별 추진 경위" 에서의 요망사항에 대한 결정

　　나. 품목별 견적 내역의 납기는 1990년 12월말 발주 기준이므로 참고
　　　　요망.

0033

- 4 -

E. 품목별 원가구성 내역

SERIAL NO.	품 명 (업체명)	단 가 (FOB)	운 임 (SEA)	보 험 료	단 가 (CIF)	수 량	금 액	당초금액 (단가)	차 액
1 - 1	GAS MASK (삼공물산)	U$ 61.20	U$ 1.75	U$ 0.34	U$ 63.29	150 SETS	U$ 9,493.50	U$ 9,225.- (U$ 61.50)	U$ 268.50 증
1 - 2	CANISTER (삼공물산)	U$ 15.30	U$ 0.10	U$ 0.08	U$ 15.48	150 PCS	U$ 2,322.-	U$ 2,265.- (U$ 15.10)	U$ 57.- 증
2	NBC SUIT (코오롱 상사)	U$ 104.04	U$ 4.90	U$ 0.58	U$ 109.52	150 SETS	U$ 16,428.-	U$ 16,327.50 (U$ 108.85)	U$ 100.50 증
3	GENERAL SURGERY INSTRUMENT (습교산업사, 동충의료기)	U$ 52,650.36	U$ 1,500.-	U$ 814.22	U$ 54,964.58	10 SETS	U$ 549,645.80	U$ 558,780.- (U$ 55,878.-)	U$ 9,134.20 감
4	COMBAT BOOT (대동화학)	U$ 18.56	U$ 1.35	U$ 0.11	U$ 20.02	2,000PRS	U$ 40,040.-	U$ 39,660.- (U$ 19.83.-)	U$ 380.- 증
5 - 1	TENT, GENERAL PURPOSE LARGE (우신산업)	U$ 1,652.40	U$ 135.-	U$ 9.45	U$ 1,796.85	100 SETS	U$ 179,685.-	U$ 211,620.- (U$ 2,116.20)	U$ 31,935.- 감
5 - 2	TENT, SHELTER HALVES (청마기업)	U$ 14.18	U$ 0.82	U$ 0.07	U$ 15.07	72,200PCS	U$ 1,088,054.-	U$ 1,162,420.- (U$ 16.10)	U$ 74,366.- 감
합 계							U$ 1,885,668.30	U$ 2,000,297.50	U$ 114,629.20 감 (예상대비 : U$ 114,331.70 감)

* FOB 단가에는 당사 HANDLING 수수료 2% 포함.

* SERIAL NO. 5-2 의 경우 소재가 NYLON 이나 COTTON 이나 가격은 동일함.

0034

품 목 별 원 가 계 산 서

o   ITEM   :   K-1 GAS MASK COMPLETE SET

o   COST BREAKDOWN

     - F.O.B.   :   U$ 60.-

     - FREIGHT   :   U$ 1.75

     - INSURANCE PREMIUM   :   U$ 0.34   (RATE : 0.4835%)

     - MARGIN   :   U$ 1.20   (FOB x 2%)

     C.I.F.   :   U$ 63.29

0035

품 목 별 원 가 계 산 서

o   ITEM   :   CANISTER (FILTER) FOR K-1 GAS MASK

o   COST BREAKDOWN

   - F.O.B.   : U$ 15.-

   - FREIGHT   : U$ 0.10

   - INSURANCE PREMIUM   : U$ 0.08   (RATE : 0.4835%)

   - MARGIN   : U$ 0.30   (FOB x 2%)

   C.I.F.   : U$ 15.48

0036

품 목 별 원 가 계 산 서

o   ITEM   :   N.B.C. SUIT

o   COST BREAKDOWN

　　- F.O.B.　　　　　 : U$ 102.-

　　- FREIGHT　　　　 : U$ 4.90

　　- INSURANCE PREMIUM　: U$ 0.58　　　(RATE : 0.4835%)

　　- MARGIN　　　　　: U$ 2.04　　　(FOB x 2%)

　　--

　　C.I.F.　　　　　　: U$ 109.52

0037

품 목 별 원 가 계 산 서

ο ITEM   :   GENERAL SURGERY INSTRUMENT

ο COST BREAKDOWN

   - F.O.B.   : U$ 51,618.-

   - FREIGHT   : U$ 1,500.-

   - INSURANCE PREMIUM   : U$ 814.22   (RATE : 1.3935%)

   - MARGIN   : U$ 1,032.36   (FOB x 2%)

   C.I.F.   : U$ 54,964.58

0038

품 목 별 원 가 계 산 서

o   ITEM   :   COMBAT BOOT

o   COST BREAKDOWN

   - F.O.B.   : U$ 18.20

   - FREIGHT   : U$ 1.35

   - INSURANCE PREMIUM   : U$ 0.11   (RATE : 0.4835%)

   - MARGIN   : U$ 0.36   (FOB x 2%)

   C.I.F.   : U$ 20.02

0039

품 목 별 원 가 계 산 서

o   ITEM   :   TENT, SHELTER HALVES
                (100% COTTON 20'S/2 X 20'S/2)

o   COST BREAKDOWN

    - F.O.B.   : U$ 13.90

    - FREIGHT   : U$ 0.82

    - INSURANCE PREMIUM : U$ 0.07   (RATE : 0.4835%)

    - MARGIN   : U$ 0.28   (FOB x 2%)

    C.I.F.   : U$ 15.07

0040

품 목 별 원 가 계 산 서

o   ITEM   :   TENT, SHELTER HALVES
                  (100% NYLON 210D X 210D)

o   COST BREAKDOWN

     - F.O.B.   : U$ 13.90

     - FREIGHT   : U$ 0.82

     - INSURANCE PREMIUM   : U$ 0.07   (RATE : 0.4835%)

     - MARGIN   : U$ 0.28   (FOB x 2%)

     C.I.F.   : U$ 15.07

0041

품 목 별 원 가 계 산 서

---

o ITEM   :   TENT, GENERAL PURPOSE, LARGE

o COST BREAKDOWN

   - F.O.B.   : U$ 1,620.-

   - FREIGHT   : U$ 135.-

   - INSURANCE PREMIUM : U$ 9.45   (RATE : 0.4835%)

   - MARGIN   : U$ 32.40   (FOB x 2%)

   C.I.F.   : U$ 1,796.85

0042

주식회사 고 려 무 역

해 사 제90-44호   737-0860   1990. 12. 29.

수 신 : 외무부 장관

참 조 : 마그레브과장

제 목 : 걸프만 사태에 따른 대 모로코 군수물자 비축분 관련 검토의견

1. 대 모로코 무상원조 공여 대상 군수물자에 관하여 품목별로 국내 국방부 비축분의 사양을 검토한 결과 아래와 같은 문제점이 발견 되었습니다.

2. 이에 귀부에 동 문제점에 대한 대 모로코 전문 발송을 의뢰 하오니 조치하여 주시기 바랍니다.

- 아   래 -

가. NBC SUIT

국방부의 CAMOUFLAGE PATTERN 은 이미 모로코에 SAMPLE 및 사진을 DHL 로 발송 한것처럼 KOREAN PATTERN (WOOD LAND PATTERN) 으로서 MOROCCO 에 사용되는 SAND PATTERN (SAUDI PATTERN) 과는 큰 차이가 남.

나. 전투화

1) 형태 : LAST (발바닥 평면도) 가 다름

한 국 : 길이가 짧고 앞부분이 넓다 (SHORT AND WIDE)
모로코 : 길이가 길고 앞부분이 좁다 (LONG AND NARROW)

2) COLOR : 비축분의 색상은 검은색으로 사막에서 열을 쉽게 받으며, 위장이 되지 않음

한 국 : BLACK
모로코 : SAND COLOR

3) 국내 비축분은 일반 접착제로 제작 되므로 사막에서 열을 받으면 접착력이 떨어지고 내구성에 문제가 발생됨.

4) 사막용은 LONG TONGUE 이어야 하나 국내 비축분은 SHORT TONGUE 으로서 모래가 전투화 안으로 들어오는 것을 방지하지 못함.

0043

다. 텐 트

  1) 가격 모로코에 기 통보된 가격 GUIDE LINE 은 개인 텐트가
     U$ 16.10 및 대형 텐트 (48인용) U$ 2,116.20 인데 반하여
     국방부 비축분은 각각 U$ 60.- 및 U$ 2,200.- (중형, 24인용)
     으로 2-4 배까지의 차이가 있음. (공여후 문제의 소지 다분함)

  2) 또한, 대형텐트의 경우는 기 통보된 사양에 맞는 비축분이
     없고 중형텐트만 국방부에서 조달 가능하므로 이에 관련한
     문제점 있음.   끝.

     , 방산업체 납주경약 91. 3 월경 선적가능 .

주 식 회 사 고 려 무 역 사 장

0044

주식회사 고려무역

수 신 : 외무부 장관

참 조 : 마그레브과장

제 목 : 걸프만 사태에 따른 대 모로코 군수물자 품목별 검토의견

  1. 대 모로코 무상원조 공여 대상 군수물자에 관하여 품목별로 국내 국방부 비축분의 사양을 검토한 결과, 신규로 국내에서 제작하여 공급하는 것에 비하여 아래와 같은 문제점이 발견 되었는바,

  2. 동 내역을 모로코로 통보 하셔서 현지에서 검토후 현지의 검토 결과를 확인할 수 있도록 조치하여 주시기 바랍니다.

- 아   래 -

가. 방 독 면

구 분	국 방 부 비 축 분	신 규 제 작 분
선적가능일자	1991년 1월말	1991년 3월 중순
모로코 도착 가 능 일 자	1991년 3월 중순	199년 4월말
단 가 (CIF)	ABT. U$ 72.50	U$ 63.29

나. 방독면 정화통

구 분	국 방 부 비 축 분	신 규 제 작 분
선적가능일자	1991년 1월말	1991년 3월 중순
모로코 도착 가 능 일 자	1991년 3월 중순	199년 4월말
단 가 (CIF)	ABT. U$ 17.80	U$ 15.48

0045

다. NBC SUIT

구 분	국 방 부 비 축 분	신 규 제 작 분
CAMOUFLAGE	KOREAN PATTERN (WOOD LAND PATTERN)	SAND PATTERN (SAUDI PATTERN)
선적가능일자	1991년 1월말	1991년 5월 중순
모로코 도착 가 능 일 자	1991년 3월 중순	1991년 6월말
단가 (CIF)	ABT. U\$ 98.-	ABT. U\$ 115.-
비 고	12/21 모로코로 DHL발송	일부자재 수입해야 함

라. 전 투 화

구 분	국 방 부 비 축 분	신 규 제 작 분
LAST (방바닥평면도)	SHORT AND WIDE	LONG AND NARROW
COLOR	BLACK	SAND COLOR
ADHESION	WEAK	STRONG
TONGUE	SHORT	LONG
선적가능일자	1991년 1월말	1991년 2월말
모로코 도착 가 능 일 자	1991년 3월 중순	1991년 4월 중순
단 가 (CIF)	ABT. U\$ 32.-	U\$ 20.02
비 고	1. 사막에서 열에 의해 내구성이 약해지고 모래가 들어올 가능성 많음 2. 12/31 모로코로 DHL 발송	-

0046

마. 대형텐트

구 분	국방부비축분	신규제작분
CAPACITY	24인용 (중형)	48인형 (대형)
선적가능일자	1991년 1월말	1991년 2월중순
모로코 도착 가능일자	199년 3월 중순	1991년 3월말
단가 (CIF)	ABT. U$ 2,320.-	U$ 1,796.85
비 고	1. 상기 단가는 24인용 기준임 2. 48인용 대형테트는 비축분 없음	상기 단가는 기 제시된 사양의 48인용 기준임

바. 개인텐트

구 분	국방부비축분	신규제작분
재 질	COTTON + RAYON	COTTON
선적가능일자	1991년 1월말	1991년 3월말
모로코 도착 가능일자	1991년 3월 중순	1991년 5월 중순
단가 (CIF)	ABT. U$ 61.50	U$ 16.07
비 고	가격에서 4배이상 비싸 므로 공급 수량을 18,000 - 19,000 PCS로 축소해야 함.	-

끝.

주 식 회 사 고 려 무 역 사

0047

관리
번호 : 91- 213

외 무 부

종 별 :

번 호 : MOW-0019   일 시 : 91 0116 1900

수 신 : 장관(마그,국방부)

발 신 : 주 모로코 대사

제 목 : 걸프만 지원

대:WMO-0010(1),0001(2)

   대호, 주재국 군수품 지원물자 조정분 및 도착일자를 국방성에 통보한바 국방차관은 물품의 질보다는 양이 더중요하므로 4 만개 이상의 수량 차이가 나는 개인용 텐트는 원래 요청한바와같이 16 불짜리 72,200 개를 대호(2) 6 항에 언급된대로 5 월 중순에 도착토록해도 무방하다고하니 이에대한 본부 입장 회시바람. 여타 품목은 예정대로 조속히 발송바람. 끝.

   (대사이종업-국장)

   예고:91.6.30. 일반

   1981.6.30. 예고문에
   의거 일반

중아국   국방부   서울시

91.01.17   07:09
외신 2과 통제관 FE

0048

<table>
<tr><td colspan="2">분류기호
문서번호</td><td>마크20005</td><td colspan="2" rowspan="2">기 안 용 지
(전화 :   )</td><td colspan="2">시 행 상
특별취급</td><td></td></tr>
<tr><td colspan="2">보존기간</td><td>영구·준영구.
10. 5. 3. 1.</td><td colspan="3">장   관</td></tr>
<tr><td colspan="2">수 신 처
보존기간</td><td></td><td colspan="4" rowspan="2">예</td></tr>
<tr><td colspan="2">시행일자</td><td>1991. 1.18.</td></tr>
<tr><td rowspan="3">보
조
기
관</td><td>국 장</td><td>전결</td><td rowspan="3">협
조
기
관</td><td></td><td colspan="2">문 서 통 제</td><td></td></tr>
<tr><td>십의관</td><td></td><td></td><td colspan="2"></td><td></td></tr>
<tr><td>과 장</td><td></td><td></td><td colspan="2"></td><td></td></tr>
<tr><td colspan="2">기안책임자</td><td>허 덕 행</td><td></td><td colspan="2">발   송   인</td><td></td></tr>
<tr><td>경 유</td><td colspan="2" rowspan="3"></td><td colspan="2" rowspan="3">발
신
명
의</td><td colspan="3" rowspan="3"></td></tr>
<tr><td>수 신</td></tr>
<tr><td>참 조</td></tr>
</table>

건 의

제 목   걸프만사태 관련 주변피해국 지원(모로코)

    1. 모로코에 대해서는 방독면등 7개 품목(총계 $1,990,853.81)

을 공급코자 91.1.10. 재가를 득한바 있읍니다.

    2. 연이나 모로코 국방성측은 개인텐트를 국방부 비축분대신

수출품으로 대체 지원해줄것을 요망해와, 다음과 같이 공급계약을

변경코자 하니 재가하여 주시기 바랍니다.

                - 다   음 -

    가. 당초 지원계획 (원칙재가득)

      ㅇ 방독면등 6개 품목 $835,963.3   /계속.../   0049

1505-25(2-1) 일(1)갑
85. 9. 9. 승인   "내가아낀 종이 한장 늘어나는 나라살림"

190mm×268mm 인쇄용지 2급 60g/㎡
가 40-41 1990. 5. 28

ㅇ 개인텐트 25,877 개 (국방부 비축분) $1,154,890.5

합계 : $1,990,853.81

나. 공급계약 변경내용

ㅇ 방독면등 6개품목 $835,963.3 (변동없음)

ㅇ 개인텐트 71,866 개(수출품) $1,154,886.62

- 재가금액보다 $3.89 감소

합계 : $1,990,849.92

첨부 : 1. 모로코측 요청 전문사본 1부.

2. 수출계약서 각 2부.   끝.

0050

1505-25(2-2) 일(1)을
85. 9. 9. 승인   "내가아낀 종이 한장 늘어나는 나라살림"   190mm×268mm 인쇄용지 2급 60g/㎡
가 40-41 1989. 12. 7.

252 걸프 사태 주변국 지원 4: 터키, 모로코, 쿠웨이트, 기타

CHO KWANG LEATHER CO., LTD.

HEAD OFFICE & FACTORY
C. P. O. BOX 137 SEOUL, KOREA
PHONE : 913 - 9861 ~ 5
TELEX : CHOLECO K-28403
FAX : (02) 911 - 5690

Leather Manufacturers, Exporters & Importers

SEOUL, KOREA

PROFORMA INVOICE

No. CK910116   Date 1991. 1. 16.

Messrs. DAE WOO

Gentlemen :

We are pleased to quote you the following goods on the terms and conditions given below.

Terms of Payment :   LOCAL L/C BASE.

Shipment   :

Destination   :

Packing   :   EACH PAIR IN A POLYBAG AND 12 PRS IN A OUT-CARTON BOX

Validity   :

Remarks   :

ITEM NO.	DESCRIPTION	QUANTITY	UNIT PRICE	AMOUNT
6403.91.9000			FOB	
	COMBAT BOOTS (HGA-90-106)			
	(LEATHER FOOTWEAR)	2,000PRS	@$19.50	U$39,000.-

SIZE: 39   40   41   42   43   TOTAL
Q'TY: 100   400   600   800   100   2,000PRS

HEIGHT : 10INCH

REQUIRED MATERIAL QUANTITY/PR
1. UPPER PART
   1) COLORED COWHIDE GRAIN LEATHER FOR SHOES (RAW MATERIAL:STEER RAWHIDE),
      THICKNESS : 2.0-2.2MM 2.55S/F
   2) COLORED COWHIDE SPLIT LEATHER FOR SHOES, TRIMMED (RAW MATERIAL:
      STEER RAWHIDE), THICKNESS : 1.2-1.4MM 0.91S/F
2. SOLE & HEEL PART
   1) INSOLE : PRESS BOARD (PAPER BOARD), STYLE:BONTEX 244, SIZE:44"X48"
              THICKNESS : 2.50MM 0.42S/F
   2) OUTSOLE & HEEL : RUBBER SOLE & HEEL .... W'T : 1,100GR/PR
3. OTHER PARTS
   1) 10 EYELETS, PVC WELT ..... USED   2) OTHERS .... USED

        /////////////   ////////////   /////////////

충북청주시 송정동공업단지2부대
조광피혁주식회사
대표이사 이   김   0051

誓 約 書

受　信 : 外務部長官

題　目 : 걸프만 事態에 따른 供與用 物品供給

　　　　弊社는 貴部가 主管히는 表題 事業이 緊急支援 및 祕密維持를
요하는 國家的 事業임을 認職하고, 今般 모로코 國에 供與하는 物品을
供與契約 締結함에 있어 아래 事項을 遵守할 것을 誓約하는 바입니다.

1. 物品供與 契約時 品質 價格面에서 一般 輸出契約과 最小限 同等한 또는
   보다 有利한 條件을 適用한다.

2. 締結된 契約은 보다 誠實하고 協助的인 姿勢로 履行한다.

3. 同 契約 內容은 業務上 目的 以外에는 公開하지 않는다.

　　　　　　　　　　　　　　　　　　1991 年 1 월 14일

會　社　名 : (주). 대　우
代　表　者 : 윤　영　석

0052

(별 첨)

수 출 물 품

품 목	수 량	단 가(CIF CASABLANCA BY SEA)	금 액
방독면 (K1 GAS MASK)	150PCS	U$61.50	U$9,225.00
정화통 (CANISTER)	150PCS	U$15.10	U$2,265.00
보호의 (PERMEABLE PROTECTIVE SUITS)	150SETS	U$108.85	U$16,327.50
개인용 텐트 (INDIVIDUAL TENT)	25,877PCS	U$44.63	U$1,154,890.51
24인용 텐트 (TENT FOR 24 PERSONS)	100SETS	U$2,163.00	U$216,300.00
군화 (COMBAT BOOTS)	2,000PRS	U$21.10	U$42,200.00
TOTAL		:	U$1,441,208.01

0053

輸 出 契 約 書

"甲" 外　　　務　　　部
　　마그레브課長　申　國　昊

"乙" 株式會社　高　麗　貿　易
　　代表理事　副社長　高　一　男

上記 "甲" "乙" 兩者間에 다음과 같이 輸出契約을 締結한다.

第 1 條 ： 輸出物品의 表示
　　　　　　　別　　添

第 2 條 ： "甲"은 上記 第1條의 物品貸金을 船積書類 受取後 "乙"에게 支給한다.

第 3 條 ： "乙"은 上記 第1條의 物品을 1991 . 2 . 5. 까지　PUSAN 港
　　　　　(또는 空港)에서　CASABLANKA　行 船舶(또는 航空機)에 船積하여야
　　　　　한다.　但, 불가피한 事由로 船積이 遲延될 境遇에는 1990. 12. 21.
　　　　　外務部長官과 "乙"間에 締結된 輸出代行業體 指定 契約書 第4條 規定에
　　　　　依하여 "乙"은 "甲"에게 船積 遲延事由書를 提出하고 "甲"은 同 遲滯
　　　　　償金 免除 與否를 決定한다.

第 4 條 ： "乙"은 船積完了後 7日 以內에 "甲"이 船積物品 通關에 必要한 諸般
　　　　　船積書類를 "甲" 또는 "甲"의 代理人에게 提出 또는 現地公館에 送付
　　　　　하여야 한다.

- 1 -
　　　　　　　　　　　　　　　　　　　　　　　　　　0054

第 5 條 : 上記 船積物品의 品質保證 期間은 船積後 1 年間으로 하며, 이 期間中 正常的인 使用에도 不拘하고 製造不良이나 材質 또는 조립상의 하자가 發生할 境遇 "乙"의 責任下에 解決한다.

本 契約에 明示되지 않은 事由에 對하여는 걸프만 事態 供與品 輸出 代行 契約書에 따른다.

1991 年 1 月 14 日

"甲" 外 務 部

　　마그레브課長 申 國 吳

"乙" 株 式 會 社 高 麗 貿 易

서울特別市 江南區 三成洞 159

代表理事 副社長 高 一 男

- 2 -

0055

誓 約 書

受 信 : 外務部長官

題 目 : 걸프만 事態에 따른 供與用 物品供給

　　　　弊社는 貴部가 主管하는 表題 事業이 緊急支援 및 秘密維持를 要하는

國家的 事業임을 認識하고, 今般 MOROCCO 國에 供與하는 GENERAL SURGERY INSTRUMENT

物品을 供與契約 締結함에 있어 아래 事項을 遵守할 것을 誓約하는 바입니다.

1. 物品供給 契約時 品質 價格面에서 一般 輸出契約과 最小限 同等한 또는 보다

　　有利한 條件을 適用한다.

2. 締結된 契約은 보다 誠實하고 協助的인 姿勢로 履行한다.

3. 同 契約 內容은 業務上 目的 以外에는 公開하지 않는다.

　　　　　　　　　　　　　　　1991 年 1 月 14 日

會 社 名 : 株式會社 高麗貿易

代 表 者 : 代表理事 高 一 男

（署名 및 捺印）

0056

C.I.F. CASABLANKA

GENERAL SURGERY INSTRUMENT   10 SETS   @$ 54,964.58   U$ 549,645.80
/////////   /////////   /////////

GENERAL SURGERY

NO.	ITEM	UNIT	Q'TY	NO.	ITEM	UNIT	Q'TY
1	DRESSING FORCEPS	S	100	23	BANDAGE SCISSORS	S	20
2	"	M	80	24	" "	L	30
3	"	L	40	25	HALSEY NEEDLE HOLDER		30
4	TISSUE FORCEPS	S	40	26	COLLIER NEEDLE HOLDER		30
5	"	M	40	27	MAYO-HEGER "		30
6	ADESON FORCEPS		40	28	T/C " "	S	10
7	ADESON TISSUE FORCEPS		60	29	" " "	M	10
8	BAYONET FORCEPS		20	30	" " "	L	50
9	WILDE EAR FORCEPS		10	31	MOSQUTO FORCEPS	ST	120
10	SURGICAL SCISSORS		100	32	" "	CU	120
11	MAYO "	S	40	33	KELLY "	ST	80
12	" "	L	40	34	" "	CU	80
13	SIMS UTERINE SCISSORS		40	35	ROCHESTER PEAN FORCEPS	S	60
14	MAYO " "		20	36	" "	M	50
15	EYE "	ST	50	37	" "	L	40
16	" "	CU	50	38	" TISSUE "		20
17	TONOTOMY "	ST	20	39	PENNINGTON FORCEPS		10
18	" "	CU	20	40	ALLISS TISSUE FORCEPS	S	20
19	METZEN BAUM "	ST	30	41	" "	M	20
20	" "	CU	30	42	" "	L	20
21	DOYEN "	ST	10	43	BABCOCK TISSUE "	S	20
22	" "	CU	10	44	" "	M	20

- 1 -

NO.	I T E M	UNIT	Q'TY	NO.	I T E M	UNIT	Q'TY
45	BABCOCK TISSUE FORCEPS	L	20	70	GELPI RETRACTOR	EA	3
46	KOCHER INTESTINAL FORCEPS	ST	2	71	ADSON RETRACTOR	EA	3
47	" "	CU	2	72	CUSHING DURN HOOK	EA	7
48	DOYEN INTESTINAL FORCEPS	ST	2	73	KNIFE HANDLE	#3	50
49	" "	CU	2	74	"	#4	40
50	BANBRIDGE FORCEPS	ST	2	75	"	#7	20
51	" "	CU	2	76	RECTAL SPECULA		
52	PYLORUS CLAMP	S	1		ANOSCOPE SIMS		1
53	"	M	1		ANOSCOPE HIRSCHMAN		1
54	"	L	1		ANOSCOPE MATHIEU		1
55	US ARMY RETRACTOR	SET	3	77	TOWEL CLAMPS	S	20
56	RICHARDSON RETRACTOR	SET	3	78	"	M	20
57	LANGENBECK "	S	1	79	SPONGE HOLDING FORCEPS		20
58	"	M	1	80	GALL BLADDER TROCARS		2
59	"	L	1	81	YANKAUER SUCTION TUBE		5
60	DEAVER RETRACTOR	SET	2	82	DOO'S SUCTION TUBE		5
61	LOVE NERVE "	SET	2	83	MOUSTH GAG		1
62	VOLKMAN "	SET	1	84	TRACHEAL TUBES	1-9	27
63	FINGER RAKE "	EA	4	85	GALL STONE FORCEPS		1
64	SENN "	EA	2	86	BAKES	SET	1
65	SKIN HOOK "	EA	2	87	GALL DUCT FORCEPS	SET	1
66	ABDOMINAL "	EA	3	88	KIDNEY STONE FORCEPS	SET	1
67	COLLIN "	EA	3	89	CIRCUMSISION CLAMPS	SET	2
68	WEITLANER SELF RETAINING "	EA	3	90	CHROMIC (DZ)	#1	100
69	BECKMAN " "	EA	2			#1-0	100

- 2 -

0058

NO.	I T E M	UNIT	Q'TY	NO.	I T E M	UNIT	Q'TY
		#2-0	100			#2-0	5
		#3-0	50	93	MESS #10	BOX	50
		#4-0	40		#11	BOX	50
91	SELKE (DZ)	#8-0	5		#12	BOX	10
		#7-0	5		#15	BOX	50
		#6-0	15		#20	BOX	20
		#5-0	15	94	GLOVE 6½	BOX	10
		#4-0	10		7	BOX	10
		#3-0	5		7½	BOX	10
92	NYLON (DZ)	#8-0	5		8	BOX	10
		#6-0	5	95	FOLY CATHTER	EA	50
		#5-0	5	96	N-CATHTER	EA	80
		#4-0	5	97	L-TUBE	EA	50
		#3-0	5	98	NECTAL TUBE	EA	30

- 3 -

주식회사 고 려 무 역

해 외 제91-4호   737-0860   1991. 1. 11.

수 신 : 외무부 장관

참 조 : 마그레브과장

제 목 : 걸프만 사태 주변피해국 지원 사업

    1. 귀부 마그 20005-603 (1991. 1. 10.) 에 대한 회신 입니다.

    2. 모로코에 대해서는 (주) 대우를 통하여 국방부 비축 군수물자의 지원을 추진함이 바람직하나, 외과 수술기구의 경우에는 이미 당사에서 제품 생산을 진행중이므로 제반 물자의 조기 선적을 위해 당사에서 수출업무를 대행하고자 하오니 협조하여 주시기 바랍니다.

    3. 참고로 당사는 1991년 2월 5일까지 부산에서 (주) 대우와 협조하여 (주) 대우와 같은 선편에 물품을 선적토록 할것임을 알려 드립니다.   끝.

주 식 회 사 고 려 무 역 사 장

0060

모 로 코 업 체 선 정 경 위

1991. 1. 14.

1. 대상 품목 : 외과 수술 기구

2. 선정 경위

   가. 동 품목은 병원 외과의 수술용 기구 SET 로서 SCISSOR, FORCEP,
        NEEDLE HOLDER, CLAMP 및 RETRACTOR 등으로 구성되어 있음.

   나. 동 품목의 국내 유일의 생산 및 수출 전문 업체는 솔고산업사이므로
        당연히 선정 하였고, 솔고산업사에서 생산하지 않는 기타 품목들은
        MAKER 가 10 여개 이상으로 효과적인 물품 구입 및 일괄적인 조달이
        가능한 의료기 도매업체를 접촉하여 OFFER 를 받은 결과 동광의료기가
        선정 되었음.

0061

$$\boxed{\text{모 로 코}}$$

1. 방독면

   $61.5 X 150개 = $9,225

2. 방독면 정화통

   $15.1 X 150개 = $2,265

3. 침투성 보호의

   $108.85 X 150개 = $16,327.5

4. 전투화

   $19.83 X 2천 족 = $39,660

5. 대형텐트

   $2,116.2X 100개 = $211,620

6. 개인텐트

   $16.1 X 72,200 = $1,162,420

7. 일반수술기구세트

   $55,878 X 10조 = $558,780

합 계 : $2,000,297.5

0062

품 목 별 원 가 계 산 서

o   ITEM   :   GENERAL SURGERY INSTRUMENT

o   COST BREAKDOWN

    - F.O.B.   :   U$ 51,618.13

    - FREIGHT   :   U$ 1,471.57

                        U$135/CBM X 10.9 CBM

    - INSURANCE   :   U$ 842.52

                        CIF X 1.1 X RATE (1.3935%)

    - MARGIN   :   U$ 1,032.36   (FOB X 2%)

      CIF ISTANBUL :   U$ 54,964.58

0063

KOTI

KOREA TRADING INTERNATIONAL INC.

PHONE : (02) 551-3114
FAX : (02) 551-3100
TELEX : KOTII K27434
CABLE : KOTII SEOUL

11TH FLOOR, TRADE TOWER,
159, SAMSUNG-DONG, KANGNAM-KU,
SEOUL, KOREA
TRADE CENTER P.O. BOX 23.24

DATE: JAN 14, 1991
YOUR REF:
OUR REF: KOOBS-20001/A

OFFER SHEET

To: THE MINISTRY OF FOREIGN AFFAIRS IN R.O.K.

Dear Sirs,

We have the pleasure in offering you as follows:

Delivery	: FEB 5, 1991	Packing	:	STANDARD EXPORT PACKING
Origin	: R.O.K.	Inspection	:	MAKER'S TO BE FINAL
Port of Shipment	: KOREAN PORT	Validity	:	JAN 20, 1991
Destination	: CASABLANKA, MOROCCO	Remarks	:	
Payment	: C.A.D.			

Description	Quantity	Unit Price	Amount	Remarks
		C.I.F. CASABLANKA		
GENERAL SURGERY INSTRUMENT	10 SETS	@$54,964.58	U$549,645.80	

- DETAILS OF SET -

///////// ///////// ////////

Very truly yours,   0064

Accepted by

Korea Trading International Inc.

for A. Onjen

S. Y. KIM/DIRECTOR

GENERAL SURGERY

NO.	I T E M	UNIT	Q'TY	NO.	I T E M	UNIT	Q'TY
1	DRESSING FORCEPS	S	100	23	BANDAGE SCISSORS	S	20
2	"	M	80	24	" "	L	30
3	"	L	40	25	HALSEY NEEDLE HOLDER		30
4	TISSUE FORCEPS	S	40	26	COLLIER NEEDLE HOLDER		30
5	"	M	40	27	MAYO-HEGER "		30
6	ADESON FORCEPS		40	28	T/C " "	S	10
7	ADESON TISSUE FORCEPS		60	29	" " "	M	10
8	BAYONET FORCEPS		20	30	" " "	L	50
9	WILDE EAR FORCEPS		10	31	MOSQUTO FORCEPS	ST	120
10	SURGICAL SCISSORS		100	32	" "	CU	120
11	MAYO "	S	40	33	KELLY "	ST	80
12	" "	L	40	34	" "	CU	80
13	SIMS UTERINE SCISSORS		40	35	ROCHESTER PEAN FORCEPS	S	60
14	MAYO " "		20	36	" "	M	50
15	EYE "	ST	50	37	" "	L	40
16	" "	CU	50	38	" TISSUE "		20
17	TONOTOMY "	ST	20	39	PENNINGTON FORCEPS		10
18	" "	CU	20	40	ALLISS TISSUE FORCEPS	S	20
19	METZEN BAUM "	ST	30	41	" "	M	20
20	" "	CU	30	42	" "	L	20
21	DOYEN "	ST	10	43	BABCOCK TISSUE "	S	20
22	" "	CU	10	44	" "	M	20

걸프사태 : 주변국 지원, 1990-92. 전12권 (V.10 모로코, 1990-91) 267

NO.	ITEM	UNIT	Q'TY	NO.	ITEM	UNIT	Q'TY
45	BABCOCK TISSUE FORCEPS	L	20	70	GELPI RETRACTOR	EA	3
46	KOCHER INTESTINAL FORCEPS	ST	2	71	ADSON RETRACTOR	EA	3
47	" "	CU	2	72	CUSHING DURN HOOK	EA	7
48	DOYEN INTESTINAL FORCEPS	ST	2	73	KNIFE HANDLE	#3	50
49	" "	CU	2	74	"	#4	40
50	BANBRIDGE FORCEPS	ST	2	75	"	#7	20
51	" "	CU	2	76	RECTAL SPECULA		
52	PYLORUS CLAMP	S	1		ANOSCOPE SIMS		1
53	"	M	1		ANOSCOPE HIRSCHMAN		1
54	"	L	1		ANOSCOPE MATHIEU		1
55	US ARMY RETRACTOR	SET	3	77	TOWEL CLAMPS	S	20
56	RICHARDSON RETRACTOR	SET	3	78	"	M	20
57	LANGENBECK "	S	1	79	SPONGE HOLDING FORCEPS		20
58	"	M	1	80	GALL BLADDER TROCARS		2
59	"	L	1	81	YANKAUER SUCTION TUBE		5
60	DEAVER RETRACTOR	SET	2	82	DOO'S SUCTION TUBE		5
61	LOVE NERVE "	SET	2	83	MOUSTH GAG		1
62	VOLKMAN "	SET	1	84	TRACHEAL TUBES	1-9	27
63	FINGER RAKE "	EA	4	85	GALL STONE FORCEPS		1
64	SENN "	EA	2	86	BAKES	SET	1
65	SKIN HOOK "	EA	2	87	GALL DUCT FORCEPS	SET	1
66	ABDOMINAL "	EA	3	88	KIDNEY STONE FORCEPS	SET	1
67	COLLIN "	EA	3	89	CIRCUMSISION CLAMPS	SET	2
68	WEITLANER SELF RETAINING "	EA	3	90	CHROMIC (DZ)	#1	100
69	BECKMAN " "	EA	2			#1-0	100

- 2 -

NO.	I T E M	UNIT	Q'TY	NO.	I T E M	UNIT	Q'TY
		#2-0	100			#2-0	5
		#3-0	50	93	MESS #10	BOX	50
		#4-0	40		#11	BOX	50
91	SELKE (DZ)	#8-0	5		#12	BOX	10
		#7-0	5		#15	BOX	50
		#6-0	15		#20	BOX	20
		#5-0	15	94	GLOVE 6½	BOX	10
		#4-0	10		7	BOX	10
		#3-0	5		7½	BOX	10
92	NYLON (DZ)	#8-0	5		8	BOX	10
		#6-0	5	95	FOLY CATHTER	EA	50
		#5-0	5	96	N-CATHTER	EA	80
		#4-0	5	97	L-TUBE	EA	50
		#3-0	5	98	NECTAL TUBE	EA	30

0067

輸 出 契 約 書

"甲" 外　　　　　　　務　　　　　　　部

　　　마그레브課長　신　국　호

"乙"　株 式 會 社　大　　　　宇

　　　代 表 理 事　윤　영　석

　　　上記 "甲" "乙" 兩者間에 다음과 같이 輸出契約을 締結한다.

第 1 條　：　輸出物品의 表示（別添）

第 2 條　：　"甲"은 上記 第1條의 物品貸金을 船籍書類 受取後 "乙"에게
　　　　　　　支給한다.

第 3 條　：　"乙"은 上記 第1條의 物品을 1991.2.5　까지 부산　港
　　　　　　　　　　　　　　　에서　모로코　行 船舶（또는 航空機）에 船籍하여야
　　　　　한다. 但, 불가피한 事由로 船籍이 遲延될 境遇에는
　　　　　外務部長官과 "乙" 間에 締結된 輸出代行業體 指定 契約書 第4條
　　　　　規定에 依하여 "乙"은 "甲"에게 船籍 遲延事由書를 提出하고 "甲"
　　　　　은 同 遲滯償金 免除 與否를 決定한다.

第 4 條　：　"乙"은 船籍完了後 7日 以內에 "甲"이 船籍物品 通關에 必要한
　　　　　諸般 船籍書類를 "甲" 또는 "甲"의 代理人에게 提出 또는 現地
　　　　　公館에 送付하여야 한다.

0068

第 5 條 : 上記 船籍物品의 品質保證期間은 船籍後 1年間으로 하며,

　　　　　　이 期間中 正常的인 使用에도 不拘하고 製造不良이나 材質 또는

　　　　　　조립상의 하자가 발생할 境遇 "乙"의 責任下에 解決한다.

本 契約에 明示되지않은 事由에 대하여는 걸프만 事態 供與品 輸出 代行

契約書에 따른다.

　　　　　　　　　　　　　　　1991. 1. 14.

"甲" 外　　務　　部　　　　　　"乙" 株式會社 大　　　　　宇

　　마그레브課長 신　국　호　　　　　代表理事 윤　영　석

輸 出 契 約 書

"甲" 外　　　務　　　部
　　　미그레브課長　신　국　호

"乙" 株 式 會 社 大　　　宇
　　　代 表 理 事　윤　영　석

上記 "甲" "乙" 兩者間에 다음과 같이 輸出契約을 締結한다.

第 1 條 : 輸出物品의 表示 (別添)

第 2 條 : "甲"은 上記 第1條의 物品貸金을 船籍書類 受取後 "乙"에게
　　　　　支給한다.

第 3 條 : "乙"은 上記 第1條의 物品을 1991·4·30까지 부산 港
　　　　　　　　　에서 모로코 行 船舶(또는 航空機)에 船籍하여야
　　　　　한다. 但, 불가피한 事由로 船籍이 遲延될 境遇에는
　　　　　外務部長官과 "乙" 間에 締結된 輸山代行業體 指定 契約書 第4條
　　　　　規定에 依하여 "乙"은 "甲"에게 船籍 遲延事由書를 提出하고 "甲"
　　　　　은 同 遲滯償金 免除 與否를 決定한다.

第 4 條 : "乙"은 船籍完了後 7日 以內에 "甲"이 船籍物品 通關에 必要한
　　　　　諸般 船籍書類를 "甲" 또는 "甲"의 代理人에게 提出 또는 現地
　　　　　公館에 送付하여야 한다.

0070

第 5 條 : 上記 船籍物品의 品質保證期間은 船籍後 1年間으로 하며,

　　　　　　이 期間中 正常的인 使用에도 不拘하고 製造不良이니 材質 또는

　　　　　　조립상의 하지기 발생할 境遇 "乙"의 責任下에 解決한다.

本 契約에 明示되지않은 事由에 대하여는 걸프만 事態 供與品 輸出 代行

契約書에 따른다.

"甲" 外　　務　　部　　　　　　　　"乙" 株式會社　大

　미그레브課長　신　국　호　　　　　　代表理事　윤　　영

(별첨)

수 출 물 품

품 목	수 량	단 가(CIF CASABLANCA BY SEA)	금 액
개인용 텐트 (INDIVIDUAL TENT)	71,866PCS	U$16.07	U$1,154,886.62

0072

분류번호	보존기간

발 신 전 보

WMO-0021   910121 1338 AO

번   호 :   종별 :

수   신 : 주   모로코   대사. ~~총영사~~

발   신 : 장 관   (마그)

제   목 : 걸프사태 지원

대 : MOW-0019

대호 모로코 국방차관의 요망관련, 개인텐트는 비축분대신 $16.07 불짜리
71,866를 지원할 예정이니 양지바람.   끝.

(중동아국장 이 해 순)

예고 : 91.6.30.까지

1991.6.30. 예고문에
의거 일반

앙고재	91년 1월 21일	제2과	기안자 성명 허 ○ ○	과 장	~~심의관~~	국 장		차 관	장 관	보 안 통 제	
										외신과통재	

0073

외 무 부

종 별 :

번 호 : MOW-0029

일 시 : 91 0121 1500

수 신 : 장관(마그)

발 신 : 주 모로코 대사

제 목 : 페만사태 지원

대 WMO-0021

연:MOW-0019

대호에 의하면 개인텐트 71,866 개가 타품목과 함께 2 월초 선적되는지 또는 5 월중순에 별도 선적되는지가 불분명하니 선적시기 지급 회시바람. 끝.

(대사 이종업-국장)

예고:91.6.30 일반

중아국

91.01.22   06:45

외신 2과 통제관 CE

0074

발 신 전 보

WMO-0026   910123 1558 DP

번   호 :   종별 :

수   신 : 주   모로코   대사.총영사

발   신 : 장   관   (마그)

제   목 : 걸프사태 지원

대 : MOW-0029

연 : WMO-0021

대호 개인텐트 71,866 개는 91.4월말 선적, 91.6월초순경 카사블랑카항

도착예정임. 끝.

(중동아프리카국장 이 해 순)

예고 : 91.6.30.일반

1991 6 30. 예고문에
의거 일반

0075

분류기호 문서번호	마그20005- 25 ( )	협조문용지	결 재	담당	과장	국장
시행일자	1991. 2. 7.			최덕행		(서명)
수 신	총무과장(외환)	발 신			중동아프리카국장	
제 목	외환지불의뢰					

걸프사태 관련 대 모로코 지원물자중 91.2.5. 선적물자에 대한

경비를 다음과 같이 지불하여 주시기 바랍니다.

- 다   음 -

1. 지불액 : $286,317.5

2. 지불처 : (주) 대우

    ○ 지불은행 : 제주은행 남산지점

    ○ 구좌번호 : 110-30-031628

3. 지불근거 : 정부활동, 해외경상이전, 걸프사태 주변피해국지원

4. 지불내역(선적물자)

    ○ 방독면   150개 $ 9,225

    ○ 정화통   180개 $ 2,265

    ○ 보호의   150개 $ 16,327.5

    ○ 24인용텐트   100개 $216,300   /계속.../ 0076

○ 군 화   2,000개 $ 42,200

<u>합 계 : $286,317.5</u>

첨부 : 1. 재가 공문사본 2부.

2. (주) 대우의 청구서 및 선적서류 각 1부.   끝.

0077

주식 회사 대우

서울·중구 남대문로 5가 541 (대우센터) 우편번호 100 - 714 (텔렉스 : DAEWOO K23341, K24295, K24444)
• 무역부문 : 중앙사서함2810/전화 : 759 - 2114 • 건설부문 : 중앙사서함 8269/전화 : 759 - 2114 • FACSIMILE : 753 - 9489

대우 특자 91-033호   1991. 2. 7.

수 신 : 외무부 마그레브과장

제 목 : GULF만 사태관련 지원물대 송금요청

　　　　폐사는 귀부와의 계약에 의거 아래와 같이 GULF만 사태관련 지원물품을
기 선적하였아오니 송금조치하여 주시기 바랍니다.

－ 아　　　래 －

1. 선적물품 내역

품 목	수 량	금액 (U$)	선적일	도착예정	선 명	선적항	도착항
방독면	150PCS	9,225.00	91.2.5.	91.3.8.	TOYOMA V-016	BUSAN	CASABLANCA
정화통	150PCS	2,265.00	"	"	"	"	"
보호의	150SETS	16,327.50	"	"	"	"	"
24인용 텐트	100SETS	216,300.00	"	"	"	"	"
군 화	2,000PRS	42,200.00	"	"	"	"	"
합 계		U$286,317.50					

2. 비고

　　가. 모로코 계약분 6개품목 (U$1,441,204.12)중 개인용텐트를 제외한 5개품목 선적분임.

　　나. 개인용 텐트는 1991. 4.30까지 전량 선적 예정임.

3. 송 금 처 :　제일은행 남산지점

　　구좌번호 :　110-30-031628

　　예 금 주 :　(주)대우

대표이사　윤　영

0078

DAEWOO CORPORATION

541, 5-GA, NAMDAEMOON-RO, JUNG-GU, SEOUL, KOREA
C. P. O. BOX 2810, 8269, SEOUL, KOREA/TELEX: DAEWOO K23341-5, DWDEV K24444, K22868/CABLE: "DAEWOO"SEOUL TEL: 759-2114

FEB. 5, 1991

ATTN : MINISTERE DE LA DEFENSE NATIONALE, MAROC

RE : SHIPPING ADVICE

WE HAVE THE PLEASURE TO INFORM YOU THAT WE HAVE DULY SHIPPED 5 ITEMS WITH FOLLOWING DETAILS.

ITEM	Q'TY	AMOUNT (U$)	S/D	ETA CASABLANCA	VESSEL NAME	PORT OF LOADING	DESTINA TION
MASK	150PCS	9,225.00	91.2.5.	91.3.8.	TOYOMA V-016	BUSAN	CASABLANCA
CANISTER	150PCS	2,265.00	"	"	"	"	"
SUITS	150SETS	16,327.50	"	"	"	"	"
TENT	100SETS	216,300.00	"	"	"	"	"
BOOTS	2,000PRS	42,200.00	"	"	"	"	"
TOTAL		U$286,317.50					

WE HOPE THE GOODS REACH YOU IN GOOD CONDITION AND GIVE YOU COMPLETE SATISFACTION.

ENC. 1) COMMERCIALL INVOICE 3
     2) PACKING LIST   3
     3) BILL OF LADING ORIGINAL 3 AND COPY 1
     4) INSURANCE POLICY ORIGINAL 2 AND COPY 1

AUTHORIZED SIGNATURE

0079

IV10243230

COMMERCIAL INVOICE

1)Shipper/Exporter	8)No. & date of invoice
DAEWOO CORPORATION	HGAJD10015A01/21A01/HFEB. 04 1991
5 - GA, NAMDAEMOON - RO, JUNG - GU SEOUL , KOREA	9)No. & date of L/C HGM9110 JAN. 14 1991
	10)L/C issuing bank
2)For Account & Risk of Messrs. MINISTRY OF FOREIGN AFFAIRS	
	11)Remarks:
3)Notify party MINISTERE DE LA DEFENSE NATIONALE, MAROC	

4)Port of loading BUSAN, KOREA	5)Final destination CASABLANCA, MOROCCO
6)Carrier TOYAMA V-016	7)Sailing on or about FEB. 05 1991

12)Marks and number of PKGS	13)Description of goods	14)Quantity/Unit	15)Unit-price	16)Amount
	CIF CASABLANCA ‑‑‑‑‑‑‑‑‑‑‑‑‑‑‑			
(FRONT & BACK)	1) TENT	100SETS	U$2,163	U$216,300.00
MINISTERE DE LA	2) BOOTS	2,000PRS	U$21.10	U$42,200.00
DEFENSE NATIONALE	3) MASK	150PCS	U$61.50	U$9,225.00
MAROC	4) CANISTER	150PCS	U$15.10	U$2,265.00
ITEM :	5) SUITS	150SETS	U$108.85	U$16,327.50
Q'TY :	‑‑			
C/T NO :	TOTAL : 250SETS, 2,000PRS & 300PCS			U$286,317.50

* SAY : U.S. DOLLARS TWO HUNDRED EIGHTY SIX THOUSAND THREE HUNDRED
SEVENTEEN AND CENTS FIFTY ONLY.

17)C.P.O. 2810 SEOUL, KOREA
    CABLE: DAEWOO SEOUL
    TELEX:DAEWOO K23341/4,K24295
    TELEPHONE:759-2114

18)Signed by

DAEWOO CORPORATION

0080

P A C K I N G   L I S T

1)Shipper/Exporter	8)No. & date of invoice
DAEWOO CORPORATION **SEOUL, KOREA**	HGAJD10015A01/21A01/HFEB. 04 1991

	9)Remarks
2)For Account & Risk of Messrs. MINISTRY OF FOREIGN AFFAIRS	

3)Notify party	
MINISTERE DE LA DEFENSE NATIONALE, MAROC	

4)Port of loading	5)Final destination
BUSAN, KOREA	CASABLANCA, MOROCCO

6)Carrier	7)Sailing on or about
TOYAMA V-016	FEB. 05, 1991

10)Marks and number of PKGS	11)Description of goods	12)Quantity	13)Net-weight	14)Gross-weight	15)Measurement
(FRONT & BACK) MINISTERE DE LA DEFENSE NATIONALE MAROC ITEM : Q'TY : C/T NO :	1) TENT 2) BOOTS 3) MASK 4) CANISTER 5) SUITS	100SETS 2,000PRS 150PCS 150PCS 150SETS			

TOTAL : 250SETS, 2,000PRS & 300PCS
25,000KGS 26,411KGS 58.760CBM

* PACKING DETAILS

1) TENT

BALE NO.	ITEM	Q'TY
1-100	TENT	100EA
101-200	POLE A	100EA (1EA PER TENT)
201-300	POLE B	200EA (2EA PER TENT)
301-320	POLE C	400EA (4EA PER TENT)
321-370	POLE D	1,000EA (10EA PER TENT)
371-470	PIN A	2,800EA (28EA PER TENT)
471-570	PIN B	4,800EA (48EA PER TENT)

TOTAL : 570BALES

2) BOOTS

C/T NO.	SIZE	Q'TY		
1- 8	39	8C/TS X 12PRS =	96PRS
9- 41	40	33C/TS X 12PRS =	396PRS
42- 91	41	50C/TS X 12PRS =	600PRS
92-157	42	66C/TS X 12PRS =	792PRS
158-165	43	8C/TS X 12PRS =	96PRS
166	39	1C/T X 4PRS =	12PRS
	42	8PRS
167	40	1C/T X 4PRS =	8PRS
	43	4PRS

TOTAL : 167C/TS

<TO BE CONTINUED>

걸프사태 : 주변국 지원, 1990-92. 전12권 (V.10 모로코, 1990-91) 283

```
3) MASK         C/T NO.                      Q'TY
                -------                      ----
                1-15                15C/TS X 10PCS  =  150PCS
                -------------------------------------------------------
                       TOTAL   :   15C/TS

4) CANISTER     C/T NO.                      Q'TY
                -------                      ----
                16-22                7C/TS X 20PCS  =   140PCS
                23                   1C/T  X 10PCS  =    10PCS
                -------------------------------------------------------
                       TOTAL   :   8C/TS

5) SUITS        C/T NO.                      Q'TY
                -------                      ----
                24-53               30C/TS X 4SETS  =  120SETS
                54-63               10C/T  X 3SETS  =   30SETS
                -------------------------------------------------------
                       TOTAL   :   40C/TS

     -------------------------------------------------------------------
        TOTAL   :   570BALES & 230C/TS (250SETS, 2,000PRS & 300PCS) ONLY.
```

17)C.P.O. 2810 SEOUL, KOREA
    CABLE: DAEWOO SEOUL
    TELEX:DAEWOO K23341/4.K24295
    TELEPHONE:759-2114

18)Signed by _____

**DAEWOO
CORPORATION**

HGAJD10015A01/21A01/   02

0082

	분류번호	보존기간

발 신 전 보

WMO-0044   910208 1654 CG

번   호 : _____   종별 : _____

수   신 : 주   모로코   대사·총영사
　　　　　　　　(마그)

발   신 : 장 관

제   목 : 걸프사태 지원(모로코-1)

대 : MOW-0019

연 : WMO-0010, 0021

1. 연호 통보한 대 모로코 지원품목중 개인텐트를 제외한 6개품목을 92.2.5.
선적(선병 : Toyama V-016호), 91.3.8. 귀지 카사블랑카항 도착예정인바, 동 물품
수령시에는 주재국측과 인도식을 갖고 인도증빙서류 파편 송부바랍.

2. 동 선적서류는 파편 송부예정이며, 개인텐트는 4월말 전량 선적예정이니
참고바랍. 끝.

(중동아국장 이 해 순)

검토필(91.6.30.)

			보 안 통 제	6 6	

앙고재	91년 2월 8일	기안자 성명		과 장		국 장		차 관	장 관		외신과통제
		허덕행		3/6							

0083

4984

기 안 용 지

분류기호 문서번호	마ㄱ20005-		(전화 :)		시 행 상 특별취급	
보존기간	영구·준영구. 10 . 5 . 3 . 1.		장 관			
수 신 처 보존기간						
시행일자	1991. 2. 8.					
보 조 기 관	국 장		협 조 기 관		문 서 통 제	
	심의관				1991. 2. 9	
	과 장	&36				
기안책임자	허 덕 행				발 송 인	

경 유 수 신 참 조	주 모로코 대사	발 신 명 의	

제 목	걸프사태 관련 지원

91.2.5. 선적한 대 모로코 지원물자의 선적서류를 별첨과 같이

송부합니다.

첨부 : 1. (주) 대우 선적의 군수물자 5개품목 선적서류.

2. (주) 고려무역 선적의 수술기구세트 선적서류. 끝.

0084

1505－25(2－1) 일(1)갑
85. 9. 9. 승인　　"내가아낀 종이 한장 늘어나는 나라살림"　　190㎜×268㎜ 인쇄용지 2급 60g/㎡
가 40－41 1990. 5. 28

분류기호 문서번호	마그20005- 26 ( )	협조문용지	결 재	담 당 허또행	과 장	국 장
시행일자	1991. 2. 8.					
수 신	총무과장(외환)	발 신	중동아프리카국장 (서명)			
제 목	외환지불의뢰					

걸프사태 관련 대 모로코 지원물자중 91.2.5. 선적물자에 대한

경비를 다음과 같이 지불하여 주시기 바랍니다.

- 다   음 -

　1. 지불액 : $549,645.8

　2. 지불처 : (주) 고려무역

　　ㅇ 지불은행 : 제주은행 서울지점

　　ㅇ 구좌번호 : 963-THR 109-01-0

　3. 지불근거 : 정무활동, 해외경상이전, 걸프사태 주변피해국지원

　4. 지불내역(선적물자)

　　ㅇ 수술기구세트(10조) $549,645.8

　첨부 : 1. 재가 공문사본 2부.

0085　　　2. (주) 고려무역의 청구서 및 선적서류 사본 각 1부.　끝.

1505 - 8 일 (1)
85. 9. 9 승인 "내가아낀 종이 한장 늘어나는 나라살림"
190mm×268mm (인쇄용지 2급 60g / ㎡)
가 40-41 1990. 1. 24

株 式 會 社 高 麗 貿 易

電 話 : (02) 737-0860
F A X : (02) 739-7011
TELEX : KOTII K34311

서울 特別市 江南區 三成洞 159番地

貿易會館 빌딩 11層

TRADE CENTER P.O. BOX 23,24.

수 신 : 외무부 마그레브 과장

제 목 : 걸프만 사태 관련 지원물대 송금 신청

폐사는 귀부와의 계약에 의거하여 아래와 같이 걸프만 사태 관련 지원물품을 기 선적하였

아오니 송금조치 하여 주시기 바랍니다.

- 아   래 -

1. 선적물품 내역

품 목	수 량	금 액	선적일	도 착 예정일	선 명	선적항	도착항
GENERAL SURGERY INSTRUMENT	10 SETS	U$ 549,645.80	2/5	3/8	TOYAMA V-016	PUSAN	CASA- BLANKA
합 계		U$ 549,645.80					

2. 비 고

    가. 모로코 계약분 U$ 549,646.80 (OFFER NO. : KOOBS-20001/A) 전량 선적 완료.

    나. (주) 대우와 협의 동일 선박에 선적 하였음.

3. 송 금 처 : 제주은행 서울지점

    구좌번호 : 963-THR 109-01-0

    예 금 주 : (주) 고 려 무 역.   끝.

1 9 9 1 年 2 月 5 日

鍾 路 輸 出 本 部 海 外 事 業 팀

0086

관리
번호 91-
259

외 무 부

종 별 :

번 호 : MOW-0148   일 시 : 91 0328 1630

수 신 : 장관(중동이)

발 신 : 주 모로코 대사

제 목 : 대주재국 군수물자 지원

대:WMO-0026

대호 군수물자는 3.11. 카사블랑카항에 입항하여 현재 주재국 국방성이 봉관조치를
취하고 있음을 보고함. 끝

   (대사이종업-국장)

   예고:91.6.30 일반

1991.6.30. 예고문에
의거 일반

중아국   1차보   2차보

16303

기 안 용 지

분류기호 문서번호	중동이20005-	(전화 :	)	시 행 상 특별취급	
보존기간	영구·준영구. 10. 5. 3. 1.	장		관	
수 신 처 보존기간					
시행일자	1991. 5. 9.				

보 조 기 관	국 장	전 결	협 조 기 관		문 서 통 제	
	심의관					
	과 장	李				
기안책임자		허 덕 행			발 송 인	

경 유		발 신 명 의	
수 신	주 모로코대사		
참 조			

제 목	대 모로코 물자지원

　　1. 걸프사태관련 대 모로코 지원물자(개인용텐트)의 선적서류

(4.27 및 4.30선적)를 별첨과 같이 송부합니다.

　　2. 동 개인용텐트는 당초 '91.4.30까지 전량 71,866개를 선적할

예정이었으나 생산업체의 노동쟁의로 인해 일부 선적이 지연된바, 잔여분

36,616개는 5월중순까지 추가선적할 예정이니 참고바랍니다.

　　첨　　부 : 선적서류 각 2부.　끝.

0088

1505-25(2-1) 일(1)갑
85. 9. 9. 승인　"내가아낀 종이 한장 늘어나는 나라살림"　190mm×268mm 인쇄용지 2급 60g/㎡
가 40-41 1990. 5. 28

DAEWOO CORPORATION

541, 5-GA, NAMDAEMOON-RO, JUNG-GU, SEOUL, KOREA
C. P. O. BOX 2810, 8269, SEOUL, KOREA / TELEX: DAEWOO K23341-5, DWDEV K24444, K22868 / CABLE: "DAEWOO" SEOUL TEL: 759-2114

APR. 27, 1991

ATTN : MINISTERE DE LA DEFENSE NATIONALE, MAROC

RE : SHIPPING ADVICE

WE HAVE THE PLEASURE TO INFORM YOU THAT WE HAVE DULY SHIPPED INDIVIDUAL TENT
WITH FOLLOWING DETAILS.

ITEM	Q'TY	AMOUNT (U$)	S/D	ETA CASABLANCA	VESSEL NAME	PORT OF LOADING	DESTINA TION
INDIVIDUAL TENT	12,500PCS	200,875.-	91.4.27.	91.5.30.	NEDLLOYD HOUTMAN V-136	BUSAN	CASABLANCA

WE HOPE THE GOODS REACH YOU IN GOOD CONDITION AND GIVE YOU COMPLETE SATISFACTION.

ENC. 1) COMMERCIALL INVOICE 3
     2) PACKING LIST   3
     3) BILL OF LADING ORIGINAL 3 AND COPY 1
     4) INSURANCE POLICY ORIGINAL 2 AND COPY 1

_____
AUTHORIZED SIGNATURE

0089

주식 회사 대우

서울·중구 남대문로5가 541 (대우센터) 우편번호 100-714 (텔렉스 : DAEWOO K23341, K24295, K24444)
• 무역부문 : 중앙사서함2810/전화 : 759-2114 • 건설부문 : 중앙사서함 8269/전화 : 759-2114 • FACSIMILE : 753-9489

대우특자 제 91-141호   1991. 4. 30.

수 신 : 외무부 장관

참 조 : 중동 2과장

제 목 : GULF만 사태관련 지원물품 납기지연 사유

1. 평소 귀부의 후의에 감사드립니다.

2. 폐사가 귀부와의 계약에 의거 GULF만 사태와 관련 MOROCCO향 지원물품
(개인용 텐트, 71,866PCS/U$1,154,886.62)을 1991. 4.30까지 선적토록 하였으나 폐사 하청업체인
대신기업(주)의 노동쟁의로 인해 하기와 같이 35,250PCS만 납기내 선적하였고 잔여분 36,616PCS는
5월13일까지 선적지연이 불가피한바, 동 상황에 대한 귀부의 선처를 바랍니다.

- 하 기 -

차수	수 량	금 액	선적일	도착예정	선 명	선적항	도착항
1차	12,500PCS	$200,875.00	'91.4.27	'91.5.30	NEDLLOYD HOUTMAN V-136	BUSAN	CASABLANCA
2차	22,750PCS	$365,592.50	'91.4.30	'91. 6.5	"NJM"V-148 AT PUSAN CITY OF EDINBURGH V-146	BUSAN	CASABLANCA

-, 잔여분 (36,616PCS / U$588,419.12)은 5월13일까지 2회 분할 선적 예정.

유 첨 : 1) 계약서 1부

        2) 노동쟁의 발생 확인서 1부. 끝.

대표이사 윤   영

0090

노 동 쟁 의 발 생 확 인 서

상   호 : 대신기업주식회사

대 표 자 : 구 상 모

쟁의기간 : 91. 3. 12 ~ 91. 4. 5.

용   도 : 외무부 제출용

부   수 : 3 부

상기와 같이 노동쟁의 발생신고 사실을 확인하여 주시기바랍니다.

1991.   4.   12.

신 청 인 : 대 신 기 업 주 식 회 사

대표이사 구   상

위 사실을 확인함.

1991.   12.

경 기 지 방 노 동 위 원 회 위 원

0091

주식 회사 대우

서울·중구 남대문로5가 541 (대우센터) 우편번호 100-714 (텔렉스 : DAEWOO K23341, K24295, K24444)
• 무역부문 : 중앙사서함2810/전화 : 759-2114 • 건설부문 : 중앙사서함 8269/전화 : 759-2114 • FACSIMILE : 753-9489

대우 특자 91-126호   1991. 4. 30.

수 신 : 외무부 마그레브과장

제 목 : GULF만 사태관련 지원물대 송금요청

　　　　폐사는 귀부와의 계약에 의거 아래와 같이 GULF만 사태관련 지원물품을
기 선적하였아오니 송금조치하여 주시기 바랍니다.

- 아   래 -

1. 선적물품 내역

품 목	수 량	금액 (U$)	선적일	도착예정	선 명	선적항	도착항
텐 트	12,500PCS	200,875.-	91.4.27.	91.5.30.	NEDLLOYD HOUTMAN V-136	BUSAN	CASABLANCA

2. 비고

-, 개인용 텐트 1차 선적분임.

-, 2차 선적 완료. (4/30 22,750PCS / U$365,592.50)

-, 잔여분 (36,616PCS / U$588,419.12)은 5월15일까지 2차 분할 선적 예정.

3. 송 금 처 : 제일은행 남산지점 외화당좌

　　예 금 주 : (주)대우

대표이사　윤　영　석

0092

DAEWOO CORPORATION

541, 5-GA, NAMDAEMOON-RO, JUNG-GU, SEOUL, KOREA
C. P. O. BOX 2810, 8269, SEOUL, KOREA/TELEX: DAEWOO K23341-5, DWDEV K24444, K22868/CABLE: "DAEWOO" SEOUL TEL: 759-2114

APR. 30, 1991

ATTN : MINISTERE DE LA DEFENSE NATIONALE, MAROC

RE : SHIPPING ADVICE

WE HAVE THE PLEASURE TO INFORM YOU THAT WE HAVE DULY SHIPPED INDIVIDUAL TENT WITH FOLLOWING DETAILS.

ITEM	Q'TY	AMOUNT (U$)	S/D	ETA CASABLANCA	VESSEL NAME	PORT OF LOADING	DESTINA TION
INDIVIDUAL TENT	22,750PCS	365,592.50	91.4.30.	91.6.05.	"NJM"V-148 AT PUSAN CITY OF EDINBURGH V-146	BUSAN	CASABLANCA

WE HOPE THE GOODS REACH YOU IN GOOD CONDITION AND GIVE YOU COMPLETE SATISFACTION.

ENC. 1) COMMERCIALL INVOICE   3
     2) PACKING LIST   3
     3) BILL OF LADING ORIGINAL 3 AND COPY 1
     4) INSURANCE POLICY ORIGINAL 2 AND COPY 1

AUTHORIZED SIGNATURE

0093

분류기호	중동이 20005-**86**	협조문용지 ( )		심의관:		
문서번호			결 재	담 당	과 장	국 장
시행일자	1991. 5. 22.			최덕행	(서명)	
수 신	총무과장 (외환계)	발 신	중동아프리카국장			
제 목	걸프사태 지원물자 경비지불의뢰					

연 : 마그 20005-26

걸프사태 관련 대모로코 지원물자중 개인용텐트 71,866개의

선적에 따른 경비를 다음과 같이 지불하여 주시기 바랍니다.

- 다 음 -

1. 지 불 액 : $1,146,323.12

2. 지 불 처 : (주) 대우

　ㅇ 지불은행 : 제일은행 남산지점. 외화당좌

3. 산출근거

　ㅇ 개인용텐트 71,866개는 당초 $1,154,886.62 에 공급

　키로 계약체결했으나 (주)대우의 선적지연에 따라 동

　지체상금 $8,653.50 을 제외한 $1,146,323.12 를

　지불함.

　ㅇ 지체상금내역

　　- 5. 6 선적분 : 17,250개 X $16.07 X 1.5/1,000 X 6일

　　　　　　　　　　= $2,494.87

0094

- 5.13 선적분 : 19,366개 X $16.07 X 1.5/1,000 X 13일

= $6,068. 63

계 $8,563. 5

4. 지불근거 : 정무활동, 해외경상이전, 걸프사태 주변피해국

지원

첨 부 : 1. 재가공문사본 1부.

2. 관련계약서 사본 1부.

3. (주)대우의 청구서 사본 1부.

4. 선적서류 사본 각 1부. 끝.

0095

541, 5-GA, NAMDAEMOON-RO, JUNG-GU, SEOUL, KOREA
C.P.O. BOX 2810, 8269, SEOUL, KOREA/TELEX: DAEWOO K23341-5, DWDEV K24444, K22868/CABLE: "DAEWOO" SEOUL TEL: 759-2114

대우 특자 91-126호   1991. 5. 20.

수 신 : 외무부 마그레브과장

제 목 : GULF만 사태관련 지원물대 송금요청

         폐사는 귀부와의 계약에 의거 아래와 같이 GULF만 사태관련 지원물품을 기 선적하였아오니 송금조치하여 주시기 바랍니다.

- 아 래 -

1. 선적물품 내역

품목	차수	수량(PCS)	금액 (U$)	선적일	도착예정	선 명	선적항	도착항
텐트	1	12,500	200,875.00	91.4.27.	91.5.30.	N/HOUTMAN V-136	BUSAN	CASABLANCA
	2	22,750	365,592.50	91.4.30.	91.6.05.	EDINBURGH V-146	"	"
	3	17,250	277,207.50	91.5.06.	91.6.15.	ALSIA V-158	"	"
	4	19,360	311,211.62	91.5.13.	91.6.22.	N/HOORN V-156	"	"
총 계		71,866	1,154,886.62					

2. 지체상금 내역

   1) 17,250PCS X $16.07 X 1.5/1,000 X 6일 = U$2,494.87
   2) 19,366PCS X $16.07 X 1.5/1,000 X 13일 = U$6,068.63

       T O T A L   :   U$8,563.50

3. 송금액
      선적금액 : U$1,154,886.62
     - 지체상금 : U$8,563.50

       TOTAL   : U$1,146,323.12

4. 송 금 처 : 제일은행 남산지점 외화당좌
   예 금 주 : (주)대우

            대표이사   윤 . 영 석

                                              0096

분류기호 문서번호	중동이 20005-	기 안 용 지 (720-2327)	시 행 상 특별취급	
보존기간	영구.준영구 10. 5. 3. 1	장 관		
수 신 처 보존기간				
시행일자	1991. 5.22.	예		

보조 기관	국 장	전결	협 조 기 관		문 서 통 제
	심의관				
	과 장				
기안책임자		허 덕 행			발 신 1991.5.18 19 20 21 22 23 24
경 유 수 신 참 조		주 모로코 대사	발신명의		
제 목		대 모로코 물자지원			

연 : 중동이 20005-16303

연호 통보한 모로코 지원물자중 선적이 지체된 개인용텐트가

5.6 및 5.13 각기 선적된바, 동 선적서류를 별첨과 같이 송부합니다.

첨 부 : 선적서류 각 3부씩.

0097

DAEWOO CORPORATION

541, 5-GA, NAMDAEMOON-RO, JUNG-GU, SEOUL, KOREA
C. P. O. BOX 2810, 8269, SEOUL, KOREA/TELEX: DAEWOO K23341-5, DWDEV K24444, K22868/CABLE: "DAEWOO" SEOUL TEL: 759-2114

MAY. 13, 1991

ATTN : MINISTERE DE LA DEFENSE NATIONALE, MAROC

RE : SHIPPING ADVICE

WE HAVE THE PLEASURE TO INFORM YOU THAT WE HAVE DULY SHIPPED INDIVIDUAL TENT WITH FOLLOWING DETAILS.

ITEM	Q'TY	AMOUNT (U$)	S/D	ETA CASABLANCA	VESSEL NAME	PORT OF LOADING	DESTINA TION
INDIVIDUAL TENT	19,366PCS	311,211.62	91.5.13.	91.6.22.	NEDLLOYD HOORN V-156	BUSAN	CASABLANCA

WE HOPE THE GOODS REACH YOU IN GOOD CONDITION AND GIVE YOU COMPLETE SATISFACTION.

ENC. 1) COMMERCIALL INVOICE 3
     2) PACKING LIST   3
     3) BILL OF LADING ORIGINAL 3 AND COPY 1
     4) INSURANCE POLICY ORIGINAL 2 AND COPY 1

AUTHORIZED SIGNATURE

0098

DAEWOO CORPORATION

541, 5-GA, NAMDAEMOON-RO, JUNG-GU, SEOUL, KOREA
C.P.O. BOX 2810, 8269, SEOUL, KOREA/TELEX: DAEWOO K23341-5, DWDEV K24444, K22868/CABLE: "DAEWOO" SEOUL TEL: 759-2114

MAY. 06, 1991

ATTN : MINISTERE DE LA DEFENSE NATIONALE, MAROC

RE : SHIPPING ADVICE

WE HAVE THE PLEASURE TO INFORM YOU THAT WE HAVE DULY SHIPPED INDIVIDUAL TENT
WITH FOLLOWING DETAILS.

ITEM	Q'TY	AMOUNT (U$)	S/D	ETA CASABLANCA	VESSEL NAME	PORT OF LOADING	DESTINA TION
INDIVIDUAL TENT	17,250PCS	277,207.50	91.5.06.	91.6.15.	"ALSIA" V-158	BUSAN	CASABLANCA

WE HOPE THE GOODS REACH YOU IN GOOD CONDITION AND GIVE YOU COMPLETE SATISFACTION.

ENC. 1) COMMERCIALL INVOICE 3
     2) PACKING LIST   3
     3) BILL OF LADING ORIGINAL 3 AND COPY 1
     4) INSURANCE POLICY ORIGINAL 2 AND COPY 1

_____
AUTHORIZED SIGNATURE

0099

정 리 보 존 문 서 목 록

기록물종류	일반공문서철	등록번호	2020110084	등록일자	2020-11-18
분류번호	721.1	국가코드	XF	보존기간	영구
명 칭	걸프사태: 주변국 지원, 1990-92. 전12권				
생 산 과	중동2과/북미1과	생산년도	1990~1992	담당그룹	
권 차 명	V.11 쿠웨이트, 1991				
내용목차					

0001

報 告 事 項

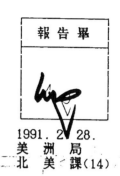

報 告 畢

1991. 2. 28.
美 洲 局
北 美 課(14)

題 目 : 걸프事態 追加支援 豫算確保 및 執行計劃 會議 結果 報告

> 걸프사태 관련 미국에 대한 추가지원 예산확보 및 집행계획 관련, 관계
> 부처 회의결과를 다음과 같이 보고 드립니다.

1. 회의일시 및 장소 : 91.2.28(목) 15:00-16:30

   제1차관보실

2. 회의 참석자 : 이정빈 제1차관보(주재), 미주국장, 경기원 예산실

   제1심의관, 국방부 군수국장외 관계관

3. 회의결과

   가. 대미 추가지원예산확보 및 집행

   1) 현금 및 수송지원 1.1억불

   ○ 미측이 현금지원 요청 규모를 제시해 올 경우, 제1차 지원 예산중

   잔액(현재 약 58백만불)을 우선 전용하여 사용하되, 부족액은

   경기원측과 협의를 거쳐 91년도 정부 예비비에서 충당함.

   ○ 1.1억불은 예비비 또는 91년도 추가경정 예산에 반영, 보전토록 함.

0002

2) 군수물자 지원 1.7억불

　 o 우선 91년도 국방부 예산 및 국고채를 전용, 사용토록함.
　　 (경기원과 국방부간 협의)

　 o 동 1.7억불은 91년도 추가경정 예산에 반영, 보전 조치함.

3) 대미 군수물자 지원 집행

　 o 미측의 공식입장 접수후, 세부 집행계획을 수립, 실시함.

　 o 양국 국방 당국간에 협의된 주한미군 물자 보충(걸프전에 반출된
　　 부분) 5천만불은 우선 추진함.

나. 영국에 대한 전비지원

　 o 미측이 대미 군수물자 지원 약속액의 일부를 영국에 대한 지원으로 전용
　　 하는 방안을 수용할 경우, 영국에 지원 방침 통보

　 o 이 경우에도 실제 지원은 1.7억불의 군수물자 지원을 위한 예산이 추경에
　　 반영된후 실시

다. 쿠웨이트에 대한 긴급지원

　 o 쿠웨이트측이 요청해온 군복 2만착(약 56만불 상당, 수송비 별도)
　　 긴급 지원
　　 - 소요예산은 제1차 지원시의 예비비 잔액 134만불에서 충당

　 o 의약품 및 생필품 긴급 지원 필요
　　 - 소요재원은 1차 지원 약속시 시리아에 약속한 군수물자 지원을
　　 위해 배정한 600만불을 활용하는 방안 검토　　끝.

예 고 : 91.12.31.일반

착 신 전 문

국 방 부   2부7

암 호 수 신

종   별 : 초긴급
번   호 : SBW-0602
수   신 : 국방부장관
발   신 : 주사우디무관
제   목 : 쿠웨이트군

일   시 : 102271200

  대 : WSB-0395 (2.21)

  대 : SBW-0529 (2.20)

 1. 대호건 주재국 "알코바" 위치한 쿠웨이트 육군 사령부 중령 ABDULAZIZ AL BIN ALI로부터 FAX 및 전화통화로 전투복 수량 및 규격을 요청받았음.

 2. 전투복 규격 및 수량

  -S S----625,- " R----1125,- " L---- 750

  -M S----1125,- " R----2525,- " L----1350

  -L S----625, " R----625- " L----750

  -X-L R----300, X-L L----200 : TOTAL 10,000 착   *2000 착 변경*

 3. 인도일시 : 1개월이내 (아국의 생산 기간고려), 인도장소 : "다란" 공항

 4. 접축 창구 : LTC, AA ALBIN ALI, 전화 : 09663-899-3200, 3234, (F AX) 899-32175. 추가적으로 전투모, 전투화에 대해서는 3.1일 규가녁별로 수량 신청예정이며, 아국의 지원에 대하여 감사함을 표명하였음. 끝.

착 신 전 문

무 운	기 회 실	장 관 실	차 관 실	의 장 실	칭 와 대	육 군
1 과	무 연	기관실장	1차관보	3 국	안 기 *	해 군
2 과	수 존	경 기 관	2차관보	5 국	보 안 사	공 군
3 과	기 정	인 사 국	군 수 국	7 국	국 방 연	연 합 사
징 경	정 보	방 산 국	사업관실	세 조 실	국 과 연	국 대 원

PAGE 1

0004

분류번호	보존기간

발 신 전 보

WJD-0133   910302 1544 DP

번 호 : ~~쿠웨이트대사~~

종별 : ~~(주젯다 총영사 경유)~~ WSB-0458

수 신 : 주 ~~젯다~~ ~~대사.~~ 총영사 (수신 : 주쿠웨이트 소병용대사)
사본 : 주사우디대사

발 신 : 장 관 (중동이)

제 목 : 쿠웨이트군에 대한 군복 긴급지원

1. 쿠웨이트군 군사고문 단장인 Slok (미군)은 91.2.20. 주 사우디 아국 무관을 방문, 사우디 전방배치 쿠웨이트군을 위한 사막용 전투복 2만착(약56만불 상당, 수송비 별도)지원을 요청하여 온바 있음. 이는 당초 쿠웨이트군이 미군에 전투복을 요청하였으나 미군의 재고부족으로 지원이 어려워 아측에 다시 요청케 된것이라 함.

2. 본부는 걸프사태 지원금에서 지원하는 방안을 ~~현재~~ 검토중인바 이를 참고하여 쿠웨이트 망명정부측과 접촉, 동 쿠웨이트측 요청내용을 확인하고 현지공급 요망시기 및 요청품목의 상세한 스펙을 확인, 보고바람. 끝.

(중동아국장 이 해 순)

예고 : 91.12.31. 일반.

검토필(1991. 6. 30)

앙 고 재	91년 2월 28일	중동2과	기안자 성명 허영량		과 장	심의관	국 장		차 관	장 관	보 안 통 제

외신과통제

분류번호	보존기간

발 신 전 보

번   호 : WSB-0462   910303 1805 DP 종별 : _____

수   신 : 주   사우디   대사//총영사 (걸프사태 조사단장)
                                    (사본 : 주쿠웨이트 소병용 대사)

발   신 : 장   관(중동일)

제   목 : 긴급 인도적 원조 검토

　　　　일부 보도에 의하면 전쟁지역에 콜레라등 전염병 만연 가능성이
있다고 하는 바, 우리가 전후 긴급 인도적 원조로서 식수, 의약품등의
지원을 검토할 필요성이 있는지를 염두에 두고 현지 사정 파악 보고 바람.
전염병 관련사항은 아국군 의료지원단의 의견도 참고가 될 것임. 끝.

　　　　　　　　　　　　　　　　　　(중동아국장   이 해 순)

예고 : 91.12.31.까지

검토필(1991.6.30.)

보안통제	

앙고재	91년 3월 3일	아프리카과	기안자 성명 이태로		과 장	심의관	국 장		차 관	장 관

외신과통제

0006

관리 번호	91- 19

외 무 부

종 별 : 지 급

번 호 : SBW-0657

일 시 : 91 0304 1600

수 신 : 장관(중이,국방부)

발 신 : 주 쿠웨이트 대사(주사우대사관경유)

제 목 : 군복지원(19)

대:WSB-133

대호 제의를 금 3.4 SHAIKH SABAH 외무장관에게 주사우디 쿠웨이트대사관 경유
하여 문서로 알렸음, 회신이 오는대로 보고하겠음

(대사 소병용-국장)

예고:91.12.31 일반

검토필(1991.6.30.)

사본→기메주3과일

중아국   국방부

외 무 부

종 별 : 지 급

번 호 : SBW-0675   일 시 : 91 0305 2000

수 신 : 장관(중일,기정,)

발 신 : 주 쿠웨이트 대사(주사우디대사경유)

제 목 : 긴급 인도적 원조(24)

대:WSB-462.

   3.5 AL-AYOUB 의전장 면담시(SBW-673 참조) 표제관련 쿠웨이트의 사정을 문의한바, 쿠웨이트 보건성은 백만명분의 의약품등을 확보하고 있다고 밝히고 있어별문제는 없는것으로 알고 있으나, 한국정부가 이러한 원조를 제의하는것은 좋은 제스쳐가 될것이므로 한국이 공여할수있는 의약품등의 품목과 수량을 제시해주면 쿠웨이트 관계 당국이 검토하여 적극적으로 반응하게 될것이라고 했으므로 이러한 방안을 검토하시기 건의함

   (대사소병용-국장)

   예고:91.12.31 까지

검토필(1991. 6.30.)

중아국	장관	차관	1차보	2차보	청와대	안기부

     91.03.06   08:31

외신 2과 통제관 BW

0008

분류번호	보존기간

발 신 전 보

WSB-0512   910308 1858 FD

번   호 : ＿＿＿＿＿＿＿＿＿＿   종별 : ＿＿＿

수   신 : 주   쿠웨이트   대사 ·~~총영사~~ (주 사우디 대사 경유)

발   신 : 장 관   (중동이)

제   목 : 긴급 인도적 원조

대 : SBW-0675

연 : WSB-0462

대호 관련, 쿠웨이트 보건성이 백만명분의 의약품을 확보하고 있다면 ~~의약품~~
지원은 ~~원조효과면에서 적절치 않은 것으로 판단되나~~ 쿠웨이트가 긴급히 필요한
다른 품목이 있으면 건의바람.   끝.

(중동아국장 이 해 순)

		보 안 통 제	

앙 고 재	91 년 3 월 8 일	과	기안자 성명		과 장		국 장 전밀		차 관		장 관

외신과통제

0009

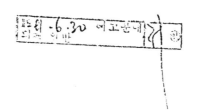

관리 번호	91- 189

외 무 부

종   별 : 긴 급

번   호 : SBW-0714 　　　　　　　　　　일   시 : 91 0309 1100

수   신 : 장관(중일,중이,신일,신이,사본:주JO,BH대사)

발   신 : 주 사우디대사

제   목 : 쿠웨이트 대사관 재개

대:WSB-509-513,515,519

1. 소병용 주쿠웨이트 대사등 4 명이 금 3.9 쿠웨이트로 입국하기 위해 작 3.8 당지를 출발하였고 동인들이 당관 비상무선봉신장비를 휴대하고 출발하였기 때문에 쿠웨이트대사관과 교신할 수단이 없어 대호 전문들을 당관에서 전달할 방법이 없음

2. 주쿠웨이트대사관은 명 .3.10 부터 (KST)1700 및 2200 시에 주요르단및 바레인대사관과 무선교신을 시험예정인바, 동대사관을 봉해 전달하는것이 좋을것으로 봄

(대사대리 박명준-국장)

예고:91.6.30 까지

중아국	중아국	신일	신이

PAGE 1 　　　　　　　　　　　　　　　　　　　　91.03.09　　18:38

　　　　　　　　　　　　　　　　　　　　　　　외신 2과 통제관 CH

　　　　　　　　　　　　　　　　　　　　　　　　　0010

외 무 부

종 별 : 지 급

번 호 : KUW-0010   일   시 : 91 0313 1600

수 신 : 장관(중동일)

발 신 : 주 쿠웨이트 대사

제 목 : 군복 긴급 지원

대:WJD-0133

1. 대호 기증품에곤해서 주재국 외무담당 국무장관은 금 3.13. 가능한대로 전량 2만벌 을 속히 공급해 달라고 하였음

2.SPEC 에 관해서는 아직 KU 측으로 부터 특별한 제시가 없는바 이를 신속히 진행시키기 위하여 최근 우리 업체가 ①SB 에 납품했던 군복과 같은 것으로 공급해 주겠다고 봉보해도 좋을지 그리고 주재국 측에서 ②SB 에 납품했던 군복과 다른 모양등 SPEC 을 제시해 오면 우리가 수락할 수 있는지를, ③공급가능 시기와 함께 지급 회시바람. 끝.

(대사 -국장)

예고:911231 일반

접 토필(1991.6.30)

○ 제직 20인
○ 생산 25인
금식.신식UNion

중아국 , 차관   2차보

원 본

외 무 부

종 별 : 지 급

번 호 : KUW-0012   일 시 : 91 0313 1600

수 신 : 장관(중동일)

발 신 : 주 쿠웨이트 대사

제 목 : 긴급인도적 지원

대:WBH-0126

연:SBW-0675

대호 원조품목을 조사하는데 있어 원조 물품 구입예산 규모를 알면 도움이 되겠으니 동예산 규모 회시바람.

(대사 -국장)

예고:91.12.31 일반

검토필(1991.6.30.)

중아국   2차보

관리
번호 91/257

외 무 부

종 별 : 지 급

번 호 : KUW-0020　　　　　　　　　일 시 : 91 0315 1800

수 신 : 장관(중동일), 사본:주사우디대사-중계필

발 신 : 주 쿠웨이트 대사

제 목 : 군복 긴급지원

　　대:WJD-0133

　　연:KUW-6,10

　1. 연호, 쉐이크 낫세르 외무담당 국무장관은 하기 내용의 수락서한(91.3.14자)을 봉보해옴.

　'대사각하, 우방 대한민국 정부의 KU 정부에 대한 군복 2 만벌 기증제의에 관한 각하의 서한에 관련하여 그간 우방 대한민국 정부의 KU 국 지원, 그리고 이번 기증에 대하여 KU 정부의 이름으로 사의를 표하며, 양국 국민간의 우의를 더한층 증진하게 되었음을 기쁘게 생각합니다. KU 정부가 희망하는 군복의 SPEC 은다음과 같습니다.

　- MEDIUM INTERNATIONAL SIZE :1 만벌

　- LARGE INTERNATIONAL SIZE : 1 만벌

　KU 외무담당 국무장관 낫세르 알 사바'

　2.KU 측의 조기수령 희망을 감안, 가능한한 조속한 시일내에 조치바라며 추진 경과를 수시로 당관에 알려주기를 바람. 끝.

　(대사-국장)

　예고:91.12.31 일반

중아국	장관	차관	1차보	2차보	정와대	안기부

PAGE 1　　　　　　　　　　　　　　　　　　　91.03.16　　05:35

　　　　　　　　　　　　　　　　　　　　　외신 2과　통제관 CE

　　　　　　　　　　　　　　　　　　　　　　　0013

발 신 전 보

WKU-0021   910318 1922   FH

번   호 : ＿＿＿＿＿＿＿＿＿＿   종별 : ＿＿＿＿＿

WBH-0149

수   신 : 주 쿠웨이트 대사, 총영사

발   신 : 장 관 (중동이)

제   목 : 대 쿠웨이트 지원사업

대 : 1) KUW-0010, 0020, 2) KUW-0012
연 : WJD-0133

1. 주재국에 대한 군복 2만벌 지원건은 쿠웨이트 정부의 희망을 감안,
사우디에 납품했던 군복과 같은 사막전투복의 조기공급을 추진하고 있으며
국내공급 사정은 다음과 같음.

ㅇ 1만벌 : 3월말 선적 4월말 도착

ㅇ 1만벌 : 4월말 선적 5월말 도착

2. 현재 쿠웨이트 에 대한 지원은 우선 연호 군복 지원예산
(50-60만불 상당)만을 확보하였으므로 주재국에서 명시적으로
긴급 요청하지 않는한 귀관에서 먼저 거론치 않는 것이 좋겠음. 끝.

(중동아국장 이 해 순)

예고 : 91.12.31.일반.

검토필(199?.6.30.)

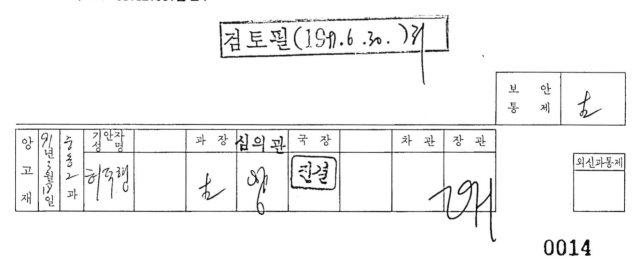

보 안 통 제	초

앙 고 재	91년 3월 18일	능동2과	기안자성명 허 ㅇ행	과 장 초	심의관 영	국 장 전결	차 관	장 관 서명

외신과통제

0014

3. (주)고려무역으로 하여금 귀관에 상기 Offer서류를 DHL편 직송토록
했는바 발주시에는 동사가 직접계약 체결토록 조치바람.

(중동아국장 이 해 순)

외 무 부

종 별 :

번 호 : KUW-0031

수 신 : 장관(중동일)

발 신 : 주 쿠웨이트 대사

제 목 : 군복 긴급지원

일 시 : 91 0318 1730

연:KUW-10,20

1. 연호 군복은 사우디 군복과 같은 무늬 및 모양 으로 하기 바람.

2. KU 측에서는 이번 기증 군복에 갑은 무늬의 모자와 T 셔츠(런닝셔츠)를 포함시켜 줄것을 요망하고 있음. 다소 예산이 더 들더라도 기증 취지와 목적을 극대화 하기 위하여 KU 측의 희망대로 모자와 셔츠를 함께 공급케 하실것을 건의함

(대사-차관)

예고:91.12.31.일반

검토필(1991.6.30.)

중아국   차관   1차보   2차보

91-
450

<table>
<tr>
<td rowspan="2">분류기호
문서번호</td>
<td colspan="2">중동이20005-674</td>
<td colspan="2">기 안 용 지
(전화 :   )</td>
<td>시 행 상
특별취급</td>
<td></td>
</tr>
<tr>
<td rowspan="2">영구·준영구.
10. 5. 3. 1.</td>
<td colspan="4" rowspan="2">장   관</td>
</tr>
<tr>
<td>보존기간</td>
</tr>
<tr>
<td>수 신 처
보존기간</td>
<td></td>
<td colspan="4"></td>
</tr>
<tr>
<td>시행일자</td>
<td>1991. 3.22.</td>
<td colspan="4"></td>
</tr>
<tr>
<td rowspan="3">보
조
기
관</td>
<td>국 장</td>
<td>전 결</td>
<td rowspan="3">협
조
기
관</td>
<td></td>
<td>문 서 통 제</td>
</tr>
<tr>
<td>심의관</td>
<td></td>
<td rowspan="2"></td>
<td>1991. 3. 25</td>
</tr>
<tr>
<td>과 장</td>
<td></td>
<td>발 송 인</td>
</tr>
<tr>
<td>기안책임자</td>
<td colspan="2">허 덕 행</td>
<td></td>
<td>1991. 3. 25</td>
</tr>
<tr>
<td>경 유
수 신
참 조</td>
<td colspan="2">국방부장관
군수국장</td>
<td>발
신
명
의</td>
<td></td>
<td></td>
</tr>
<tr>
<td>제 목</td>
<td colspan="5">쿠웨이트군에 대한 군복지원</td>
</tr>
</table>

1. 당부는 쿠웨이트에 대한 군복 조기지원을 위히여 '91.3월말

까지 제작되는 군복 1만착은 귀부에서 추진중인 군의료지원단 귀국용

항공기(대한항공) 출발시 탑재, 발송코자합니다.

2. 상기관련 대한항공과 전세기 계약시 동 군복 1만착의 발송이

별도 송료부담없이 발송되도록 협조하여 주시고 가부를 긴급 회보하여

주시기 바랍니다. 끝.   검토필(1991.6. 김 __)

0017

외 무 부

원 본

종 별 :

번 호 : KUW-0045

일 시 : 91 0323 1600

수 신 : 장관(중동일)

발 신 : 주 쿠웨이트 대사

제 목 : 공군 수송단 활용

대:WKU-35

연:KUW-43

KU 공항에는 현재 민간항공기는 취항치 못하고 있으나 군 항공기는 운항되고 있음.
끝.

(대사-국장)

예고: 91.6.30 일반

19 91.6.30 예고문에
의거 일반

중아국

PAGE 1

91.03.24   15:53

외신 2과 공제관 CD

0018

320 걸프 사태 주변국 지원 4: 터키, 모로코, 쿠웨이트, 기타

외 무 부

종   별 :

번   호 : KUW-0048   일   시 : 91 0323 1600

수   신 : 장관(중동일,기정)

발   신 : 주쿠웨이트대사

제   목 : 공항,항만

대:WKU-23

1.SHEIKH NASER 외무담당 국무장관에게 물어서 확인한바로는 SHUAIBA 항구는 호주의 전문가팀이와서 최종적으로 수중 위험물은 제거하여 금주초에 정식으로 개항하여 외국상선이 안전하게 입.출항할 수 있다고 함.

2.국제공항은 아직 민간항공기에 개방 되고 있지않으며 예상일자를 정확하게 이야기할 수는없으나 4월중에는 민간항공기가 취항할 수있게 될것이라고 함.

한편, 쿠웨이트 정부측으로 부터 확인된 것은아니나, 현재 미국이 관리하고 있는쿠웨이트국제공항이 3.28.경 쿠웨이트 민항당국에게관리이전될 예정이라고 하므로 그후 민항당국으로서의 약간의 준비시간이 정식재개전에 필요할 것으로 생각됨.끝.

중아국   1차보   2차보   정문국   안기부

0019

외 무 부

종 별 :

번 호 : KUW-0049   일 시 : 91 0323 1600

수 신 : 장관(총인,중동일),사본:주사우디대사-직송필

발 신 : 주쿠웨이트대사

제 목 : 건설관,KOTRA 직원부임

연KUW-16

　기왕에 여러 관련 전문으로 보고드린 당지의 업무관련 형편과 리야드 경유하여 육로로 당지까지오는 실제적인 어려움을 참작하여 연호 건설관과 KOTRA 직원은 4월중순까지 예상되는 당지 민간항공 취항후 부임토록 일단 조치해 주시기바람.

종무과　　중아국

쿠웨이트 군복 수취인

1. 수취인 주소 : Ministry of Defence Gevernment of the
   State of Kuwait
   P.O. BOX (1170-Safat) - 13012
   Kuwait City, Kuwait

2. 연 락 처   : Minister's Office
   Ministry of Defence
   Kuwait City, Kuwait
   (Tel: 481-9720, 9277, 1623)

0021

외 무 부

종 별 : 지 급

번 호 : KUW-0053

일 시 : 91 0324 1600

수 신 : 장 관(중동일)

발 신 : 주 쿠웨이트 대사

제 목 : 쿠웨이트 지원

　　1. 금 3.24. 외교단 브리핑에서 AL-SHAHEEN 외무차관은 쿠웨이트가 현재 치료용 액체산소 실린더 2천개를 급히 필요로 한다면서 외교단에 긴급 지원 요청을 했으니, 우리가 공급 가능한 품목이라면, 지원해 줄것을 건의하며, 우선 공급가능 여부 긴급 회시바람.

　　2. 한편, 동 브리핑시 쿠웨이트 의료 상태에 관한 토의과정에서 AL-SHAHEEN 외무차관은 현재 의사는 어느정도 확보하여 그런대로 괜찮은 편이나 대폭 부족한 간호인력을 지원받을 수 있으면 좋겠다고 말한바있음을 참고로 보고함. 단, 간호원 지원 요청은 우리가 전에 했던 의료단이 동 제의와 전혀 무관하게 독립적으로 논의된 것이었음을 참고하시기 바람. 끝.

　　(대사-국장)

중아국 　1차보 　2차보

PAGE 1

91.03.24　　23:00 CT

외신 1과 통제관

0022

발 신 전 보

번   호 : WBH-0163　　910325 1646 DQ 　종별 : _____

　　　　　　　　　　　　　　　　　　　　　WKU -0040

수   신 : 주　쿠웨이트　　대사. 총영사

발   신 : 장   관　　(중동이)

제   목 : 군복긴급지원

　　　　대 : KUW-0031

　　　　연 : WKU-0021

　　1.　대호 쿠웨이트측의 요청과 관련, 군복 2만착 이외에 모자 및 T 셔츠의
공급도 추진할 예정임.

　　2.　상기 물자의 공급과 관련, 쿠웨이트 함만 ~~및 공항~~ 기능의 조기회복
전망이 불투명하므로 사우디 담만 또는 다란 ~~으로 보내고자~~ ~~~~하는바 쿠웨이트
정부측에서 트럭등 운송수단을 담만 또는 다란까지 보내 인계받을 수 있도록
협의하고 결과 보고바람.　조기 제작되는 군복일부(1만착) 는 군의료 지원단
귀국용 KAL 특별기편 탑재, 사우디 다란공항까지 발송하는 방안도 검토중에
있음을 참고바라며, 잔여 군복 및 모자 2만개는 4월중순 선적, 군용 T셔츠
2만장은 6월말경 선적 예정임.　끝.

　　　　　　　　　　　　　　　　　　　　(중동아국장 이 해 순)

예고 : 91.12.31. 일반.

검토필(1991. 1. 30.)

0023

관리번호	91-제41

외　무　부

종　별 : 지　급

번　호 : KUW-0066　　　　　　　　일　시 : 91 0326 1700

수　신 : 장관(중동이)

발　신 : 주쿠웨이트대사

제　목 : 군복지원

[handwritten notes] 중동이라 이름 바꿀
[handwritten] 차례 *[handwritten]* 것인가?
[handwritten] 호, 관계기관 중방부등과 협의.

연:KUW-45,48

대:WKU-40

[handwritten: 지급검토] 1. 대호, 군복 일차분 1 만벌의 KAL 특별기편 다란 공항 수송계획과 관련하여, 현재 KU 국제공항이 항공기가 착륙하는데 기술적인 문제가 전혀 없으므로, 제반 홍보효과등 고려, 적어도 일차분은 KAL 특별기편으로 공수하되, KU 공항에 기착, 하역하는 방안으로 하여 주실것을 건의함. 2. 상기 건의에 대한 본부 지시 접수후 당관에서는 KU 측에 관련사항을 통지하고 특별기 착륙허가등 필요한 절차를 취하고자 함. 끝.

(대사-국장)

예고:91.12.31 일반

[stamp] 검토필(1991.6.30.)

중아국　　차관　　1차보　　2차보

국　　　　　방　　　　　부

156 R 281430
근거 24403-537   (795-6217)   91. 3. 28
수신 외무부장관   (1년)
참조 중동아프리카국장
제목 쿠웨이트군 군장류 구매 협조 요청

　　1. 관련근거 : 연 SBW-0786(91.3.21) 쿠웨이트 군장류 구매 요구
　　2. 위 관련근거에 의거 사우디 주재 쿠웨이트 무관이 아 주사우디 무관을
통해 첨부와 같이 쿠웨이트군 군장류 구매 문의를 해 왔습니다.
　　3. 이에 따라 당부에서 품목별 가격 및 인도기간을 통보해 주었으며
('91.3.22) 일부 품목은 쿠측이 3.27까지 구매의사를 알려주면 4.9 의료
지원단 철수 전세기 편으로 수송 가능함을 통보 하였습니다.
　　4. 그러나, 현재 쿠웨이트 무관의 사우디 부재로 확인이 불가한 실정인 바,
귀부에 주 쿠웨이트 대사관을 통해 긴급 조회하여 주시기를 협조 바랍니다.
참고로, 쿠웨이트측의 의사를 4.1까지 확인할 수 있으면 의료지원단 철수 전세기
편에 수송이 가능하겠습니다.

　　첨부 : 주사우디무관 전문 1부.　끝.

1991. 5. 28

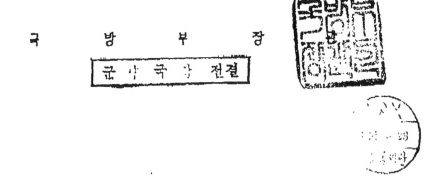

국　　　방　　　부　　　장

군 사 국 장 전결

확
1991. 3. 21

0025

	분류번호	보존기간

발 신 전 보

번   호 : WKU-0058   910328 1927 CO   종별 : 지급
WBH-0174

수   신 : 주 쿠웨이트   대사 /총영사

발   신 : 장 관 (중동일)

제   목 : 쿠웨이트 군장류 구매 협조

1. 국방부는 주사우디 무관과 주사우디 쿠측 무관(MR. SALEH 대령)간에
    아군복 및 군장류 구매 문제가 거론 되었다하며 동 SALEH 대령이 동건
    협의차 귀지에 체재하고 있다 하니 가능하면 동인을 접촉, 쿠웨이트의
    구매 의사를 확인 보고하여 주시기 바람.

2. 국방부측에 의하면 4.1.한 쿠측의 구매의사가 확인되면 일부 품목은 4.9.
    의료단 철수 KAL 전세기편 수송이 가능하다함.

                                        (중동아국장   이 해 순)

예 고 : 91.6.30. 까지

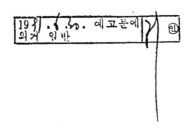

앙 고 재	일년월일	기안자성명		과 장	심의관	국 장		차 관	장 관		보 안 통 제
											외신과통제

	분류번호	보존기간

발 신 전 보

번 호 : WKU-0055   910328 1804 FO 종별 :

WBH -0172

수 신 : 주 쿠웨이트   대사. ~~총영사~~

발 신 : 장 관   (중동이)

제 목 : 군복지원

대 : KUW-0066

연 : WKU-0090

1. ~~쿠웨이트에 대한 군복지원은 조기수송을 위해 일부 대한항공 특별기편 수송~~
~~탑재도 고려했으나 군복도 군수물자로서 민감한 품목인점을 감안, 항공기편 탑재는~~
~~추진하지 않기로 했으니 양지바람.~~

2. ~~이애따라~~ 군복 1만착은 4월초 선적, 두바이 경유 바지선으로 쿠웨이트항
까지 운송하고, 잔여 군복 1만착 및 모자는 4월20일경, 군용 T셔츠는 6월말경
선적을 추진중에 있는바 동 화물수취인의 주소 및 연락처를 확인 보고바람. 끝.

예고 : 91.12.31. 일반.

(중동아 국장   이희순)

검토필(1991.6 .30.)

보 안 통 제	초

앙 고 재	기년 3월 28일	중동2과	기안자 성명 이경행		과 장 초	심의관 양	국 장 전결		차 관	장 관 191	외신과통제

0027

분류기호 문서번호	중동일 720-	기안용지 (720-2327)		시 행 상 특별취급	
보존기간	영구·준영구 10. 5. 3. 1	차 관		장 관	
수 신 처 보존기간					
시행일자	1991. 3. 28.				

보조 기관	국 장		협 조 기 관		문 서 통 제
	심의관				
	과 장	가			
기안책임자		박 규 옥			발 송 인

경 유		발신명의	
수 신	보사부장관		
참 조	기획관리실장		
제 목	대쿠웨이트 의료물품 지원		

    1. 주 쿠웨이트 대사는 3.24 외교단 브리핑에서 AL-SHAHEEN

쿠웨이트 외무차관은 쿠웨이트가 현재 치료용 액체 산소 실린더 2천개를

급히 필요로 한다면서 이의 지원을 요청하였음을 보고하면서 공급가능한

경우 지원해 줄것을 건의하여 왔는바, 양국간 국익증진 차원에서 동

물품이 지원 될수 있도록 적극 검토하여 주시고 그 결과를 지급 회시하여

주시기 바랍니다.

    2. 또한 주 쿠웨이트 대사는 상기 차관이 쿠웨이트 의료인력

문제에도 언급, 의사는 어느정도 확보된 상태이나 간호인력이 상당수

부족한 관계로 어려움을 겪고 있다고 설명하고 외교단에　　/계속....

0028

간호요원이 지원될수 있기를 희망하였다 하는바, 아국 간호원 지원문제도

아울러 검토하여 주시기 바랍니다.　　끝.

0029

지 급

기 안 용 지

분류기호 문서번호	중동이 20005- 345	(전화 :)	시 행 상 특별취급	
보존기간	영구·준영구. 10. 5. 3. 1.	장 관		
수 신 처 보존기간				
시행일자	1991. 3. 27.			

보 조 기 관	국 장	전 결	협 조 기 관		문 서 통 제
	심의관				접수 1991. 3. 28
	과 장				
기안책임자		허 덕 행			발 송 인

경 유 수 신 참 조	국방부장관 군수국장	발 신 명 의		1991. 3. 28

제 목	대 쿠웨이트 군복지원

연 : 중동이 20005-674(91.3.25)

주 쿠웨이트 대사는 연호 대한항공 특별기편 군복지원과 관련,

쿠웨이트 공항이 항공기 이착륙에 기술적인 문제가 전혀 없으므로,

제반 홍보효과를 감안 동 특별기를 쿠웨이트 공항까지 운항, 하역

토록 건의하여 왔는바, 대항항공과 전세기 계약시 쿠웨이트 공항까지

추가 운항토록 협조하여 주시기 바랍니다. 끝.

2 2결과를 회보

검 토 필 (1991. 6. 30.)

예고 : 91. 12. 31. 일반

0030

의료용 액체 산소 실린더 구입

※ 공급처 : 한국 고압용기 서울 사무소 212-6820 (이창환 영업차장)

1. 실린더 종류 :　ㅇ　10.2 리터 (앰블런스용)

　　　　　　　　　ㅇ　20.2 리터

　　　　　　　　　ㅇ　40.2 리터 (병원 응급실용)

※ 주문 요청에 따라 상이 규격 제작 가능

2. 제작 소요기간 :

　　ㅇ　규격품 주문시 3주 소요

　　ㅇ　별도규격 주문시 1달반 소요

3. 가격 :　ㅇ　10.2 리터 : W 50,600　　재고: 없음

(6만원) 16돈　ㅇ　20.2 리터 : W 71,500　　재고: 100개
8만원

25돈 ←　ㅇ　40.2 리터 : W 94,600　　재고: 700-800개 (CIF ＝ $135)

ㅇ 신규제작에 3-4주 소요
ㅇ 항공운송 (40ℓ 500개) 10만,000$ 소요

록산범 협력

500개당 지원 방안 약 1억원,

육로로 쿠웨이트로 해상 도착,

5억1천만 견적받음 검토예약 선적 →

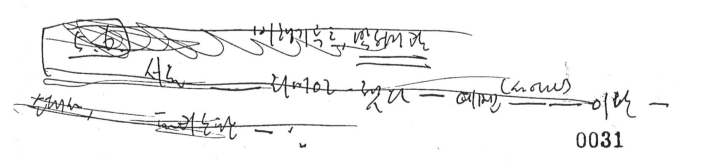

1. 쿠웨이트에 대한 긴급지원

  가. 쿠웨이트군에 대한 군복 2만착 지원

    ㅇ 쿠웨이트군 군사고문 단장인 Slok(미군), 91.2.20. 사막용 전투복
      2만착 긴급지원 요청

    ㅇ 주 쿠웨이트 대사, 쿠웨이트 정부에 문의한바, 외무담당 국방장관
      은 3.13. 가능한 전량 2만착을 조속 공급해 줄것을 희망

    ㅇ 걸프사태 물품지원 대행업체(고려무역)에 물품발주토록 요청중
      - 걸프사태 지원금 예비비에서 56만불 상당 배정

  나. 의약품 및 생필품 긴급지원

    ㅇ 전후 콜레라등 전염병 만연에 대비, 의약품등 긴급 지원가능성
      검토

    ㅇ 쿠웨이트 보건성이 백만명분의 의약품을 확보하고 있으므로
      쿠웨이트측에서 특별히 요청하지 않는한 추후 거론하지 않을 예정

0032

관리 번호	9/- 260

외 무 부

종 별 :

번 호 : KUW-0084(B

일 시 : 91 0329 1300

수 신 : 장관(중동이)

발 신 : 주 쿠웨이트 대사

제 목 : 군복지원

대:WKU-55 1.수취인 주소:MINISTRY OF DEFENCE GEVERNMENT OF THE STATE OF KUWAIT

P.O. BOX(1170-SAFAT)-13012

KUWAIT CITY, KUWAIT

2. 연락처:MINISTER'S OFFICE

MINISTRY OF DEFENCE

KUWAIT CITY, KUWAIT

(TEL:481-9720,9277,9623). 끝.

(대사-국장)

예고:91.6.30 일반

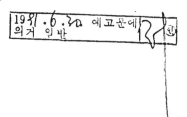

1991.6.30 예고문에 의거 일반

중아국

PAGE 1

KUWAIT 지원 품목별 검토

1991. 3. 29.

1. 군복 및 군모

　가. 검토 경위

　　　당사에서는 수출경험이 있는 대신기업, 원용산업, 금성염직, 신생유니온

　　　등에 접촉을 취하였음.

　　　기 제출한 3월 20일자 검토의견서에 언급하였듯이 우선 10,000 착의 군복은

　　　조기선적이 가능한 원용산업에, 그리고 나머지 10,000 착의 군복과 20,000

　　　개의 군모는 대신기업에 발주 하는것이 바람직 하다고 사료됨.

　나. 검토 내용

　　가격 및 DELIVERY

구　　　분	원용산업(군복)	대　신　기　업	
		군　　복	군　　모
단　　　가 (F.O.B.)	@$ 19.80	@$ 17.-	@$ 1.60
단　　　가 (CIF BY SEA)	@$ 21.51	@$ 18.61	@$ 1.75
AMOUNT	U$ 215,100.-	U$ 186,100.-	U$ 35,000.-
DELIVERY	4/5	4/17	4/17

2. 군용 T-SHIRTS

　가. 검토 경위

　　　전문 생산업체인 (주) 백양, (주) 쌍방울, (주) 대창메리야스 등에서

　　　OFFER 를 접수한바, (주) 백양이 가격면에서 가장 저렴함.

0034

나. 가격 및 DELIVERY

    1) 업체명 : (주) 백 양

    2) 가 격

       가) F. O. B. : U$ 1.80

       나) CIF BY SEA : U$ 2.109

       다) AMOUNT : U$ 42,180.- (@$ 2.109 X 20,000PCS)

    3) DELIVERY : WITHIN 90DAYS AFTER CONTRACT DATE (6월말예정)

    4) SIZE : M - 10,000 PCS

                  L - 10,000 PCS

3. 치료용 산소 실린더

  가. 검토 경위

    현재 국내 생산업체는 (주) 한국 고압용기 하나 뿐임.

    1991. 3. 29. 현재 제고물량은 20.0ℓ 가 100개 40.2ℓ 가 700개임.

  나. 가격 및 DELIVERY

    1) 업 체 명 : (주) 한국고압용기

    2) 가 격

       가) F. O. B. : U$ 115.83

       나) CIF BY SEA : U$ 143.73

       다) AMOUNT : U$ 71,865.-

    3) DELIVERY

    4) 규 격

       가) WATER CAPACITY : 40.2ℓ

       나) GAS CAPACITY : 6.0㎥

       다) DIAMETER : 232.0㎜

       라) LENGTH : 1,200㎜

       마) NOMAL W'T : 47KG

0035

외 무 부

종 별 :

번 호 : KUW-0092(B44-010)　　　　　　　일 시 : 91 0330 1600

수 신 : 장관(중동이)

발 신 : 주 쿠웨이트 대사

제 목 : 군복지원

대:WKU-55

　　3.30. 본직은 SHEIKH NASER 외무담당 국무장관을 만나 대호 선적일정및 모자와 T 셔츠 추가지원 방침을 문서로 전달하며, 설명하였음. NASER 장관은 우리측의 지원에 다시한번 사의를 표한다면서, 4.1. 외교단 브리핑에서 동 내용을 발표하겠다고 말함. 끝.

　　(대사-국장)

　　91.6.30 일반

19 91.6.30 예고문에
의거 일반

중아국

長官報告事項

1991. 4. 1.
中東.아프리카局
中東 2 課(16)

題 目 : 걸프만사태 관련 쿠웨이트에 대한 긴급지원 실시

> 걸프사태와 관련 쿠웨이트 정부의 긴급지원 요청에 따라 군복에
> 이어 의료장비 지원요청이 있었는바 관련사항 및 대책을 다음과 같이
> 보고드립니다.

○ 걸프전쟁기간중인 '91.2.20. 쿠웨이트군 군사 고문단장 Slok(미군)의
  사막용 전투복 2만착 긴급지원 요청에 따라 주 쿠웨이트 대사가 쿠웨이트
  정부에 확인한바 외무담당 국무장관이 3.13. 군복 2만착을 조기 공급해
  줄 것을 희망했음. 또한 쿠웨이트 정부는 군복이외에 모자와 T 셔츠도
  함께 지원해 줄 것을 요망하였음.

○ '91.2.28. 걸프사태 추가지원 문제 협의를 위한 관계부처 대책회의에서
  쿠웨이트에 대한 긴급지원을 결정하고 재원은 걸프사태 지원금 예비비에서
  56만불을 지출키로 함(기보고)

○ 한편 쿠웨이트 외무차관은 3.24. 외교단 브리핑에서 치료용 액체산소
  실린더 2천개를 긴급 지원해 줄 것을 요청하였으며, 주 쿠웨이트 대사는
  동 지원을 건의하여 왔는바 상기 군복지원이 당초 예상보다 적은 약 48
  만불만 소요될 예정이므로 약 7만불 상당의 액체산소 실린더 500개를
  지원코자 함. 이 경우 쿠웨이트에 대한 지원총액은 55만불이 됨.

미주국장 :

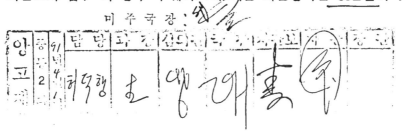

0037

一般豫算檢討意見書

199 *1* . *4* . *2* .　　　중동2 課

事業名	걸프사태관련 쿠웨이트 긴급지원		
支辨科目	細項	目	金額
	1211	341	$550,245.<u>00</u>

檢	討	意	見

主務者	정무활동, 해외경상이전 에서 집행.
擔當官	〃
調整官	〃

0038

기 안 용 지

<table>
<tr><td rowspan="2">분류번호
문서번호</td><td>중동이20005-</td><td colspan="2">(전화 :   )</td><td>시 행 상
특별취급</td><td></td></tr>
<tr><td rowspan="2">영구 · 준영구
10. 5. 3. 1.</td><td colspan="2">차   관</td><td colspan="2">장   관</td></tr>
<tr><td rowspan="1">보존기간</td><td rowspan="3">전 결</td><td></td><td colspan="2"></td></tr>
<tr><td>수 신 처
보존기간</td><td></td><td></td><td colspan="2"></td></tr>
<tr><td>시행일자</td><td>1991. 4. 1.</td><td></td><td colspan="2"></td></tr>
</table>

<table>
<tr><td rowspan="3">보조
기관</td><td>국 장</td><td></td><td rowspan="4">협조
기관</td><td colspan="2">기획관리실장</td><td>문 서 통 제</td></tr>
<tr><td>심의관</td><td></td><td colspan="2">총무과장</td><td></td></tr>
<tr><td>과 장</td><td></td><td colspan="2">기획운영담당관</td><td></td></tr>
<tr><td colspan="2">기안책임자</td><td>허 덕 행</td><td colspan="2"></td><td>발 송 인</td></tr>
</table>

<table>
<tr><td>경 유
수 신
참 조</td><td>건   의</td><td>발
신
명
의</td><td></td></tr>
<tr><td>제   목</td><td colspan="3">걸프만 사태 관련 쿠웨이트에 대한 긴급지원실시</td></tr>
</table>

걸프사태 관련 쿠웨이트 정부가 긴급지원을 요청한 물자를

다음과 같이 지원코자하니 재가하여 주시기 바랍니다.

- 다   음 -

1. 지원물자   (단위 : $)

품 목	공급업체명	공급일정	가격(CIF)	수 량	금 액
군복	원용산업	4. 5	21.51	10,000	215,100

/계속.../

0039

군복	대신기업	4.17	18.61	10,000	186,100
모자	대신기업	4.17	1.75	20,000	35,000
T셔츠	대신기업	6.30	2.109	20,000	42,180
액체산소 실린더	한국고압용기	4.12	143.73	500	71,865

합계 : 550,245

2. 지출근거

ㅇ 정부활동, 해외경상이전, 걸프만사태 관련 주변피해국 지원 예비비

첨부 : 1. (주) 고려무역의 견적서 및 수출계약서

2. 관련 보고서 및 전문   끝.

검토필(1991.6.4.)

예고: 91. 12. 31 까지

0040

輸 出 契 約 書

"甲"　外　　務　　部

　　　中東 2 課長　鄭　鎭　鎬

"乙"　株式會社　高　麗　貿　易

　　　代表理事　副社長　高　一　男

　　　上記 "甲" "乙" 兩者間에 다음과 같이 輸出契約을 締結한다.

第 1 條 : 輸出物品의 表示

　　　　　　別　　添

第 2 條 : "甲" 은 上記 第1條의 物品貸金을 船積書類 受取後 "乙" 에게 支給한다.

第 3 條 : "乙" 은 上記 第1條의 物品을 別添上의 船積日字와 같이 KOREAN PORT 港
　　　　　(또는 空港)에서　KUWAIT　　　　　行 船舶(또는 航空機)에 船積하여야
　　　　　한다.　但, 불가피한 事由로 船積이 遲延될 境遇에는 1990. 12. 21.
　　　　　外務部長官과 "乙" 間에 締結된 輸出代行業體 指定 契約書 第4條 規定에
　　　　　依하여 "乙" 은 "甲" 에게 船積 遲延事由書를 提出하고 "甲" 은 同 遲滯
　　　　　償金 免除 與否를 決定한다.

第 4 條 : "乙" 은 船積完了後 7日 以內에 "甲" 이 船積物品 通關에 必要한 諸般
　　　　　船積書類를 "甲" 또는 "甲" 의 代理人에게 提出 또는 現地公館에 送付
　　　　　하여야 한다.

- 1 -

0041

第 5 條 : 上記 船積物品의 品質保證 期間은 船積後 1 年間으로 하며, 이 期間中
正常的인 使用에도 不拘하고 製造不良이나 材質 또는 조립상의 하자가
發生할 境遇 "乙"의 責任下에 解決한다.

本 契約에 明示되지 않은 事由에 對하여는 걸프만 事態 供與品 輸出 代行 契約書
에 따른다.

1991 年 3 月 30 日

"甲" 外 務 部   "乙" 株式會社 高麗貿易
서울特別市 江南區 三成洞 159
中東 2 課長 鄭 鎭 鎬   代表理事 副社長 高 一

- 2 -

0042

C.I.F. KUWAIT

A. GOODS TO BE SHIPPED NOT LATER THAN APR. 5, 1991

    1. TRAINING FIELD UNIFORM

                            10,000SETS   @$ 21.51 U$ 215,100.-
      - 50% POLYESTER 50% CARDED COTTON
      - SIZE : M (7,500SETS), L (2,500SETS)

      S. TOTAL :   U$ 215,100.-

B. GOODS TO BE SHIPPED NOT LATER THAN APR. 12, 1991

    1. SEAMLESS HIGH PRESSURE GAS CYLINDER(EMPTY)

                          500PCS   @$ 143.73 U$ 71,865.-
      - WITH KOREAN VALVE & CAP
      - WATER CAPACITY : 40.2 LITER

      S. TOTAL :   U$ 71,865.-

C. GOODS TO BE SHIPPED NOT LATER THAN APR. 17, 1991

    1. TRAINING FIELD UNIFORM

                            10,000SETS   @$ 18.61 U$ 186,100.-

      - 50% POLYESTER 50% CARDED COTTON
      - SIZE : M (2,500SETS), L (7,500SETS)

    2. CAMOUFLAGE CAP

                            20,000PCS   @$ 1.75   U$ 35,000.-
      - 50% POLYESTER 50% CARDED COTTON
      - SIZE : 56CM (6,500PCS), 58CM (7,000PCS), 60CM (6,500CM)

      S. TOTAL :   U$ 221,100.-

D. GOODS TO BE SHIPPED NOT LATER THAN JUN. 30, 1991

    1. OLIVE GREEN (KHAKI) T-SHIRTS HALF SLEEVE

                            20,000PCS   @$ 2.109 U$ 42,180.-

      - 100% COTTON 49'S/1 DOUBLE KNIT
      - SIZE : M (10,000PCS), L (10,000PCS)

      S. TOTAL :   U$ 42,180.-

      G. TOTAL :   U$ 550,245.-

0043

誓 約 書

受 信 : 外務部長官

題 目 : 걸프만 事態에 따른 供與用 物品供給

　　　　敝社는 貴部가 主管하는 表題 事業이 緊急支援 및 秘密維持를 要하는

國家的 事業임을 認識하고, 今般 KUWAIT 國에 供與하는 TRAINING FIELD UNIFORM, ETC

物品을 供與契約 締結함에 있어 아래 事項을 遵守할 것을 誓約하는 바입니다.

1. 物品供給 契約時 品質 價格面에서 一般 輸出契約과 最小限 同等한 또는 보다

　　有利한 條件을 適用한다.

2. 締結된 契約은 보다 誠實하고 協助的인 姿勢로 履行한다.

3. 同 契約 內容은 業務上 目的 以外에는 公開하지 않는다.

　　　　　　　　　　　　　　　1991 年 3 月 30 日

會 社 名 : 株式會社 高麗貿易

代 表 者 : 代表理事 高 一 男

(署名 및 捺印)

0044

KUWAIT 지원 품목별 검토

1991. 3. 30.

1. 군복 및 군모

   가. 검토 경위

   당사에서는 수출경험이 있는 대신기업, 원용산업, 금성염직, 신생유니온

   등에 접촉을 취하였음.

   기 제출한 3월 20일자 검토의견서에 언급하였듯이 우선 10,000 착의 군복은

   조기선적이 가능한 원용산업에, 그리고 나머지 10,000 착의 군복과 20,000

   개의 군모는 대신기업에 발주 하는것이 바람직 하다고 사료됨.

   나. 검토 내용

   가격 및 DELIVERY

구 분	원용산업(군복)	대 신 기 업	
		군 복	군 모
단 가 (F.O.B.)	@$ 19.80	@$ 17.-	@$ 1.60
단 가 (CIF BY SEA)	@$ 21.51	@$ 18.61	@$ 1.75
AMOUNT	U$ 215,100.-	U$ 186,100.-	U$ 35,000.-
DELIVERY	4/5	4/17	4/17

2. 군용 T-SHIRTS

   가. 검토 경위

   전문 생산업체인 (주) 백양, (주) 쌍방울, (주) 태창메리야스 등에서

   OFFER 를 접수한바, (주) 백양이 가격면에서 가장 저렴함.

0045

나. 가격 및 DELIVERY

　1) 업체명 ： (주)백양

　2) 가 격

　　가) F. O. B.　 ： U$ 1.80

　　나) CIF BY SEA ： U$ 2.109

　　다) AMOUNT　　 ： U$ 42,180.- (@$ 2.109 X 20,000PCS)

　3) DELIVERY　 ： WITHIN 90DAYS AFTER CONTRACT DATE (6월말예정)

　4) SIZE　　　 ： M - 10,000 PCS

　　　　　　　　　 L - 10,000 PCS

3. 치료용 산소 실린더

　가. 검토 경위

　　현재 국내 생산업체는 (주)한국 고압용기 하나 뿐임.

　　1991. 3. 30. 현재 재고물량은 20.0ℓ 가 100개 40.2ℓ 가 250개임.

　나. 가격 및 DELIVERY

　　1) 업 체 명 ： (주)한국고압용기

　　2) 가 격

　　　가) F. O. B.　 ： U$ 115.83

　　　나) CIF BY SEA ： U$ 143.73

　　　다) AMOUNT　　 ： U$ 71,865.-

　　3) DELIVERY

　　4) 규 격

　　　가) WATER CAPACITY ： 40.2ℓ

　　　나) GAS CAPACITY　 ： 6.0㎥

　　　다) DIAMETER　　　 ： 232.0mm

　　　라) LENGTH　　　　 ： 1,200mm

　　　마) NOMAL W'T　　 ： 47KG

0046

발 신 전 보

번 호 : WBH-0194   910403 2003 DU   종별 :

WKU -0083

수 신 : 주 쿠웨이트 대사. /총영사

발 신 : 장 관 (중동이)

제 목 : 쿠웨이트 지원

연 ; WKU - 0055

대 ; KUW - 0053

대호 건의를 감안 군복류 이외에 병원용 산소 실린더도 500개 긴급
지원키로 하고 하기와 같이 발주 했는바 화물도착시에는 적절한 기증식을 갖고
주재국측 반응을 상세보고바람.

품 목	선적일	수 량	예상도착일
군 복	4. 5	1만착	5월초
산소실린더	4.12	500개	5월중순
군 복	4.17	1만착	5월중순
모 자	4.17	2만개	5월중순
군용T셔츠	6.30	2만착	7월말

(중동아국장 이 해 순)

예고 ; 91.12.31.일반.

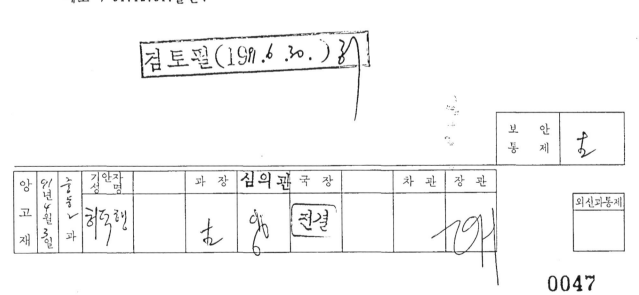

검토필(1991.6.30.)

		보 안 통 제	

앙고재	91년 4월 3일	중동 2과	기안자 성명 허동행		과 장	심의관	국 장 전결		차 관	장 관	외신과통제

0047

외 무 부

종 별 :

번 호 : KUW-0104　　　　　　　　　일 시 : 91 0405 1100

수 신 : 장관(중동이)

발 신 : 주 쿠웨이트 대사

제 목 : 쿠웨이트 지원

　　연:KUW-0053

　　대:WKU-0083

　　대호 지원물품중 산소 실린더는 전후라는 특수한 사정상 주재국측이 긴급히 필요로 하고 있음을 고려, 아국 의료단 수송차 사우디 도착예정인 군수송기편으로 사우디에 수송하여 주면 쿠웨이트측이 이를 현지에서 인수할수 있을것으로 사료되는바, 동 군수송기편 송부 가능여부 지급 회시바람. 끝

　　(대사-국장)

　　예고:91.12.31. 일반

　　　　　　　검토필(1991.6.30.)

중아국　　1차보　　2차보

PAGE 1

분류번호	보존기간

발 신 전 보

번 호 : WKU-0086   910406 1301 FN   종별 :

WGH-188

수 신 : 주   쿠웨이트   대사. 총영사

발 신 : 장 관   (중동이)

제 목 : 쿠웨이트 지원

    대 : KUW-0104

    연 : WKU-0066

    대호 산소실린더의 항공편 지원문제는 연호 통보한 사유외에도 화물중량이
과중하여 불가능하였고 이미 발주된것인바 양지바람.   끝.

(중동아국장 이 해 순)

예고 : 91.12.31. 까지

검토필(1991.6.30.)

	보안통제	

앙고재	91년 4월 6일	중동2과	기안자 성명		과 장	심의관	국 장		차 관	장 관		외신과통제
			러먹행				전결					

0049

13807

기 안 용 지

분류기호 문서번호	중동이 20005-	(전화:)	시 행 상 특별취급	
보존기간	영구·준영구. 10. 5. 3. 1.	장 관	
수 신 처 보존기간			
시행일자	1991. 4. 10.		

보 조 기 관	국 장	전 결	협 조 기 관		문 서 통 제
	심의관				
	과 장				
기안책임자		허 덕 행			발 송 인

경 유 수 신 참 조	주 쿠웨이트 대사	발 신 명 의	

제 목	걸프사태 지원

　　대 : ₩KU-0083

　　쿠웨이트군에 대한 긴급지원물자인 군복 1만착이 '91.4.4 선적

('91.5.9경 쿠웨이트항 도착예정)된바, 동 선적서류를 별첨과 같이

송부합니다.

　　첨 부 : 선적서류 2부.　끝.

0050

1505-25(2-1) 일(1)갑
85. 9. 9. 승인　　"내가아낀 종이 한장 늘어나는 나라살림"
190mm×268mm　인쇄용지 2급 60g/㎡
가 40-41 1990. 2. 10.

외 무 부

종 별 :

번 호 : KUW-0123   일 시 : 91 0410 1640

수 신 : 장 관(중동일)

발 신 : 주 쿠웨이트 대사

제 목 : 쿠웨이트지원

대:WKU-83

1. 본직은 우리정부가 대호 산소실린더 지원결정을 4.9. AL SHAHEEN 외무차관에게 알리고 상세한 내용을 문서로 전달하였음.

2. 또한 동 지원에 대한 홍보 필요상 보사부 당국자에게도 통보함이 좋을것으로 사료되어 정참사관이 4.10. AL-MAQUEED 보사부 차관과 면담을 갖고, 이를 통보한바, 동차관은 한국정부에 감사를 표한다고 하고, 동 실린더의 크기및 무게등을 사전에 알수 있으면 좋겠다고 말하였음.

3. 당관은 또 동지원 사실이 널리 홍보될 수있도록 라디오 방송국에 동 보도를 요청하고 결과 대기중임.

4. 상기 2항 관련, 동 실린더의 무게 및 크기등을 통보바람.끝.

(대사-국장)

중아국

91.04.11   09:05 WG

외신 1과 통제관

0051

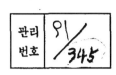

원 본

중동이라크이첩

종 별 :

번 호 : KUW-0132   일 시 : 91 0412 1700

수 신 : 장관(중동일,정홍,기정)

발 신 : 주 KU 대사

제 목 : 군복,산소봉 기증 홍보

연:KUW-123

　문공부측은 연호 지원내역이 시사성의 문제로 라디오등에서 취급되기는 어렵다고
생각되어 AL-AMBA 등 4 개 신문에 공보부 뉴스 ITEM 으로 취급토록 조치하였다고 함.

　이신문들은 아직 해외에서 인쇄, 배포되고 있음. 끝.

(대사-국장)

91.6.30 일반

중아국　　정문국　　안기부

PAGE 1

발 신 전 보

분류번호	보존기간

번 호 : WKU-0107   910413 1200 DF   종별 : _____

수 신 : 주 쿠웨이트   대사. 총영사

발 신 : 장 관   (중동이)

제 목 : 쿠웨이트 긴급지원

대 : KUW-0123

대호 문의한 실린더의 규격을 다음 통보함.

o Water Capacity : 40.2 리터

o Gas Capacity : 6 ㎥

o Diameter : 232 ㎜

o Length : 1.2 m

o Weight : 47 KG

(중동이국장 이 해 순)

분류기호 문서번호	중동이 20005-ᅢ3	협조문용지 ( )	결 재	담 당	과 장	국 장

심의관 :

시행일자	1991. 4 . 17.		

수 신	총무과장(외환)	발 신	중동아국장

(서명)

제 목	경비지불의뢰

쿠웨이트에 대한 긴급지원물자로서 군복 1만착외 4.4,병원

치료용 산소실린더 500개가 4.11 각각 선적된바 동 경비를 다음과

같이 지불하여 주시기 바랍니다.

- 다   음 -

1. 지불처

   ㅇ (주) 고려무역

   ㅇ 제주은행 서울지점

   ㅇ 구좌번호 : 963-THR-109-01-0

2. 지불액

   ㅇ $286,965

3. 선적물자   (단위 : 미불)

품 목	수 량	단 가	금 액
군 복	10,000	21.51	215,100
산소실린더	500	143.73	71,865
		합 계 :	286,965

첨 부 : 1. 재가공문 사본 1부.

        2. 계약서 및 청구서, 선적서류 사본 각 1부. 끝.0054

株 式 會 社 高 麗 貿 易

電　話　: (02) 737-0860
F A X　: (02) 739-7011
TELEX　: KOTII K34311

서울 特別市 江南區 三成洞 159番地
貿易會館 빌딩 11層
TRADE CENTER P.O. BOX 23,24.

수　신　: 외무부 중동 2과장

제　목　: 걸프만 사태 관련 지원물대 송금 신청

　　폐사는 귀부와의 계약에 의거하여 아래와 같이 걸프만 사태 관련 지원물품을 기 선적하였

아오니 송금조치 하여 주시기 바랍니다.

- 아 　　　　　　　　 래 -

1. 선적물품 내역

품　　　목	수　량	금　　　액	선적인	도 착 예정일	선　　　명	선적항	도착항
TRAINING FIELD UNIFORM	10,000SETS	U$ 215,100.-	4/4	5/9	UNI MORAL V-0162-061W	BUSAN	KUWAIT
GAS CYLINDER	500PCS	U$ 71,865.-	4/11	5/19	UNI MODEST V0163-067W	BUSAN	KUWAIT
합　　　계		U$ 286,965.-					

2. 비 고

　　걸프만 사태 관련 쿠웨이트 지원 계약분 ('91. 3. 30.) U$ 550,245.- 중 4월 5일 이전

선적 예정분 및 4월 12일 이전 선적 예정분 계획대로 전량 선적 완료.

3. 송 금 처 : 제주은행 서울지점

　　구좌번호 : 963-THR 109-01-0

　　예 금 주 : (주)고려무역.　끝.

1 9 9 1 年　4 月　12 日

鐘 路 輸 出 本 部 　海 外 事 業 팀

0055

원 가 계 산 (TRAINING FIELD UNIFORM)

환율 : 원/미불
단위 : US $

구 분	F.O.B.	C B M	F 단가	물 송	기준가	I 율 연	료 품 부	M	계
사 전 원 가	19.80 X 10,000 = 198,000.-	44.89125	240.-	10,773.90	236,610.-	1%	2,366.10	3,960.-	215,100.-

원 가 계 산 (GAS CYLINDER)

단위 : US$

비 고	F.O.B.	F			기 준 가	I		M	합 계
		C B M	단 가	송 료		여 율	보험료		
사 전 원 가	115.83 X 500 = 57,915.-	50.0043	240.-	12,001.18	79,051.50	1%	790.52	1,158.30	71,865.-

株 式 會 社 高 麗 貿 易

電 話 : (02) 737-0860

F A X : (02) 739-7011

TELEX : KOTII K34311

서울 特別市 江南區 三成洞 159番地

貿易會館 빌딩 11層

TRADE CENTER P.O. BOX 23,24.

수 신 : 외무부 중동 2과장

제 목 : 걸프만 사태 관련 지원물대 송금 신청

　　폐사는 귀부와의 계약에 의거하여 아래와 같이 걸프만 사태 관련 지원물품을 기 선적하였아오니 송금조치 하여 주시기 바랍니다.

- 아　　　　　　　　래 -

1. 선적물품 내역

품 목	수 량	금 액	선적일	도 착 예정일	선 명	선적항	도착항
TRAINING FIELD UNIFORM	10,000SETS	U$ 186,100.-	4/17	5/30	AL MIRQAB V-55	BUSAN	KUWAIT
TRAINING FIELD CAP	20,000PCS	U$ 35,000.-					
합　　계		U$ 221,100.-					

2. 비 고

　　걸프만 사태 관련 쿠웨이트 지원 계약분 ('91. 3. 30.) U$ 550,245.- 중 4월 17일 이전 선적 예정분 계획대로 전량 선적 완료.

3. 송 금 처 : 제주은행 서울지점

　　구좌번호 : 963-THR 109-01-0

　　예 금 주 : (주)고려무역.　　끝.

1 9 9 1 年 4 月 19 日

鍾 路 輸 出 本 部 海 外 事 業 팀 長 0058

원 가 계 산 (TRAINING FIELD UNIFORM)

업체명 : 대신

단위 : US$

| 비 고 | F. O. B. | F | | | I | | | M | 합 계 |
		C B M	단 가	송 료	기 준 가	율 여	평율대		
사 진 원 가	17 X 10,000 = 170,000.-	44.38708	240.-	10,652.90	204,710.-	1%	2,047.10	3,400.-	186,100.-

원 가 계 산 (MILITARY CAP)

단위 : US$

비 고	F. O. B.	C B M	F			I		M	계
			단 가	송 료	기준가	여 율	보험료		현 금
사 전 원 가	1.60 X 20,000 = 32,000.-	8.22917	240.-	1,975.-	38,500.-	1%	385.-	640.-	35,000.-

기 안 용 지

분류기호 문서번호	중동이20005-	(전화 :)	시 행 상 특별취급	

보존기간	영구·준영구. 10.5.3.1.
수신처 보존기간	
시행일자	1991. 4. 22.

장 관
α 초

보조기관	국 장	전 결
	심의관	
	과 장	초
기안책임자	허 덕 행	

협조기관	

문 서 통 제
접수 191.4.22
발 송 인
1991. 4. 22

경 유	
수 신	주 쿠웨이트 대사
참 조	

발신명의	

제 목	선적서류 송부

쿠웨이트에 대한 긴급지원물자로 군복1만착 및 군복모자 2만개가

91.4.17 선적된바, 동 선적서류를 별첨과 같이 송부합니다.

첨부 : 선적서류 각2부. 끝.

0061

1505-25(2-1) 일(1)갑   190mm × 268mm 인쇄용지 2급 60g/㎡
85. 9. 9. 승인 "내가아낀 종이 한장 늘어나는 나라살림" 가 40-41 1989. 2. 20.

14885

기 안 용 지

분류기호 문서번호	중동이 20005-	(전화 :　　　　　)	시 행 상 특별취급	
보존기간	영구 · 준영구. 10 . 5 . 3 . 1 .	장 관		
수 신 처 보존기간				
시행일자	1991 . 4 . 22 .			

보 조 기 관	국 장	전 결	협 조 기 관		문 서 통 제
	심의관				
	과 장			
기안책임자		허 덕 행			발 송 인

경 유 수 신 참 조	주 쿠웨이트 대사	발 신 명 의	
제 목	선적서류 송부		

　　　　쿠웨이트에 대한 긴급지원물자로 병원용 산소 실린더통 500개가

·91.4.11 선적된바. 동 선적서류를 별첨과 같이 송부합니다.

　　　첨부 : 동 선적서류 각2부.　　　끝.

0062

1505-25(2-1) 일(1)갑　　　　　　　　　　190mm × 268mm 인쇄용지 2급 60g/㎡
85. 9. 9. 승인　　"내가아낀 종이 한장 늘어나는 나라살림" 가 40-41　1989. 2. 20.

364　걸프 사태 주변국 지원 4: 터키, 모로코, 쿠웨이트, 기타

분류기호 문서번호	중동이 75 20005-	협 조 문 용 지 ( )	결 재	담 당	과 장	국 장
						심의관 :
시행일자	1991. 5. 9.					(서명)
수 신	총무과장 (외환계)	발 신	중동아프리카국장			
제 목	경비지불의뢰					

걸프사태 관련 쿠웨이트 지원용 물자가 별첨과 같이 '91.4.17

선적된바, 동 경비를 다음과 같이 지불하여 주시기 바랍니다.

- 다 음 -

1. 지불금액 : $221,100

2. 지 불 처

  ○ (주) 고려무역

  ○ 구좌번호 : 963-THR109-01-0 (제주은행 서울지점)

3. 지출근거 : 정무활동 해외경상이전, 걸프사태관련 지원금

  예비비 (쿠웨이트 긴급지원)

첨 부 : 1. 재가공문사본 1부.

  2. 관련계약서, 선적서류 및 원가계산서 사본 각 1부. 끝.

0063

외 무 부

종 별 :

번 호 : KUW-0188   일 시 : 91 0513 1730

수 신 : 장관(중동일)

발 신 : 주쿠웨이트대사

제 목 : 군복지원

대:중아 20005-13807, WKU-40

1.대호, 표제 1차분이 5.6. 쿠웨이트에 도착 군병참부대에서 인수, 보관중임.

2.온참사관이 5.13.위 군부대를 방문, 물품도착을 확인하고 쿠웨이트 정부에
인도하는 절차를 협의,5.16 본직이 국방장관등 군고위 인사에게 전달하기로
합의함.끝.

(대사-국장)

중아국   1차보

PAGE 1   91.05.13   11:18 BX
                                            외신 1과 통제관

                                            0064

외　무　부

종　별 :

번　호 : KUW-0226

수　신 : 장 관(중동일)

발　신 : 주 쿠웨이트 대사

제　목 : 산소실린더 전달

일　시 : 91 0523 1700

대:WKU-01071.

　본직은 5.23. 온참사관과 함께 AL-FAWZAN 쿠웨이트 보사부장관과 면담을 갖고 표제물품(5.19 당지도착)을 전달하였음.

　2.동장관은 한국정부에 감사를 표한다고 한후 적절한시기에 본직과 간호원등 아국의료인 채용문제를 협의할 생각이라고 언급 함.끝.

　(대사-국장)

중아국

91.05.24　06:54 FN

외신 1과 통제관

0065

KUWAIT T-SHIRTS 선적 관련 협조 요청

1991. 6. 14.

수 신 : 외무부 중동 2과장

1. 걸프사태 관련 KUWAIT 지원 계약분('91. 3. 30.) U$ 550,245.- 중 잔량분
   T-SHIRTS 20,000PCS (U$ 42,180.-) 의 선적과 관련하여 당사에서는 '91.
   6/20 - 6/27 중에 출고를 예정하고 있습니다.

2. 현재 KUWAIT 로의 OCEAN SERVICE 는 국내 UASC (연합해운) 에서만 취급중인 바,
   KUWAIT 항만시설의 복구가 이루어지지 않고 있어 CONTAINER 의 현지 도착과
   동시에 CONSIGNEE 가 TRUCK 을 대기시켜 화물을 찾아가야만 CONTAINER 의 회수가
   용이하고 화물의 분실에 따른 책임도 면할 수 있어, 부산에서의 선적전에 이에
   관련한 별첨 내용의 CONSIGNEE 보증서를 요구하고 있습니다.

3. 따라서, 당사에서는 동 업무의 원활한 추진을 위해 아래와 같이 귀과의 협조를
   요청하오니 선처하여 주시기 바랍니다.

- 아   래 -

가 . 협조사항
   1) 별첨 보증서의 현지 공관 전달 및 현지공관의 CONSIGNEE 전달
   2) 현지 CONSIGNEE 의 보증서 작성 및 UASC(DUBAI 본사) 로의 보증서 전달
   3) 현지 공관의 당사로의 동 보증서 사본 FAX 요망 (6/20 까지)

나 . 비 고
   1) UNITED ARAB SHIPPING CO. (DUBAI 본사) 연락처 (쿠웨이트 국적선사
      이나 쿠웨이트사정상 DUBAI 가 본부임)
      - TEL   : 210808, 218222
      - TELEX   : 49799 UASC EM
      - FAX   : 272581, 230653
      - ATTENTION : MR. R. M.

0066

걸프 사태 주변국 지원 4: 터키, 모로코, 쿠웨이트, 기타

2) UASC 한국 AGENT 연락처 : 연합해운(주)

    - TEL   : (02) 753-0746

    - 담당자 : 심 재 택 과장

3) 귀과와 현지 공관과의 조속한 업무 연락을 위하여 DHL 등 귀과가
   지정하는 통신편으로 당사에서 직접 연락을 취하는 방법도 유용하다고
   사료됨.
   (외무부 파우치 : 매주 월요일 발송, 7일 소요. DHL : 4일 소요)

첨 부 : CONSIGNEE 의 보증서 문안 1부.   끝.

(주) 고 려 무 역 해 외 사 업 팀

0067

LETTER OF GUARANTEE

DATE   :

OUR REF :

TO   :   UNITED ARAB SHIPPING CO.

WE, MINISTRY OF DEFENCE, AS CONSIGNEE OF THE CARGO SHIPPED FROM BUSAN, KOREA
TO SHUAIBA PORT IN KUWAIT UNDER BILL OF LADING NO.......... ON VESSEL
.... VOYAGE NO........ HAVE KNOWLEDGE AS TO THE KUWAIT PORT
AUTHORITY'S TEMPORARY REGULATIONS AND PRESENT CONDITIONS IN KUWAIT WHICH
REQUIRE VESSELS TO DISCHARGE CARGO ON DIRECT DELIVERY BASIS TO RECEIVER'S
TRANSPORT AT SHUAIBA PORT.

WE UNDERTAKE THAT IF THE RECEIVER OF THE CARGO IN KUWAIT FAILS TO PROVIDE FOR
ANY REASON SUFFICIENT TRANSPORT TO REMOVE THE CARGO FROM THE PORT ON DIRECT
DELIVERY BASIS, THEN THE CARRIERS MESSRS UASC/SEA-LAND ARE HEREBY AUTHORISED
TO ARRANGE TO REMOVE AND STORE THE CARGO AT OUR RISK AND EXPENSE OR TO
RETURN THE CARGO TO JEBEL ALI PORT/PORT RASHID IF STORAGE IN KUWAIT/DISCHARGE
FROM THE VESSEL IS NOT ALLOWED FOR WHICH FREIGHT CHARGES AT 50 PERCENT OF
THE OUTWARD LEVEL WILL BE LEVIED. WE UNDERSTAND THAT IN CASE THE CARRIERS
MESSRS UASC/SEA-LAND ARE REQUIRED TO REMOVE AND STORE CARGO, WE ARE LIABLE TO
PAY PENALTY CHARGES AT THE FOLLOWING LEVELS COMMENCING FROM THE DATE OF
DISCHARGE OF THE CARGO FROM THE VESSEL AT SHUAIBA.

        15 KUWAITI DINARS PER 20'CONTAINER PER DAY

        30 KUWAITI DINARS PER 40'CONTAINER PER DAY

        30 KUWAITI DINARS PER TEU FOR REFRIGERATED CONTAINER PER DAY

        750 FILS PER REVENUE TON FOR GENERAL CARGO

FURTHER WE FULLY INDEMNIFY THE CARRIERS MESSRS UASC/SEA-LAND AGAINST ALL
LOSSES/DAMAGES ARISING OUT OF OR IN CONNECTION WITH FAILURE OF RECEIVERS TO
PROVIDE TRANSPORTATION FOR RECEIPT OF CARGO AS UNDERTAKEN ABOVE.

                                            _____
                                            AUTHORIZED SIGNATURE

                                                            0068

<주> B/L NO. VESSEL NAME, VOYAGE NO. 는 빈칸으로 둘것

관리번호 9/705

발 신 전 보

번 호 : WKU-0209   910617 1536 FN 종별 :

수 신 : 주 쿠웨이트   대사.//총영사

발 신 : 장 관   (중동이)

제 목 : 쿠웨이트군에 대한 군복지원

연 : WKU-0083 (91.4.3)

1. 연호 통보한 군복용 티셔츠 2만착이 예정대로 6월말 선적될 예정인바, 운송사인 연합해운측은 쿠웨이트 항만시설의 복구가 미완성 상태에 있어 콘테이너의 현지도착과 동시에 Consignee인 국방부가 트럭을 대기시켜 화물을 찾아가야만 동 콘테이너의 회수가 용이하고 분실을 방지할 수 있으므로 부산에서 선적전에 이와관련한 Consignee의 보증을 요청하고 있는바, 동사업의 원활한 추진을 위해 적극 협조바람.

2. 동 보증서 양식은 대행업체인 고려무역에서 귀관에 DHL편 직송 예정인바, 국방부측에 전달, 하기 연합해운의 Dubai 본사에 연락토록 조치하고 결과 보고바람.

   ○ 연락처 : United Arab Shipping Co
   ○ 전 화 : 210808, 218222, Telex : 49799 UASC EM,
        FAX : 272581, 230653

(중동아국장 이 해 순)

예고 : 91.12.31.일반.

검토필(1991.6.30.)

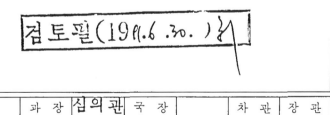

앙고재	91년6월15일	중동2과	기안자성명 최익행	과장	십의관	국장 전결	차관	장관

보안통제 1/6

외신과통제

0069

외 무 부

종 별 :

번 호 : KUW-0309

일 시 : 91 0625 1400

수 신 : 장관(중동이)

발 신 : 주 쿠웨이트 대사

제 목 : 쿠웨이트 기증 군용 T 셔츠 선적

대:WKU-0209

주재국은 6.21-25 까지 EID 휴가(하지가 끝나는것을 축하하는기간)이기 때문에 대호건은 6.26 일 처리하고 보고예정임.끝

(대사-국장)

예고:91.12.31. 일반

검토필(1991.6.30.)

중아국   차관   1차보   2차보

외 무 부

종   별 : 지 급

번   호 : KUW-0311   일   시 : 91 0627 1500

수   신 : 장관(중동이)

발   신 : 주 쿠 대사

제   목 : 쿠웨이트에 대한 군복판매

1. T 셔츠건(관련전문 참조)은 6.29 쿠웨이트 국방부 당국자와 면담약속이 되어있으므로 그때 처리하고 보고하겠음.

2. 이와관련하여 쿠웨이트 국방부는 지난번 송부된것과 같은 군복(상, 하),군모, T 셔츠와 군화를 포함하는 군복일습 2 만벌의 긴급 구매의사를 표시하여왔는바 가격(쿠웨이트항 또는 두바이도착)과 DELIVERY 가능기간을 긴급 봉보바람.

3. 당관은 쿠웨이트측이 "COMPLETE UNFORM' 구매희망을 감안하여 이에추가하여 철모, 팬츠, 탄띠및 수통(각 2 만개)에 대한 가격도 제시코자 함으로 상기 2항 기준한 가격및 DELIVERY 를 아울러 봉보바람.

3. 상기 1-2 항 품목은 최단시일의 인도일자가 가장 중요한 것으로 사료됨. 끝

(대사-국장)

중아국   1차보   2차보

PAGE 1   91.06.28   04:25

외 무 부

종   별 : 지 급

번   호 : KUW-0314　　　　　　　　　　　일   시 : 91 0630 1400

수   신 : 장관(중동이)

발   신 : 주 쿠웨이트 대사

제   목 : 군복등 가격제시

　　대:WKU-0209
　　연:KUW-0311

　　1. 대호관련, 6.30 온참사관이 쿠웨이트 국방부 AL-HAJI 차관보를 방문, 국방부측의 즉시 하역 보증서를 요청한바, 동 차관보는 2-3 일내로 이를 작성하여 당관에 송부하겠다고 약속하였음.

　　2. 동차관보는 연호 군복중 견소매와 반소매를 구분해서 QUATATION 해줄것을 요청하고, 군화의 색상은 군복과 동일색및 사막색으로 하고자한다면서 연호 품목이외의 헬멧과 배낭도 각기 2 만개씩 구입할 예정이라고 언급하고 이의 QUATATION 도 아울러 제시하여 줄것을 요청하였음.

　　3. 동차관보는 또 데리버리 일자와 가격이 가장 중요하다고 하면서 데리버리 일자가 빠르고 가격이 합당하면 앞으로 쿠웨이트군의 모든 개인장비를 우리에게서 구입할 의향이라고 하였음을 참고바람.

　　4. 연호 및 상기 2 항에 대한 데리버리 일자및 QUATATION 을 가능한대로 긴급히 봉보하여 주기바람. 끝

　　　(대사-국장)

중아국　　　1차보　　　2차보

KUWAIT 요청 물품 가격 및 납기 (CIF DUBAI)

1991. 7. 1.

품 목 및 사 양	수 량	단 가	금 액	납 기
1. CAMOUFLAGE UNIFORM				
1) LONG SLEEVE	20,000SETS	@$ 18.99	U$ 379,800.-	발주후 2개월
2) SHORT SLEEVE	20,000SETS	@$ 18.15	U$ 363,000.-	〃

A. MATERIAL : 50% POLYESTER(S.D) 50% CARDED COTTON BLENDED SPUN
YARN WOVEN FABRICS (2/1 TWILL)
59/60" AFTER SCOURED, MERCERIZED,
DYED, PIGMENT PRINTED, P.P PRECURED, PRESHRUNKED &
W/R FINISHED.

B. ACC'S : SEWING THREAD, TAPE, U/BUTTON & ETC.

2. CAMOUFLAGED CAP	20,000PCS	@$ 1.73	U$ 34,600.-	발주후 2개월

A. MATERIAL : SAME AS ABOVE

B. ACC'S : SEWING THREAD, PLASTIC VISOR & ETC.

3. CANTEEN CUP & COVER	20,000SETS	@$ 5.45	U$ 109,000.-	발주후 2개월

A. MATERIAL : 100% NYLON F.YARN WOVEN FABRIC OXFORD
AFTER P/D, W/R, W/P FINISHED 44" WIDTH
N420D X 420D 61X43/INCH

B. ACC'S : PLASTIC CANTEEN & ALUMINIUM CUP, WEBBING, ACRILIC PILE,
HARDWARE & ETC.

4. PISTOL BELT	20,000PCS	@$ 2.69	U$ 53,800.-	발주후 2개월

A. MATERIAL : 100% NYLON FILAMENT YARN (840D) WEBBING 3PLIES,
57M/M WIDTH 127GR/M

B. ACC'S : BUCKLE & EYELET : BRASS MADE
SLIDER & END CLIP : STEEL MADE

5. DESERT BOOTS	20,000PCS	@$ 14.05	U$ 281,000.-	발주후 2개월

A. MATERIAL : SAND COLOR SPLIT SUEDE UPPER WITH MATCHING COLOR COTTON
CANVAS

B. ACC'S : WEBBING TAPE, MATCHING COLOR COTTON CANVAS TONGUE, 9 EYELETS,
MATCHING COLOR PVC STORMWELT, MATCHING COLOR RUBBER MIDSOLE
AND OUTSOLE.

0073

6. MEDIUM PACK   20,000PCS   @$ 35.05   U$ 701,000.-   발주후 3개월

    A. MATERIAL   : 100% NYLON F.YARN WOVEN FABRIC OXFORD
                     AFTER P/D, W/R, W/P FINISHED 4" WIDTH
                     N420D X 420D 61X43/INCH

    B. ACC'S   : ALUMINIUM FRAME, WEBBING, HARDWARE & ETC.

7. MEN'S T-SHIRTS   20,000PCS   @$ 2.07   U$ 41,400.-   발주후 3개월

    100% CARDED COTTON YARN 40'S/1 DOUBLE KNIT
    ROUND NECK AND SLEEVE IS BINDING.

8. MEN'S BRIEF :

    100% COMBED COTTON YARN 40'S/1 1X1 RIB KNIT
    WAIST USED SPAN BAND

    1) OLIVE GREEN COLOR   20,000PCS   @$ 1.37   U$ 27,400.-   발주후 3개월

    2) WHITE   20,000PCS   @$ 1.27   U$ 25,400.-   "

9. BALLISTIC HELMET   20,000PCS   @$ 25.22   U$ 504,400.-   발주후 4개월

    A. MATERIAL   : NYLON CLOTH REINFORCED PLASTIC

    B. WEIGHT   : 900±50GRAM/PC

*   비 고 : 운송기간은 부산출항후 두바이까지 22일정도 소요됨.

0074

KUWAIT 요청 물품 가격 및 납기 (CIF KUWAIT)

1991. 7. 1.

품 목 및 사 양	수 량	단 가	금 액	납 기

1. CAMOUFLAGE UNIFORM

   1) LONG SLEEVE   20,000SETS   @$ 19.12   U$ 382,400.-   발주후 2개월

   2) SHORT SLEEVE   20,000SETS   @$ 18.28   U$ 365,600.-   "

   A. MATERIAL : 50% POLYESTER(S.D) 50% CARDED COTTON BLENDED SPUN
                  YARN WOVEN FABRICS (2/1 TWILL)
                  59/60" AFTER SCOURED, MERCERIZED,
                  DYED, PIGMENT PRINTED, P.P PRECURED, PRESHRUNKED &
                  W/R FINISHED.

   B. ACC'S   : SEWING THREAD, TAPE, U/BUTTON & ETC.

2. CAMOUFLAGED CAP   20,000PCS   @$ 1.75   U$ 35,000.-   발주후 2개월

   A. MATERIAL : SAME AS ABOVE

   B. ACC'S   : SEWING THREAD, PLASTIC VISOR & ETC.

3. CANTEEN CUP & COVER   20,000SETS   @$ 5.58   U$ 111,600.-   발주후 2개월

   A. MATERIAL : 100% NYLON F.YARN WOVEN FABRIC OXFORD
                  AFTER P/D, W/R, W/P FINISHED 44" WIDTH
                  N420D X 420D 61X43/INCH

   B. ACC'S   : PLASTIC CANTEEN & ALUMINIUM CUP, WEBBING, ACRILIC PILE,
                 HARDWARE & ETC.

4. PISTOL BELT   20,000PCS   @$ 2.72   U$ 54,400.-   발주후 2개월

   A. MATERIAL : 100% NYLON FILAMENT YARN (840D) WEBBING 3PLIES,
                  57M/M WIDTH 127GR/M

   B. ACC'S   : BUCKLE & EYELET : BRASS MADE
                 SLIDER & END CLIP : STEEL MADE

5. DESERT BOOTS   20,000PCS   @$ 14.31   U$ 286,200.-   발주후 2개월

   A. MATERIAL : SAND COLOR SPLIT SUEDE UPPER WITH MATCHING COLOR COTTON
                  CANVAS

   B. ACC'S   : WEBBING TAPE, MATCHING COLOR COTTON CANVAS TONGUE, 9 EYELETS,
                 MATCHING COLOR PVC STORMWELT, MATCHING COLOR RUBBER MIDSOLE
                 AND OUTSOLE.

0075

6. MEDIUM PACK   20,000PCS   @$ 35.81   U$ 716,200.-   발주후 3개월

    A. MATERIAL : 100% NYLON F.YARN WOVEN FABRIC OXFORD
                        AFTER P/D, W/R, W/P FINISHED 4" WIDTH
                        N420D X 420D 61X43/INCH

    B. ACC'S   : ALUMINIUM FRAME, WEBBING, HARDWARE & ETC.

7. MEN'S T-SHIRTS   20,000PCS   @$ 2.109   U$ 42,180.-   발주후 3개월

    100% CARDED COTTON YARN 40'S/1 DOUBLE KNIT
    ROUND NECK AND SLEEVE IS BINDING.

8. MEN'S BRIEF :

    100% COMBED COTTON YARN 40'S/1 1X1 RIB KNIT
    WAIST USED SPAN BAND

    1) OLIVE GREEN COLOR   20,000PCS   @$ 1.42   U$ 28,400.-   발주후 3개월

    2) WHITE   20,000PCS   @$ 1.32   U$ 26,400.-   "

9. BALLISTIC HELMET   20,000PCS   @$ 25.47   U$ 509,400.-   발주후 4개월

    A. MATERIAL : NYLON CLOTH REINFORCED PLASTIC

    B. WEIGHT   : 900±50GRAM/PC

* 비 고 : 운송기간은 부산 출항후 쿠웨이트까지 30일정도 소요됨.

0076

원 가 계 산 (T-SHIRTS)

단위 : U$

비고	F.O.B.	F			I			M	합 계
		C B M	단 가	승 표	기준가	요 율	보험료		
사 전 원 가	1.80 X 20,000 = 36,000.-	20.81675	240.-	4,996.02	46,398	1%	463.98	720.-	42,180.-

발 신 전 보

	분류번호	보존기간

번   호 : WKU-0231   910702 1843 ED   종별 : **암호송신**

수   신 : 주 쿠웨이트   대사. *(총영사)*

발   신 : 장   관   (중동이)

제   목 : 군복등 공급가격

대 : KUW - 0311,0314

　　　1. 대호건 무상원조물자 공급 대행업체인 (주)고려무역을 통해 조사한바 공급 가격은 하기와 같음.

(단위:미불)

물 품	CIF DUBAI (2만개)	CIF KUWAIT(2만개)
군복 (긴소매)	379,800	382,400
군복 (반소매)	363,000	365,600
모자	34,600	35,000
수통및 수통피	109,000	111,600
피스톨 벨트	53,800	54,400
군화	281,000	286,200
배낭	701,000	716,200
T셔츠	41,400	42,180
팬츠	27,400	28,400
헬멧	504,400	509,400

　　　2. 군복및 군화 색상은 사막색이고, 배낭은 Aluminium Frame, Webbing포함 상태임. 선적 기일은 배낭, 티셔츠, 팬츠가 발주후 3개월, 헬멧이 4개월이며 여타 품목은 2개월인바, 선적후 두바이까지는 통상22일 정도가 소요된다함.

	보 안 통 제	호

앙고재	91년 7월 2일	중동2과	기안자 성명 리다행	과 장 호	심의관 양	국 장 전결	차 관	장 관	외신과동제

0078

관리 번호	91 /664

외 무 부

종 별 :

번 호 : KUW-0319   일 시 : 91 07011700

수 신 : 장관(중동이)

발 신 : 주 쿠웨이트 대사

제 목 : 군복용 T 셔츠

   대:WKU-209

   연:KUW-314

   1. 대호 1 항 CONSIGNEE 보증관련, 쿠웨이트 국방부측이 연호 1 항과같이 동 보증서를 2-3 일내로 당관에 송부하겠다고 약속하였음을 감안, 우선 표제 물품이 예정대로 선적되도록 고려무역측에 조치바람.

   2. 당관은 쿠웨이트 국방부측으로부터 보증서를 입수하는대로 고려무역으로긴급송부하겠으며, 아랍 연합해운의 두바이 본사에도 동사본을 송부예정임.끝

   (대사-국장)

   예고:91.12.31. 까지

중아국   1차보   2차보

PAGE 1   91.07.02   22:02
                              외신 2과 통제관 CA

                                    0079

외 무 부

원 본

종 별 :

번 호 : KUW-0329

일 시 : 91 0703 1700

수 신 : 장관(중동이)

발 신 : 주 쿠웨이트 대사

제 목 : 군복용 티셔츠

대:WKU-209

연:KUW-319

7.3 쿠웨이트 국방부로 부터 대호 보증서를 전달받아 원본은 아랍해운 쿠웨이트 소재본사로 송부했고, 사본은 고려무역에 팩스 송부하였음. 아랍해운측은 표제물품을 선적토록 한국지사에 지시하겠다고 하였음을 참고바람. 끝

(대사-국장)

예고:91.12.31. 까지

중아국

PAGE 1

91.07.04   07:41

외신 2과 통제관 FE

0080

분류기호 문서번호	중동이 20005-136	협조문용지 ( )	결 재	심의관: 담 당	과 장	국 장
시행일자	1991. 7. 9.			리덕령	立	(서명)
수 신	총무과장(외환계)	발 신		중동아국장		
제 목	걸프사태 지원물자 경비지급					

쿠웨이트군에 대한 군복지원 사업중 티셔츠 20,000매가

'91.7.8 선적된바 동 경비를 다음과 같이 지불하여 주시기 바랍니다.

- 다 음 -

1. 지불액 : U$ 42,180

2. 지불처 : (주)고려무역

　　o 거래은행 : 제주은행 서울지점

　　o 구좌번호 : 936-THR 109-01-0

3. 산출근거

　　o 계약서상의 선적기일은 6.30한이나 쿠웨이트 항만

　　사정상 수취인의 인수보증서가 필요하게 되어 동

　　보증서를 7.7 받아 7.8 선적하게 되었음.

　　o 동 선적지연 책임이 대행업체에 없고 수취인측에

　　있으므로 계약대로 지급함.

0081

4. 지출근거 : 정부활동 해외경상이전, 걸프사태지원금, 예비비

첨부 : 1. 재가공문 사본 1부.

2. (주) 고려무역의 청구서 및 선적지체 사유서

3. 선적서류. 끝.

0082

선 적 지 체 사 유 서

1991. 7. 8.

수 신 : 외무부 중동 2과장

1. KUWAIT 지원 계약분 ('91. 3. 30.) U$ 550,245.- 중 잔량인 T-SHIRTS 20,000PCS
   선적과 관련하여 당사에서는 선적기일 (6/30) 이전인 6월 10일경 이미 선적
   준비를 완료하고 선박을 수배 하였으나, KUWAIT 현지 항만사정이 좋지 않아서
   국내 유일의 KUWAIT SERVICE 해운회사인 UASC 에서는 물건의 KUWAIT 도착과
   동시에 KUWAIT 수하인이 물건을 인수하다는 내용의 LETTER OF GUARANTEE 가
   있어야 함을 강력히 요구 하였습니다.

2. 이에 따라 당사에서는 6월 14일 귀과에 별첨 1의 협조 요청를 서면 전달 하였고
   귀과의 협의를 거쳐 6월 17일 DHL 로 별첨 2의 협조 요청을 쿠웨이트 대사관에
   발송하여 6월 18일자로 현지에 접수 되었음을 확인 하였습니다.

3. KUWAIT 의 "하지" 연휴에 따른 LETTER OF GUARANTEE 의 지연으로 7/7 (일요일)
   에야 FAX 로 동 서류를 전달 받아 금일 선적을 완료 하였으나 선적이 지체된
   사유가 당사에서의 귀책사유가 아닌 제반 정황에 관련된 불가피한 사유였음을
   양지하시어 지체상금의 징구를 면하게 하여 주시기 바랍니다.

첨 부 : 1. KUWAIT T-SHIRTS 선적 협조 요청 서류 (중동2과 수신) 1부.
       2.   "   "   (쿠웨이트 대사관 수신) 1부.
       3. KUWAIT 대사관의 당사로의 FAX 사본 1부.
       4. 당사의 KUWAIT 대사관의 FAX 사본 1부.   끝.

(주) 고 려 무 역 해 외 사 업 팀

0083

KUWAIT T-SHIRTS 선적 관련 협조 요청

1991. 6. 14.

수 신 : 외무부 중동 2과장

1. 걸프사태 관련 KUWAIT 지원 계약분('91. 3. 30.) U$ 550,245.- 중 잔량분
   T-SHIRTS 20,000PCS (U$ 42,180.-) 의 선적과 관련하여 당사에서는 '91.
   6/20 - 6/27 중에 출고를 예정하고 있습니다.

2. 현재 KUWAIT 로의 OCEAN SERVICE 는 국내 UASC (연합해운) 에서만 취급중인 바,
   KUWAIT 항만시설의 복구가 이루어지지 않고 있어 CONTAINER 의 현지 도착과
   동시에 CONSIGNEE 가 TRUCK 을 대기시켜 화물을 찾아가야만 CONTAINER 의 회수가
   용이하고 화물의 분실에 따른 책임도 면할 수 있어, 부산에서의 선적전에 이에
   관련한 별첨 내용의 CONSIGNEE 보증서를 요구하고 있습니다.

3. 따라서, 당사에서는 동 업무의 원활한 추진을 위해 아래와 같이 귀과의 협조를
   요청하오니 선처하여 주시기 바랍니다.

- 아 래 -

가. 협조사항

    1) 별첨 보증서의 현지 공관 전달 및 현지공관의 CONSIGNEE 전달

    2) 현지 CONSIGNEE 의 보증서 작성 및 UASC(DUBAI 본사) 로의 보증서 전달

    3) 현지공관의 당사로의 동 보증서 사본 FAX 요망 (6/20 까지)

나. 비 고

    1) UNITED ARAB SHIPPING CO. (DUBAI 본사) 연락처 (쿠웨이트 국적선사
       이나 쿠웨이트사정상 DUBAI 가 본부임)

       - TEL   : 210808, 218222

       - TELEX   : 49799 UASC EM

       - FAX   : 272581, 230653

       - ATTENTION : MR. R. M.

0084

2) UASC 한국 AGENT 연락처 : 연합해운(주)

 - TEL : (02) 753-0746

 - 담당자 : 심 재 택 과장

3) 귀과와 현지 공관과의 조속한 업무 연락을 위하여 DHL 등 귀과가
 지정하는 통신편으로 당사에서 직접 연락을 취하는 방법도 유용하다고
 사료됨.

 (외무무 파우치 : 매우 월요일 발송, 7일 소요. DHL : 4일 소요)

첨 부 : CONSIGNEE 의 보증서 문안 1부. 끝.

(주) 고 러 무 역 해 외 사 업 팀

0085

LETTER OF GUARANTEE

DATE   :
OUR REF :
TO   : UNITED ARAB SHIPPING CO.

WE, MINISTRY OF DEFENCE, AS CONSIGNEE OF THE CARGO SHIPPED FROM BUSAN, KOREA
TO SHUAIBA PORT IN KUWAIT UNDER BILL OF LADING NO.......... ON VESSEL
.... VOYAGE NO........ HAVE KNOWLEDGE AS TO THE KUWAIT PORT
AUTHORITY'S TEMPORARY REGULATIONS AND PRESENT CONDITIONS IN KUWAIT WHICH
REQUIRE VESSELS TO DISCHARGE CARGO ON DIRECT DELIVERY BASIS TO RECEIVER'S
TRANSPORT AT SHUAIBA PORT.

WE UNDERTAKE THAT IF THE RECEIVER OF THE CARGO IN KUWAIT FAILS TO PROVIDE FOR
ANY REASON SUFFICIENT TRANSPORT TO REMOVE THE CARGO FROM THE PORT ON DIRECT
DELIVERY BASIS, THEN THE CARRIERS MESSRS UASC/SEA-LAND ARE HEREBY AUTHORISED
TO ARRANGE TO REMOVE AND STORE THE CARGO AT OUR RISK AND EXPENSE OR TO
RETURN THE CARGO TO JEBEL ALI PORT/PORT RASHID IF STORAGE IN KUWAIT/DISCHARGE
FROM THE VESSEL IS NOT ALLOWED FOR WHICH FREIGHT CHARGES AT 50 PERCENT OF
THE OUTWARD LEVEL WILL BE LEVIED. WE UNDERSTAND THAT IN CASE THE CARRIERS
MESSRS UASC/SEA-LAND ARE REQUIRED TO REMOVE AND STORE CARGO, WE ARE LIABLE TO
PAY PENALTY CHARGES AT THE FOLLOWING LEVELS COMMENCING FROM THE DATE OF
DISCHARGE OF THE CARGO FROM THE VESSEL AT SHUAIBA.

    15 KUWAITI DINARS PER 20'CONTAINER PER DAY

    30 KUWAITI DINARS PER 40'CONTAINER PER DAY

    30 KUWAITI DINARS PER TEU FOR REFRIGERATED CONTAINER PER DAY

    750 FILS PER REVENUE TON FOR GENERAL CARGO

FURTHER WE FULLY INDEMNIFY THE CARRIERS MESSRS UASC/SEA-LAND AGAINST ALL
LOSSES/DAMAGES ARISING OUT OF OR IN CONNECTION WITH FAILURE OF RECEIVERS TO
PROVIDE TRANSPORTATION FOR RECEIPT OF CARGO AS UNDERTAKEN ABOVE.

AUTHORIZED SIGNATURE

〈주〉 B/L NO. VESSEL NAME, VOYAGE NO. 는 빈칸으로 둘것

0086

변경 2

KUWAIT T-SHIRTS 선적 관련 협조 요청

1991. 6. 14.

수 신 : 쿠웨이트 대사관

1. 걸프사태 관련 KUWAIT 지원 계약분('91. 3. 30.) U$ 550,245.- 중 잔량분
   T-SHIRTS 20,000PCS (U$ 42,180.-) 의 선적과 관련하여 당사에서는 '91.
   6/20 - 6/27 중에 출고를 예정하고 있습니다.

2. 현재 KUWAIT 로의 OCEAN SERVICE 는 국내 UASC (연합해운) 에서만 취급중인 바,
   KUWAIT 항만시설의 복구가 이루어지지 않고 있어 CONTAINER 의 현지 도착과
   동시에 CONSIGNEE 가 TRUCK 을 대기시켜 화물을 찾아가야만 CONTAINER 의 회수가
   용이하고 화물의 분실에 따른 책임도 면할 수 있어, 부산에서의 선적전에 이에
   관련한 별첨 내용의 CONSIGNEE 보증서를 요구하고 있습니다.

3. 따라서, 당사에서는 동 업무의 원활한 추진을 위해 아래와 같이 귀관의 협조를
   요청하오니 선처하여 주시기 바랍니다.

- 아   래 -

가. 협조사항

   1) 별첨 보증서의 현지 CONSIGNEE 전달

   2) 현지 CONSIGNEE 의 보증서 작성 및 UASC(DUBAI 본사) 로의 보증서 전달

   3) 귀관의 당사로의 동 보증서 사본 FAX 요망 (6/23 까지)

나. 비 고

   1) UNITED ARAB SHIPPING CO. (DUBAI 본사) 연락처 (쿠웨이트 국적선사
      이나 쿠웨이트사정상 DUBAI 가 본부임)

      - TEL   : 210808, 218222

      - TELEX   : 49799 UASC EM

      - FAX   : 272581, 230653

      - ATTENTION : MR. R. M.

0087

2) UASC 한국 AGENT 연락처 : 연합해운(주)

   - TEL   : (02) 753-0746

   - 담당자 : 심 재 택 과장

첨 부 : CONSIGNEE 의 보증서 문안 1부.   끝.

(주) 고 려 무 역 해 외 사 업 팀

0088

LETTER OF GUARANTEE

DATE   :
OUR REF :
TO   : UNITED ARAB SHIPPING CO.

WE, MINISTRY OF DEFENCE, AS CONSIGNEE OF THE CARGO SHIPPED FROM BUSAN, KOREA
TO SHUAIBA PORT IN KUWAIT UNDER BILL OF LADING NO.......... ON VESSEL
.... VOYAGE NO........ HAVE KNOWLEDGE AS TO THE KUWAIT PORT
AUTHORITY'S TEMPORARY REGULATIONS AND PRESENT CONDITIONS IN KUWAIT WHICH
REQUIRE VESSELS TO DISCHARGE CARGO ON DIRECT DELIVERY BASIS TO RECEIVER'S
TRANSPORT AT SHUAIBA PORT.

WE UNDERTAKE THAT IF THE RECEIVER OF THE CARGO IN KUWAIT FAILS TO PROVIDE FOR
ANY REASON SUFFICIENT TRANSPORT TO REMOVE THE CARGO FROM THE PORT ON DIRECT
DELIVERY BASIS, THEN THE CARRIERS MESSRS UASC/SEA-LAND ARE HEREBY AUTHORISED
TO ARRANGE TO REMOVE AND STORE THE CARGO AT OUR RISK AND EXPENSE OR TO
RETURN THE CARGO TO JEBEL ALI PORT/PORT RASHID IF STORAGE IN KUWAIT/DISCHARGE
FROM THE VESSEL IS NOT ALLOWED FOR WHICH FREIGHT CHARGES AT 50 PERCENT OF
THE OUTWARD LEVEL WILL BE LEVIED. WE UNDERSTAND THAT IN CASE THE CARRIERS
MESSRS UASC/SEA-LAND ARE REQUIRED TO REMOVE AND STORE CARGO, WE ARE LIABLE TO
PAY PENALTY CHARGES AT THE FOLLOWING LEVELS COMMENCING FROM THE DATE OF
DISCHARGE OF THE CARGO FROM THE VESSEL AT SHUAIBA.

    15 KUWAITI DINARS PER 20'CONTAINER PER DAY

    30 KUWAITI DINARS PER 40'CONTAINER PER DAY

    30 KUWAITI DINARS PER TEU FOR REFRIGERATED CONTAINER PER DAY

    750 FILS PER REVENUE TON FOR GENERAL CARGO

FURTHER WE FULLY INDEMNIFY THE CARRIERS MESSRS UASC/SEA-LAND AGAINST ALL
LOSSES/DAMAGES ARISING OUT OF OR IN CONNECTION WITH FAILURE OF RECEIVERS TO
PROVIDE TRANSPORTATION FOR RECEIPT OF CARGO AS UNDERTAKEN ABOVE.

AUTHORIZED SIGNATURE

<주> B/L NO. VESSEL NAME, VOYAGE NO. 는 빈칸으로 둘것

0089

LETTER OF GUARANTEE

DATE :
OUR REF :
TO : UNITED ARAB SHIPPING CO.

WE, MINISTRY OF DEFENCE, AS CONSIGNEE OF THE CARGO SHIPPED FROM BUSAN, KOREA TO SHUAIBA PORT IN KUWAIT UNDER BILL OF LADING NO......... ON VESSEL............ VOYAGE NO........ HAVE KNOWLEDGE AS TO THE KUWAIT PORT AUTHORITY'S TEMPORARY REGULATIONS AND PRESENT CONDITIONS IN KUWAIT WHICH REQUIRE VESSELS TO DISCHARGE CARGO ON DIRECT DELIVERY BASIS TO RECEIVER'S TRANSPORT AT SHUAIBA PORT.

WE UNDERTAKE THAT IF THE RECEIVER OF THE CARGO IN KUWAIT FAILS TO PROVIDE FOR ANY REASON SUFFICIENT TRANSPORT TO REMOVE THE CARGO FROM THE PORT ON DIRECT DELIVERY BASIS. THEN THE CARRIERS MESSRS UASC-SEA LAND ARE HEREBY AUTHORISED TO ARRANGE TO REMOVE AND STORE THE CARGO AT OUR RISK AND EXPENSE OR TO RETURN THE CARGO TO JEBEL ALI PORT (PORT RASHID) IF STORAGE IN KUWAIT/DISCHARGE FROM THE VESSEL IS NOT ALLOWED FOR WHICH FREIGHT CHARGES AT 50 PERCENT OF THE OUTWARD LEVEL WILL BE LEVIED. WE UNDERSTAND THAT IN CASE THE CARRIERS MESSRS UASC-SEA LAND ARE REQUIRED TO REMOVE AND STORE CARGO, WE ARE LIABLE TO PAY PENALTY CHARGES AT THE FOLLOWING LEVELS COMMENCING FROM THE DATE OF DISCHARGE OF THE CARGO FROM THE VESSEL AT SHUAIBA.

15 KUWAITI DINARS PER 20'CONTAINER PER DAY
30 KUWAITI DINARS PER 40'CONTAINER PER DAY
30 KUWAITI DINARS PER TEU FOR REFRIGERATED CONTAINER PER DAY
750 FILS PER REVENUE TON FOR GENERAL CARGO

FURTHER WE FULLY INDEMNIFY THE CARRIERS MESSRS UASC-SEA LAND AGAINST ALL LOSSES/DAMAGES ARISING OUT OF OR IN CONNECTION WITH FAILURE OF RECEIVERS TO PROVIDE TRANSPORTATION FOR RECEIPT OF CARGO AS UNDERTAKEN ABOVE.

(주) B/L NO. VESSEL NAME. VOYAGE NO.

AUTHORIZED SIGNATURE

주식회사 고 려 무 역

해 외 제91-50호   737-0860   1991. 7. 8.

수 신 : 주 쿠웨이트 대사

참 조 : 온 참사관

제 목 : T-SHIRTS 선적관련 LETTER OF GUARANTEE 접수의건

1. 귀 7월 7일자 FAX 에 관련 됩니다.

2. 금일 귀 FAX 에 의거 T-SHIRTS 20,000 PCS 선적 완료 하였으며,
선적서류는 중동.2과를 통해 발송토록 하겠습니다.

OUT-GOING

3. 참고로 선박명 및 현지 도착예정일은 아래와 같습니다.

- 아   래 -

가. 선박명 : AL MUHARRAQ V-1

나. KUWAIT 도착 예정일 : 1991. 8. 8.   끝.

주 식 회 사 고 려 무 역 사

0091

株式會社 高麗貿易

電 話 : (02) 737-0860

FAX : (02) 739-7011

TELEX : KOTII K34311

서울 特別市 江南區 三成洞 159番地

貿易會館 빌딩 11層

TRADE CENTER P.O. BOX 23,24.

수 신 : 외무부 중동 2 과장

제 목 : 걸프만 사태 관련 지원물대 송금 신청

　폐사는 귀부와의 계약에 의거하여 아래와 같이 걸프만 사태 관련 지원물품을 기 선적하였
아오니 송금조치 하여 주시기 바랍니다.

- 아　　　　　　　　래 -

1. 선적물품 내역

품 목	수 량	금 액	선적일	도 착 예정일	선 명	선적항	도착항
T-SHIRTS	20,000PCS	U$ 42,180.-	7/8	8/8	AL MUHARRAQ V-1	BUSAN	KUWAIT
합 계		U$ 42,180.-					

2. 비 고

　가. 걸프만 사태 관련 KUWAIT 지원 계약분 ('91. 3. 30.) 중 잔액 전량 선적 완료.

　나. 선적기일 (6/30) 이내에 선적이 이행되지 못하였으나 이는 당사의 귀과 및 현지
　　　대사관으로의 협조요청 (6/14) 에서도 언급한 것처럼 KUWAIT 항만사정에 따른
　　　현지 수하인의 LETTER OF GUARANTEE 가 늦어짐에 따른 것으로 별도로 제출하는
　　　선적지체 사유서에 의거 지체상금을 면제해주시기 바랍니다.

3. 송 금 처 : 제주은행 서울지점

　　구좌번호 : 963-THR 109-01-0

　　예 금 주 : (주)고려무역.　끝.

1 9 9 1 年 7 月 8 日

鍾 路 貿 易 本 部 海 外 事 業 팀

0092

분류기호 문서번호	중동이20005-	기안용지 (160-3869) 25165	시 행 상 특별취급	
보존기간	영구.준영구 10. 5. 3. 1	장 관		
수 신 처 보존기간				
시행일자	1991. 7. 10.			

장   관

보조기관	국 장	전 결		협조기관				문 서 통 제
	심의관							
	과 장							
기안책임자	허 덕 행						발 송 인

경 유			발신명의	
수 신	주 쿠웨이트 대사			
참 조				
제 목	군복 지원			

쿠웨이트 군에대한 군복용 T셔츠 20,000착이 '91.7.8

선적된바 동 선적서류를 별첨과 같이 송부합니다.

첨   부 : 선적서류 2부.   끝.

0093

외 무 부

종 별 :

번 호 : KUW-0366   일 시 : 91 0718 1300

수 신 : 장 관(중동이,사본:KOTRA)

발 신 : 주 쿠웨이트대사

제 목 : 쿠웨이트 군복구매

연:KUW-311,314

대:WKU-231

1.표제관련,7.17 온중열 참사관이 고려무역측에서 송부한 오퍼를 쿠웨이트 국방부측에 전달하였는데, 8.15까지 구매여부를 결정, 통보하여 주겠다고 하였으니 이를고려무역측에 통보하여 주기바람.끝

(대사-국장)

중아국   KOTRA

외신 1과 통제관

0094

정 리 보 존 문 서 목 록

기록물종류	일반공문서철	등록번호	2020110085	등록일자	2020-11-18
분류번호	721.1	국가코드	XF	보존기간	영구
명 칭	걸프사태: 주변국 지원, 1990~92. 전12권				
생 산 과	중동2과/북미1과	생산년도	1990~1992	담당그룹	
권 차 명	V.12 기타				
내용목차	1. 예멘, 1991 2. 세네갈, 1991~92 3. 파키스탄, 1990 4. 걸프 해역 원유 유출 방제 지원, 1991 ★ 사우디아라비아, 카타르, 바레인 등 지원 요청				

0001

1. 예멘, 1991

0002

관리
번호 키/5

외 무 부

종 별 :

번 호 : YMW-0004   일 시 : 91 0103 1400

수 신 : 장 관(중근동)

발 신 : 주 예멘 대사

제 목 : 주재국 동정

90.12.27. 일 당관 이진웅 1 등 서기관이 MR.GAR UL-ALLAH OMER 주재국 사회당 정치국원을 면담시, 동인은 아국이 걸프 사태와 관련 다국적군에 대해서 지원한것을 상기 시키면서 사우디, 쿠웨이트로부터 귀환한 예멘인(약 90 만 추정)에 대하여는 지원이 없는데 대해 유감을 표시함과 아울러 귀환자들에 대한 구호물자의 지원을 요청하는 의사를 표명하였음. 끝.

(대사 류 지호-국장)

예고:91.6.30. 까지

중아국   차관   1차보   2차보

PAGE 1   91.01.03   23:36

외 무 부

종   별 : WUN-0609 910322 1118 CT
번   호 : YMW-0190   일   시 : 91 0317 1400
수   신 : 장 관(중동일,경협,기정)
발   신 : 주 예멘 대사
제   목 : 걸프전 관련 주재국 피해 지원

연:YMW-0297(90.9.29),0014(91.1.10)

1. 주예멘 UNDP 사무소장 대리 PHILIP AL-GHOUAYEL 은 주재국내 UN 기관을 대표하여 3.17. 주재국내 각국대사를 초치, 걸프전 관련 주재국의 피해상황과 UNDP 의 지원 계획을 설명하고 UN 의 지원 예산이 부족한점을 감안하여 각국의 협조를 요청하였음.

2. 주재국은 걸프 사태로 쿠웨이트, 이락, 사우디등 으로부터의 각종 원조중단에 이어 약 85 만의 근로자가 사우디등 걸프 지역 으로부터 귀환함에 따라년간 약 315 백만불의 송금이 중단되고 약 5 백만명에 이르는 이들 가족들의 생계에 대한 피해가 막대하여 유엔 안보리는 유엔 결의 661 호의 구호대상에 예멘을 포함., 예멘 피해를 지원하기로 결정 하였다고하며 이 결정에따라 유엔은 주재국 당국과 협의, 단기적 으로는 귀환 근로자 및 가족에 대한 후생, 교육, 식품을 지원하고 장기적으로 이들에 대한 취업 보장등 정착을 지원하기로 하였다함.

3. 주재국 정부가 친이라크 입장을 취해왔기 때문에 걸프 전쟁으로 인한 예멘의 피해 상황이 유엔의 구호 대상이 되느냐에 대해서는 적지않은 논란이 있었으나 걸프전의 휴전이 성립됨에따라 유엔 안보리는 일단 예멘을 구호대상으로 포함시키기로 확정한 것임을 첨언함. 끝.

(대사 류 지호-국장)

예고:91.12.31. 까지

검토필(1991. 6.30)

중아국	장관	차관	1차보	2차보	경제국	청와대	안기부

拜啓 하옵는 李大使님

리야드에서 뵙지 못했던 것을 아쉽게 생각
하니다만 매우 有益한 地域 公館長会議를
주선해주신데 대해 새삼 감사드립니다.

무엇보다도 시우디. 예멘間의 關係에 대해의
"感"을 갖게 되었으며 域内 他公館長님의 高見도
크게 參考가 되었습니다.

그리고 그동안 우리가 뜻으신데 대해 말만이라도
敬意를 表하며 이후 中東事態業務는 美洲局
으로부터 主管을 되찾으시게 된데 대해 축하를
드립니다.

오늘은 모리타니아大使를 答訪하는 자리에서 나보고
上官이 모리타니아 大使로 계셨다는 사실을 강조하였습니다.
同大使에의하면 모리타니아가 駐바그다드 大使館"의
많은 留學生들은 그대로 이라크에 남아 있다고
하면서 이스라엘이 戰爭받받시 수入한 경우
시리아 및 예멘기 軍事수入可能性이 있다고 個人
的인 見解를 피력하였습니다.
그리고 오늘 午前에는 PLO大使에게 2日前 暗殺당한
陀筆者에 대해 弔意를 표하였습니다. 同大使라고는

0005

PLO와 外交關係가 없으나 PLO camp를 党議, 非公式的인 接觸을 유지하고 있습니다.

駐在國現況은 으흠現在로 多少 漸이라고 昻風등 이 있었으나 조봄지 狀입니다. 예멘이 战쟁발발시 에대한 反應을 보일 것인가하는 문제에 대해서는 美国 大使 며 西独大使, 수단·모리태니아·인도네시아등 약간씩 現角의 差를 보이고 있습니다만 만일 전쟁이 발발할 경우 美国側이 이라크측이 人命에 큰 被害를 주지 않는면서 速戰으로 断呼하게 事態를 종결시킨다면 예멘의 介入은 없을 것이 確實視됩니다. 그러나 党와로 Bush 大統領이 優柔不斷 하여 이스라엘 介入 또는 질질끄는 戰爭 狀況을 허용한다면 매우 복잡한 事態로 發展할 우려도 있다고 생각됩니다.

리야드 公館長會議 에서 나瓶이 提起했던 사우디로 부터 강제引渡된 90여만명의 예멘 難民들에 대한 支援문제는 delicate 하다고 생각됩니다. 왜냐하면 美国側이 反對할 可能性이 있을 로 駐在國政府도 이들을 refugee 라고 불르지 않고 returnee 라고 定義하고 있어서 我国政府가 支援키로는 2억2000만불의 수혜대상에 예멘을 포함시키기도 어렵다고 느껴지기 때문입니다.

0006

日本도 이끈지리고 말면 本國政府에 몇번
建議 하였으나 用信이 있다고 하면서 制造의
資金에서 人道的인, 小額의 援助를 마시
建議할 생각이라고 합니다.

現在 本國政府가 우리 本艦에게 具体的으로
要請한 것은 水産공원이 南예편 漠村에
기근든 難民에 대한 구호물을 支援해 달라는
要請이 있었읍니다. 現在 我國 차港業体가
아랍 海上에서 운운중에 있어 약간의 誠意
表示가 必要한 것으로 思料됩니다.
몇일전 南예편에서는 새로운 油田이 発見되어
試採중에 있는데 商業的으로 可能한가 여부는
2~3個月内에 到때될 것으로 보입니다.
이 地域 油田開発에 我國業体들이 関心이
있기 때문에 難民에 대해서는 本部에서도 可能한
限 配慮가 있어주셨으면 감사하겠읍니다.
具体的인 말씀은 公館長会議에서 말씀
올리겠읍니다. 乳筆을 용서하여 주시기
바라며 참고되이 있을까 하여 감히 소감까지
떠뚤이는 보내끼되기 끝편의 이르른 올립니다.
1981. 1. 16
柳 志 錯 拜上
0007

外務部 이 고리가 中東局

李 海 淳 局長 님

親展

EMBASSY OF THE REPUBLIC OF KOREA
P.O.BOX 1234
SANAA, YEMEN ARAB REPUBLIC

0008

0009

발 신 전 보

분류번호 | 보존기간

번   호 : WYM-0129   910402 2045 DO종별 : 암호송신

수   신 : 주   예멘   대사. ~~총영사~~ (친전)

발   신 : 장 관   (중동아국장)

제   목 : 업 연

1. /.16자 대사님 서한과 최근 보내주신 UN의 예멘구호 결정전문과 관련하여
아래와 같이 알려드립니다.

2. 다국적군 및 주변피해국에 대한 아국의 지원경비중 일부로 전쟁난민구호를
위해 국제이민기구에 (IOM) 50만불, 기타 UNESCO, ICRC, UNHCR 등 국제기구에 75,000불을
현금으로 지원하고 이란에는 15만불 상당의 물자(엠브란스)를 지원한바 있으며
아직도 재원이 일부남아있어 난민구호목적의 지원은 가능하나 예멘의 경우 난민
문제의 심각성은 이해하지만 전쟁중 예멘의 입장에 비추어 동 재원을 ~~효과적으로 활용할~~ 2 사용할 수 있을지
~~있는~~ 여부는 판단이 금방 서지 않습니다.

3. 그러나 일단 5-10만불 정도의 범위내에서 배경 설명을 하고 공전건의하시면
적극 검토하도록 하겠습니다.

4. 머지않아 서울서 뵙기를 기대하면서 건승 기원합니다.   끝.

독후파기

앙고재	9년 4월 2일 중동2과	기안자성명 최덕행	과장 초	국장 전결	차관 장관	
						보안통제 초
						외신과통제

0010

외 무 부

종 별 :

번 호 : YMW-0220

일 시 : 91 0403 1400

수 신 : 장 관(중동일,경협,국연)

발 신 : 주 예멘 대사

제 목 : 걸프전 관련 주재국 피해 지원

대:WYM-0121,0129
연:YMW-0190

1. 주재국은 연호 보고와 같이, 걸프 사태로 사우디, 쿠웨이트, 이락등으로부터 각종 원조 중단, 해외 근로자 85 만명이 복귀(UNDP 추정치, 주재국은 100 만이상 주장)함으로서 년간 약 315 백만불의 송금이 중단되고 약 5 백만의 이들 가족들이 생계에 위협을 받고 있음.(주재국 91 년 예산안에서 총 세출액 $ 4,248 백만, 총 세출액 $ 2,935 백만으로서 경상 수지 적자액은 $ 1,313 백만임)

2. 주재국은 아랍 역내에서 최 빈국으로 종래 주로 걸프 산유국과 서방국가들로부터 원조와 해외 근로자 송금에 의존하였으나, 걸프전시 이락측을 옹호함에따라 상기와 같이 피해가 막대하여 국내 경제가 파탄의 위기에 처하여있음. 주재국 외무장관 IRIYANI 박사는 1.10 외교단을 초치, 해외 근로자 귀환에 따른 피해가 유엔의 구호 대상이 된다고 강조하고 우방국의 협조를 호소한바 있음.

3. 당관은 상기와 같은 인도적차원외에도, 주재국이 현재 유엔 안보리 비상임 이사국으로서 금년 아국이 유엔 가입안을 제출할 경우 그 표결시 상당한 영향력을 미칠것으로 보이는점을 감안 정책적 차원에서 10 만불 수준에서 상기 귀환 근로자에대한 구호 금품 지원을 강력 건의하니 검토 바람.

4. 걸프전후 유엔 결의 661 호로 여사한 예멘의 경제적 피해를 인정하고 각국에 즉각적인 기술적, 재정적, 물적 지원을 호사한바 있음.

(대사 류 지호-국장)

예고:91.12.31. 까지

검 토 필 (1991.6 .30.)

중아국   차관   2차보   국기국   경제국   청와대   안기부

PAGE 1

외 무 부

종 별 :

번 호 : YMW-0221   일 시 : 91 0403 2000

수 신 : 장 관 (중근동,정홍,국연)

발 신 : 주 예멘 대사

제 목 : 기자 회견

　　1. 본직은 최근 주재국 언론인과 아국의 유엔가입 정책 및 남북예멘 통합등의 문제에 관해 기자회견을 갖었는바 주재국 최대일간지 (정부 기관지) AL-THAWRA는 동회견내용을 4.2일자 '한국 전문가 예멘통합으로부터 얻은 교훈' 제하 4면 톱기사로 요지 다음과 같이 보도하였음을 보고함.

　　가. 예멘의 봉일 경험에서 얻은 처째 교훈은 동족 상잔의 무력 충돌을 갖었던 분단 국가로서는 양독 봉일의 경우에 비해 분단국가의 양 정치 지도자들간의 정치적 INITIATIVE 가 매우 중요하다는것임. SALEH대통령이 남북예멘 봉일 직후 가진 한국 언론취재 팀과의 기자 회견에서 그의 봉일 협상성공의 비결은'상대방에게 패배감을 느끼게하지 않게하는점'이 있다고한 언급은 한국 전문가가 예멘의봉일 경험을 연구하기 위하여 파견되기까지 하였음.

　　나.둘째 교훈은 남북예멘간의 인적왕래와 정부기관간의 밀도높은 접촉이 봉일 협상에 대한 촉진제가 되었다는 점임.

　　다. 봉신 및 상호 왕래조차 안되고 있는 한반도의 현실에 비추어 예멘의 통합으로 부터 한민족은 이산 가족 재회, 체육 및 봉상교류, 국제무대에서의 상호 협력등 신뢰구축을 위해 배가의 노력이 필요하다고봄.

　　라. 결론적으로'우리는 당분간 남북한의 분단현실을 상호 인정해야하며 남북한의 유엔 동시가입은 예멘의 경험에 비추어 우리가 가야할 올바른 방향이라고 생각함.

　　2. 본건 기사는 차파편 송부 위계임.끝.

　　(대사 류 지호-국장)

중아국　　1차보　　국기국　　정문국　　안기부

91.04.04　　18:00 WG
외신 1과 통제관

0012

外務部 걸프戰 事後 對策班

題 目 : 걸프戰 關聯 아시아地域 間接 被害國 狀況

91. 3. 23.
中 近 1 課

1. 槪 要

   ○ 中東地域에 많은 勞動力을 輸出하고 있는 필리핀, 방글라데시, 스리랑카, 파키스탄, 태국等 아시아 國家들은 걸프戰 勃發以後 自國 勞務者의 大擧 撤收로 말미암아 本國 送金이 크게 減少되어 財政的으로 打擊을 받고 있는바, 該當 公館을 통해 調査한 被害 狀況 및 關聯動向은 아래와 같음.

2. 各國 政府의 間接被害 推算額

   가. 필리핀 : 약 20억불
      ○ 勞務者 送金 減少額 월 4억불 (철수 근로자수 미상)
      ○ 쿠웨이트 銀行 預置金 損失 2천5백만불
      ※ 쿠웨이트에 10억불, 이라크에 10억불의 賠償金 請求 計劃

   나. 방글라데시 : 약 8억불
      ○ 勞務者 送金 減少額 2억불 (중동 근로자 12만명중 8만명 철수)
      ○ 油價 上昇으로 인한 追加 負擔 2억불
      ○ 對中東 輸出 減少額 1억2천만불
      ○ 中東 勞務者 撤收 및 定着 支援 經費 5천만불
      ○ 쿠웨이트 및 이라크 銀行 預置金 損失 2천7백만불
      ※ IMF 에서 2억6천만불 補塡

   다. 스리랑카 : 약 1억불
      ○ 勞務者 送金 減少額 3천만불 (중동 근로자 10만명중 8만명 철수)
      ○ 油價 上昇으로 인한 追加 負擔 7천만불
      ※ 단, 홍차등 主産品의 輸出 好轉으로 國際收支上 純損失額은 5천만불로 推算

   라. 파키스탄 : 약 1억불
      ○ 勞務者 送金 減少額 1억불 (중동 근로지 10만명 철수)

0013

마. 태국 : 약 1억불

　o 勤勞者 送金 減少額 1억불(中東 勤勞者 24만명중 9만5천명 撤收)

바. 인도네시아

　o 中東地域 勤勞者 10만명중 撤收 勤勞者가 거의 없음

3. 關聯 動向

　o 上記國家中 필리핀, 방글라데시, 스리랑카, 파키스탄은 餘他地域 被害國과
　　함께 總21個國이 共同行動을 취하기로 하고, 유엔이 決議한 대이라크,
　　쿠웨이트 經濟 制裁 措置를 履行함으로써 同國들이 입은 經濟的 損失의
　　報償을 促求하는 21개국 共同名義의 安保理앞 愛書 提出을 準備中이라 함.

　o 上記 21개국은 同國들의 經濟的 損失總額을 약 300억불로 推算 하고 있으며,
　　安保理앞 愛書에서 아래와 같은 報償 對策을 要請할 豫定이라 함.
　　- 主要 供與國들의 追加 財政支援 措置
　　- 유엔 關聯 機關들의 特別援助 計劃 樹立
　　- 戰後 經濟 復舊 및 開發事業에의 參與 支援
　　- 自國産品 市場 回復

　　┌─────┐
　　│ 참고 │ ① 21개국 명단 : India, Bangladesh, Pakistan, Philippines,
　　└─────┘　　　Sri Lanka, Vietnam, Uruguay, Bulgaria, Czechoslovakia, Poland,
　　　　　　　　　Romania, Yugoslavia, Sudan, Syria, Tunisia, Yemen, Jordan,
　　　　　　　　　Lebanon, Mauritania, Djibouti, Seychelles

　　　　　　② 상기 21개국은 자국의 경제적 손실 문제에 대한 안보리 제기의
　　　　　　　근거로 유엔헌장 50조를 원용 하고 있는바, 헌장 50조는 "유엔 회원국
　　　　　　　및 비회원국이 안보리의 제재 조치를 이행함으로써 야기된 경제적
　　　　　　　문제의 해결을 안보리와 협의할 권리가 있다"고 규정하고 있음.

　o 日本政府는 3.20. 페灣 危機 對策本部 會議(本部長 : 가이후 首相)에서
　　決定한 『中東地域 諸問題에 대한 當面 施策』에서 걸프事態로 經濟的 打擊을
　　받은 關係國에 대한 支援 方針을 發表하였는바, 上記 아시아 地域 被害國들도
　　支援 對象國에 包含된 것으로 豫想됨.   끝.

0014

長官報告事項

1991. 4. 8.
中東.아프리카局
中東 2 課(18)

題 目 : 걸프事態 關聯 예멘支援

> 駐 예멘 大使는 걸프事態로 인해 85만명의 海外勤勞者들이 귀국한
> 예멘經濟가 파탄의 위기에 처하여 있음을 報告하고, 同 被害關聯 귀환
> 勤勞者들에 대한 我國의 支援을 建議하여 온바 關聯事項 및 對策을
> 다음과 같이 報告합니다.

1. 예멘의 被害現況

○ 걸프事態로 인해 사우디, 쿠웨이트, 이라크로 부터의 각종 援助中斷,
  海外勤勞者의 복귀(UNDP 85만명 추정)에 따른 海外送金의 中斷(315
  백만불 추정)으로 5백만명에 달하는 國內家族들의 生計가 威脅받고 있음.

○ 아랍域內에서 最貧國인 예멘은 주로 걸프産油國, 西方國家들의 援助
  및 海外勤勞者 送金에 크게 依存하고 있으나 걸프戰時 이라크 支持에
  따라 동 收入을 期待할 수 없게되어 國內經濟가 파탄의 위기에 처하고
  91년도 예멘 豫算案에서 經常收支 적자액은 1.313 백만불에 달함.

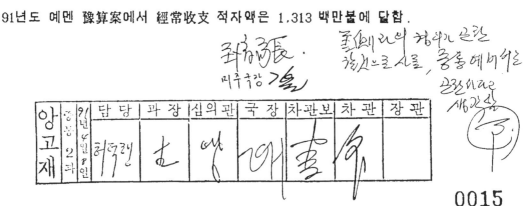

0015

2. 支援問題 檢討 및 對策 (建議)

- 예멘이 걸프戰時 이라크측 立場을 支持하기는 하였으나 유엔결의 661호의 經濟制裁에 따른 예멘의 經濟的 被害도 유엔의 救護對象이 되며 이에따라 예멘이 各國의 技術的, 財政的, 物的支援을 호소한바 있고 걸프전후 貧富 國間 격차를 해소함으로서 地域安定을 도모할수 있다는 차원에서 我國이 걸프事態 支援金에서 일부를 支援하는 것은 적절한 것으로 봄.

- 예멘에 대한 支援은 人道的 고려외에도 현재 유엔安保理 非常任 理事國 이므로 我國이 유엔加入案을 提出할 경우에 대비 政策的 次元의 配慮도 要望됨.

- 이상을 감안 걸프事態 支援金 豫備費에서 10만불 상당을 예멘정부측과 協議, 物資 또는 現金으로 支援함.

- 豫備費로 配定된 200만불에서 동 예멘支援까지 包含할 경우 140만불이 執行될 豫定이며 殘額은 60만불임. 끝.

통 화 기 록

1. 일   시 : 1991. 4. 9. 15:00

2. 통 화 자 : 반기문 미주국장

      Hendrickson 주한 미대사관 정무참사관

3. 통화요지

   - 미주국장은 걸프사태관련 주 예멘대사가 보고한 예멘의 경제적
     피해상황, 예멘정부의 각국정부에 대한 재정지원 요청등을 설명하고
     주예멘대사 건의에 따라 예멘난민구호라는 인도적 차원에서 예멘
     정부에 10만불정도를 걸프주변국 경제지원금에서 지원키로 결정했음을
     통보하면서 미측의 양해를 구함.

   - Hendrickson 참사관은 인도적 차원의 소규모 원조이므로 무방할
     것이라는 입장을 표명함.

※ 미측으로부터 5.6 현재까지 동건관련 이견제시 없음.

                    미주국장 반기문 기록

                                        0017

	분류번호	보존기간

발 신 전 보

WYM-0144   910413 1209 FO

번   호 :   종별 :

수   신 : 주   예멘   대사. 총영사

발   신 : 장   관   (중동이)

제   목 : 걸프전 관련 주변피해국 지원

대 : YMW-0220

1. 걸프사태로 인한 예멘의 경제적 피해와 관련한 인도적 고려 및 유엔표결에
대비한 정책적 차원의 배려 필요성을 감안, 대호 건의대로 귀환 근로자를 위해
10만불 상당을 지원코자함.

2. 동 지원관련 현금 또는 적절한 국산물자등 지원방안에 대해 건의바랍. 끝.

(중동아국장 이 해 순)

예고 : 91.12.31. 까지

검토필 (1991. 6. 20.)

		보 안 통 제	

앙 고 재	91년 4월 13일	중동2 과	기안자 성명 허덕행		과 장	심의관	국 장 전결		차 관	장 관		외신과통제

0018

	분류번호	보존기간

발 신 전 보

WYM-0170   910502 1513 DN

번   호 :   종별 :

수   신 : 주   예멘   대사 // 총영사

발   신 : 장 관   (중동이)

제   목 : 걸프사태 관련 지원

연 : WYM-0144

100,000불 송금수속중인 바   방문계기

연호 지원건은 현금으로 하고 최광수 특사 귀지 방문기간(5.18~20)중

주재국측에 전달하는 방안으로 추진코자 하는바 아에대한 귀견 조속 보고바람. 끝.

ㄴ/ 검토, 시행바람.   (중동아국장 이 해 순)

검토필(1981.6.30. 서명)

		보 안 통 제	8/6

앙고재	년 월 일	기안자 성명		과 장	국 장	차 관	장 관	외신과통제
	91 6 2	허영백		6/6	전결		7904	

0019

분류기호 문서번호	중동이20005-	기안용지 (720-3869)	시 행 상 특별취급	
보존기간	영구.준영구 10. 5. 3. 1	차 관	장 관	
수 신 처 보존기간		전결		
시행일자	1991. 5. 2.			
보조 기관	국 장	협 조 기 관	기획관리실장 미주국장 총무과장	문 서 통 제
	심의관			
	과 장			
기안책임자	허 덕 행			발 송 인
경 유		발 신 명 의		
수 신	건 의			
참 조				
제 목	예멘지원			

　

걸프사태와 관련 경제적 피해가 심한 예멘에 대하여 예멘정부의

구호요청에 대한 인도적 고려 및 현재 UN안보리 비상임이사국인 예멘에

대한 정책적 배려차원에서 다음과 같이 지원코자 하니 재가하여 주시기

바랍니다.

- 다　　　　　음 -

1. 지원규모 : 10만불

2. 지원방법

　ㅇ 현금 10만불 지원(주예멘대사와 협의필)　　/계속..../

0020

ㅇ 최광수 특사의 '91.5.18-23간 예멘방문시 예멘정부에 전달

3. 지출항목 :   정무활동, 해외경상이전, 걸프만사태 관련

주변피해국 지원예비비.

첨 부 : 장관보고서 1부.   끝.

0021

분류기호	중동이20005-	협조문용지	결	담 당	과 장	국 장
문서번호	**13** ( )		재	리력행	초7여(서명)	
시행일자	1991. 5. 7.					
수 신	총무과장(외환)	발 신	중동아프리카국장			
제 목	경비송금의뢰					

    1. 별첨 재가를 득한 경비를 주 에멘대사관으로 지급 송금

조치하여 주시기 바랍니다.

    2. 동 에멘 지원금은 최광수특사의 '91.5.18~23간 에멘방문

기간 중 전달할 예정임을 참고바랍니다.

    첨 부 : 재가공문 사본 1부. 끝.

0022

외 무 부

종 별 : 지 급

번 호 : YMW-0279   일 시 : 91 0509 1400

수 신 : 장 관(중동일,중동이,국연)사본:최광수 특사(주이태리대사경유)

발 신 : 주 예멘 대사   (중계필)

제 목 : 특사 파견

대:WYM-0170

연:YMW-0276

1. 주재국 외무성 의전장에 의하면 연호의 북한 특사로서 양 형섭 최고 인민 회의 의장이 2 명의 수행원을 대동, 당지를 4 박 5 일 방문 예정이라고함.

2. 대호 걸프 사태 관련 지원금의 전달 방법은 주재국 외상과의 회담시 이를 전달하고 주재국 대통령 예방시 배석 예정인 외상이 구두로 동 지원금 접수 사실을 대통령에게 보고케하는것이 적절할것으로 사료됨.

3. 주재국 대통령 의전 및 외무성 의전이 추진중인 특사님 주요일정은 다음과 같음.

- 5.19(일)중 주재국 외상과의 회담 및 대통령 예방

- 5.20-5.21. 아덴 방문

- 5.22 오후 기념식 참석(사모님도 초청됨.)

대통령 주최 만찬 또는 리셉션

(대통령 의전 당국에 의하면 5.19 전후한 대통령의 지방 및 걸프연안국 순방일정에 따라서는 대통령 예방일정은 다소 유동적이며 지방에서 예방 가능성도 있다고함.)

(대사 류 지호-국장)

예고:91.12.31. 일반

검토필(1991.6 30 .)

| 중아국 | 장관 | 차관 | 1차보 | 2차보 | 중아국 | 국기국 | 정와대 | 안기부 |

2. 세네갈, 1991 - 92

0024

외 무 부

종   별 :

번   호 : SLW-0241   일   시 : 91 0322 1400

수   신 : 장관(아프일,정일,기정)

발   신 : 주 세네갈 대사

제   목 : 세네갈군 항공참사(자료응신 13호)

1. 세네갈의 걸프전쟁 참전군, 93 명을 태운 사우디 C130 기가 3.21 0540 (사우디시간) 사우디 SAFANI YA 에 착륙중 시계 제한으로 활주로를 이탈, 전복, 폭발사고가 일어났으며 이로인해 90 명 세네갈군이 사망하고 3 명이 중상당함. 2. 동 사고 원인은 성지 순례후 귀대중인 군인들을 태운 비행기가 석유불 연기 (이라크군 유정방화)와 모래바람으로 인해 극히 시계가 불량한 상황하에서 무리하게 착륙하다가 일어난것임.

3. 상기관련 디우프대통령은 3.21-28(8 일간)국상기간으로 선포하였음.

또한 FALL 국방장관, SECK 군참모총장 등 14 명으로 구성된 조문사절을 급파함.

4. 동건 관련 본직은 일차로 대통령실에 대사명의 조의멧세지를 발송하였음.

5. 건의: 동 참사계기 아국정부의 조의 전문 발송을 건의함. 끝.

(대사대리 정동일-국장)

중아국   차관   1차보   2차보   정문국   청와대   안기부

원 본

외 무 부

종 별 :

번 호 : SLW-0851

일 시 : 91 1112 1600

수 신 : 장관(중동2과,아프일,경이)

발 신 : 주 세네갈 대사

제 목 : 세네갈 특별지원

1. 세네갈은 걸프전당시 500 명의 군대를 파병한 아프리카 최대의 파병국이며, 항공참사로 92 명의 피해를 입으므로서, 사실상 참전국중 최대의 피해국임. 그럼에도 불구하고 세네갈은 아국의 참전국 원조고려대상에서 제외되었음.

2. 상기를 참작, 한, 세네갈 관계증진을 위하여 30 만불상당의 국산기자재 특별원조를 건의하니 검토회시바람. (지원요청부서및 선호원조품목)

가. 외무부:미니버스 1 대, 사무실용 에어콘(220 볼트/50 헬쯔) 20 대

나. 문교부:축구공, 축구화, 축구복, 양말 각각 300 점

나. 보사부:엠브란스 10 대

라. 내무부:오토바이(250 CC) 약 100 대

3. 상기 물가 30 만불을 초과하는경우에는 오토바이대수를 조정바람.

4. 상기원조품중 특히 차량, 운동복, 운동기등에 양국국기와 "AMITIE SENEGALO-COREENNE" 의 도안을 작성, 제작 부착 선적바람. 끝.

(대사 허승-국장)

예고:1992.12.31 일반

중아국   2차보   중아국   경제국

一般豫算檢討意見書

199**1**. **11** . **23** .　　　아프리카 1 課

事 業 名	세네갈 특별 지원		
支辦科目	細 項	目	金 額
	1211	341	$300,000-
檢 討 意 見			
主 務 者	정부환동 해외경상이전 에서 진행함		
擔 當 官	"		
審 議 官	"		

0027

외 무 부

110-760 서울 종로구 세종로 77번지 　　　/ (02)720-2351 　　　/ (02)720-2686

문서번호　아프일720-
시행일자　1991.11.18.(　　　　　)

수신 : 내부결재

참조

취급		차 관	장 관
보존			
국 장			
심의관		제1차관보	
과 장		기획관리실장	
		총무과장	
기안	문덕호	기획운영담당관	
		중동2과장	협조

제목 : 세네갈 특별지원

　　　걸프전 당시 아프리카 참전국중 최대규모인 500명의 군대를 파병하였고, 항공기
추락사고로 93명의 사상자가 발생하는등 많은 피해를 입은 바 있는, 세네갈 공화국에
우리나라의 걸프 사태 주변 피해국 지원 자금으로 30만불 상당의 국산 기자재를
아래와 같이 특별 지원할 것을 건의하오니 재가하여 주시기 바랍니다(주 세네갈 대사
전문 별첨).

1.　지원 대상국 : 세네갈 (주 세네갈 대사관 경유)
2.　지원 금액　 : 30만불
3.　지원 물품 (주 세네갈 대사 건의 품목을 중심으로 본부 조정)
　　　ㅇ 앰브란스, 승용차, 미니 버스, 에어콘 및 기타 체육기자재
4.　예산항목 : 정무활동-해외경상이전, 걸프사태 주변 피해국 지원(예비비)

첨 부 : 주 세네갈 대사 건의 전문 1부. 　　끝.

예 고 : 1992.12.31 일반

외 무 부 장 관

0028

발 신 전 보

번 호 : WSL-0425   911129 1624 DW 종별 : ᆞ 급

수 신 : 주 세 네 갈   대사. 총영사/

발 신 : 장 관   (아프일)

제 목 : 세네갈 특별지원

대 : SLW - 0851

1. 대호관련, 본부는 세네갈에 20만불 상당의 국산물품을 지원하기로 결정
   함. 다만, 대세네갈 원조 홍보효과를 제고하고 원조물품이 금년내
   선적이 완료되어야 하는 필요성을 감안, 미니버스와 앰브란스 중에서 두
   단일품목으로 지원코자 하니 귀견 보고 바람. 고려무역측에 의하면,
   12인승 미니버스(CIF가격 13,107불)와 앰브란스(14,625불) 선적에는
   각각 1-2개월이 걸린다고 함(에어콘, 승용차는 3-4개월 소요).

2. 본부의견은 앰뷰랜드 10대, 미니버스 4대 지원이 가능할 것으로 봄.

3. 상기 물품지원 방침을 세네갈 정부에 통보할시 금년도 추가 무상원조
   사업의 일환 또는 세네갈 걸프전 참전 피해 관련 특별지원중 어느
   명목으로 설명함이 좋을지에 관해서도 귀견 보고 바람.   끝.

(중동아국장 이해순)

예 고 ; 1992.6.30 까지

보 안 통 제	7년

앙 고 재	91 년 11 월 29 일	아 프 과	기안자 성 명			과 장	심의관	국 장		차 관	장 관	외신과통제
						7년	6년	전결			7년	

세네갈 특별지원 필요성

1. 세네갈은 걸프전 당시 아프리카 참전국중 최대규모인 500명의 군대를 파병하였고, 항공기 추락사고로 93명의 사상자가 발생하는 등 많은 피해를 입었으나 우리나라의 걸프사태 주변피해국 지원 대상에서 제외되었음.

2. 주 세네갈 대사의 건의에 의거, 30만불상당의 아래 국산기자재를 세네갈 정부에 특별지원하고자 함.

    o 미니버스, 앰블란스, 에어콘 등 세네갈 선호품목을 중심으로 본부 조정

3. 예산 항목

    o 정무활동-해외경상이전, 걸프사태 주변피해국 지원 (예비비)

    ※ 예비비 집행 현황

    시리아 _____

    - 예산총액 : 700만불
    - 집 행 액 : 418만5천불 (환차손 10만불 포함)
    - 집행 예상액 : 대 세네갈 지원   30만불
                   대 예멘 지원   30만불
                   대 수단 지원   20만불
                   행정잡비   1만불
                   방글라데시 태풍 피해 지원 100만불 ?
    - 잔   액 : 100만5천불 정도.   끝.

0030

걸프전 예산 집행현황

(단위 : 천불)

	(1) 90년 배정액	(2) 90년 집행액	(3) 90년 이월액	(4) 91년 배정액	(5) 배정총액 (1+4)	(6) 91년 집행액	(7) 예상 집행액	(8) 예상잔액 (5-2-6-7)	(9) 환차손예상
주변피해국지원	37,000		37,000	0	37,000	26,320	680	≠ 10,000 (대시리아)	1,100
국제기구	500	500	0	0	500	0	0	0	3
행정비	500	240	260	0	500	180	10	≠ 70	5
예비비	2,000	60	1,940	5,000 (관계기관통보)	7,000	4,085 (관계기관지원)	800	2,055	100 (일본환차손)
계	40,000	800	39,200	5,000	45,000	30,585	1,490	12,125	1,208

* 은 90년 이월액중 예상 잔액임 (잔액 전용 은 시리아 아국 주주 지원여정시 또는 공동개발기금 조성관계로 추가 지원여 정합시 별히 예산조치되어야 함.

* 금년내 예상집행액 은
 0 대 세네갈 지원 $300천불
 대 예멘 지원 $300천불
 대 수단 지원 $200천불
 행정잔비 $ 10천불

(환율적용 : $1.000 =)

원 본

외 무 부

종 별 :

번 호 : SLW-0897   일 시 : 91 1130 1600

수 신 : 장관(아프일,중동이,경이)

발 신 : 주 세네갈 대사

제 목 : 세네갈 특별지원

대:WSL-425

연:SLW-851

1. 20 만불상당 원조품은 아래와같이 송부바람.

가. 외무부:미니버스 3 대

나. 보사부:엠브란스 10 대

다. 문교부:축구공, 축구화, 축구복, 양말 각각 300 점

2. 원조액이 초과하는경우에는 미니버스수를 조정바람.

3. 원조품은 체육용품및 차량으로 분리, 송부바람.

4. 세네갈정부에 봉보할시 금년도 추가무상원조사업으로 설명함이 바람직함.끝.

(대사 허승-국장)

예고:92.3.31 일반

중아국   중아국   경제국

PAGE 1   91.12.01   07:14

외신 2과 통제관 FM

0032

발 신 전 보

WSL-0430   911204 1602 FK

번   호 :   종별 :

수   신 : 주 세 네 갈   대사. 총영사 (정동일 참사관)

발   신 : 장 관   (강선용 아프리카1과장)

제   목 : 업 연

대 : SLW - 0897

1. 세네갈 특별지원 관련, 지난번 최종결재 과정에서 대호 체육용품 지원
   사항이 특별지원 취지에 부합되지 않는다고 하여 10만불이 삭감되어 조정
   되었음을 감안, 엠브란스 10대와 미니버스 3대를 지원품목으로 확정
   하고자 하니 대사님께 잘 설명드려 주시기 바랍니다.

2. 고려무역측은 상기 품목이 명년 1월말 선적및 2월말 다카르 도착을
   목표로 발주하겠다고 하니 참고 바랍니다.

3. 기타 진전사항은 공전으로 알려 드리겠읍니다.   항상 건승하시길 기원
   드립니다.   끝.

예 고 : 독후 파기

보 안 통 제	

앙 고 재	91년 12월 4일	알 과	기안자 성 명		과 장		국 장		차 관	장 관

외신과통제

0033

관리
번호

원 본

외 무 부

종 별 :

번 호 : SLW-0918

일 시 : 91 1210 1600

수 신 : 장 관(강선용 아프 1과장)

발 신 : 주 세네갈 대사

제 목 : 업연

대:WSL-430

1. 대호, 대사님께 잘 설명드렸으며 지시의거 보사부 관방장, 외무부 아주과장에게 원조사실봉보한바 동인들은 심심한 사의를 표함.

2. 동 원조물품 선적서류 작정자 미니버스는 외무부에, 엠브란스는 보사부에 보낼수있도록 2개로 분리하여 작성바라며, 수신자도 관련처 분리표기바람.

3. 건승기원. 끝.

예고:독후파기

중아국

PAGE 1

91.12.11   02:09

외신 2과 통제관 FI

0034

외   무   부

110-760 서울 종로구 세종로 77번지   / (02)720-3869   / (02)720-3870

문서번호   중동이 20005-
시행일자   1991.12.17. (   )

수신   건 의
참조

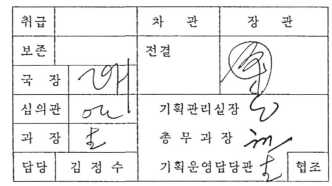

제목   걸프사태 관련 대세네갈 지원

걸프전 당시 아프리카 참전국중 최대규모인 500명의 군대를 파병하였고, 항공기 추락사고로 93명의 사상자가 발생하는등 많은 피해를 입은바 있는, 세네갈 공화국에 걸프사태 주변 피해국 지원자금으로 20만불 상당 지원키로 한 방침에 따라, 세네갈 정부의 요청에 따라 아래와 같이 지원코자 하오니 재가하여 주시기 바랍니다.

                    - 아   래 -

가 . 지원내역

품 목	수 량	단가 (CIF)	금 액
앰블런스	10대	$12,501. 60	$125,016
미니버스	3대	$12,165	$ 36,495
부품및 Sticker	10%상당		$ 15,496

        총 계 : $177,007

나 . 선적일정 : 계약일로부터 3개월이내 선적

다 . 지출근거 : 정무활동, 해외경상이전, 걸프사태 주변국 지원 (예비비)

첨 부 : 1. (주) 고려무역 견적서 및 수출계약서

        2. 관련 전문. 끝.

0035

輸 出 契 約 書

"甲" 外 務 部
　　　中東 2 課長　鄭　鎭　鎬

"乙" 株式會社　高　麗　貿　易
　　　代表理事　副社長 高 一 男

上記 "甲" "乙" 兩者間에 다음과 같이 輸出契約을 締結한다.

第 1 條 ： 輸出物品의 表示
　　　　　別　　添

第 2 條 ： "甲"은 上記 第1條의 物品貸金을 船積書類 受取後 "乙"에게 支給한다.

第 3 條 ： "乙"은 上記 第1條의 物品을 1992. 3. 16. 까지　　KOREAN PORT 港
　　　　　또는 (空港)에서 SENEGAL PORT 行　船舶(또는 航空機)에 船積하여야
　　　　　한다.　　但, 불가피한 事由로 船積이 遲延될 境遇에는 1990. 12. 21.
　　　　　外務部長官과 "乙" 間에 締結된 輸出代行業體 指定 契約書 第4條 規定에
　　　　　依하여 "乙"은 "甲"에게 船積 遲延事由書를 提出하고 "甲"은 同 遲滯
　　　　　償金 免除 與否를 決定한다.

第 4 條 ： "乙"은 船積完了後 7日 以內에 "甲"이 船積物品 通關에 必要한 諸般
　　　　　船積書類를 "甲" 또는 "甲"의 代理人에게 提出 또는 現地公館에 送付
　　　　　하여야 한다.

- 1 -

0036

第 5 條 : 上記 船積物品의 品質保證 期間은 船積後 1 年間으로 하며, 이 期間中 正常的인 使用에도 不拘하고 製造不良이나 材質 또는 조립상의 하자가 發生할 境遇 "乙"의 責任下에 解決한다.

本 契約에 明示되지 않은 事由에 對하여는 걸프만 事態 供與品 輸出 代行 契約書에 따른다.

1991 年 12 月 17 日

"甲" 外　　務　　部　　　　　　"乙" 株 式 會 社　高 麗 貿 易
　　　　　　　　　　　　　　　　　서울特別市 江南區 三成洞 159
中東 2 課長　鄭　鎭　鎬 　　代表理事　副社長　高　一　坊

- 2 -

(別 添)

DESCRIPTION	Q'TY	UNIT PRICE	AMOUNT
		C.I.F. DAKAR	
1. BESTA AMBULANCE WITH AIR-CONDITIONER, HEATER AM/FM STEREO CASSETTE AND STANDARD EQUIPMENT	10UNITS	@$12,501.60	U$125,016.-
- S/PORTS (10%)	10 SETS	@$1,175.30	U$11,753.-
2. BESTA 12C EST AIR-CONDITIONER, AM/FM STEREO HEATER, TINTED GLASS AND STANDARD EQUIPMENT	3UNITS	@$12,165.-	U$36,495.-
- S/PARTS (10%)	3 SETS	@$1,155.-	U$3,465.-
3. STICKER (5 COLOR)	40 PCS	@$6.95	U$278.-

T O T A L : 13UNITS & 13SETS & 40PCS			U$177,007.-

0038

誓 約 書

受　　信 : 外務部長官

題　　目 : 對外協力 供與用 物品供給

　　弊社는 貴部가 主管하는 對外協力 事業이 受援國과의 友好·協力關係

增進을 爲한 國家的 事業임을 認識하고, 今般　　SENEGAL　　國에 供與하는

　　BESTA AMBULANCE, ETC.　物品을 供給契約 締結함에 있어 아래 事項을

遵守할 것을 誓約하는 바입니다.

1. 物品供給 契約時 品質 價格面에서 一般 輸出契約과 最小限 同等한 또는

　　보다 有利한 條件을 適用한다.

1. 供給된 契約은 보다 誠實하고 協調的인 姿勢로 履行한다.

1. 同 契約 內容은 業務上 目的 以外에는 公開하지 않는다.

　　　　　　　　　　　　19 91 年 12 月 17 日

會　社　名 :

代　表　者 :　　株式會社 高麗貿易

（署名 및 捺印）　　代表理事 高一男

0039

EAST WEST ENTERPRISES LTD.

PHONE : 215-2212/4   322-1 KUN JA-DONG   TELEX : K24692 HANSEN
FAX   : 215-2215   SUNG DONG-KU,SEOUL, KOREA.   K.P.O.BOX : 1797

OFFER SHEET

YOUR REF. _____   OUR REF. EW-91-1203 .
TO. KOREA TRADING INT'L INC.   DATE.   DEC 03, 1991 .
    (SENEGAL)

Gentlemen :

In compliance with your request/solicitation, we are pleased to make an offer
for sale to you upon the terms and conditions set forth hereunder and in the
attached page here of :

Commodity :   SPARE PARTS FOR BESTA AMBULANCE : 10 UNITS
                SPARE PARTS FOR BESTA 12C EST   : 3 UNITS
                (Specifications and descriptions, as per described in the attached page of
                 this offer)

Quantity :   TOTAL 83 ITEMS

Amount (Total) :   F.O.B   PRICE US$ 13,291.96

Payment   :   . BY A KOREAN CURRENCIES

S'hipment :
                Partial Shipments : NOT ALLOWED   Transhipment : NOT ALLOWED

Packing   :   EXPORT STANDARD PACKING

Shipping Port : KOREAN PORT

Discharging Port :

Inspection.:   MAKER'S INSPECTION AT PLANT TO BE FINAL

Country of Origin : REPUBLIC OF KOREA

Validity :   UNTIL THE END OF DECEMBER 30, 1991.

Remarks :

Agreed and accepted by :   Yours faithfully,

(Name) _____   (Name) H. S. LEE
(Title)_____   (Title) MANAGING DIRECTOR   .

0040

L/I	PART NO.	PART NAME	Q'TY	U/PRICE	AMOUNT
1	R241 10 510	BELT COVER TIMING(RH)	10	8.86	88.60
2	R264 10 520	BELT COVER TIMING(LH)	10	14.37	143.70
3	K770 11 102A	PISTON SET WITH PIN,KEY	4	136.48	545.92
4	R201 11 210	CONNECTING ROD	6	56.27	337.62
5	RF01 11 213	BUSH CONNROD	24	1.92	46.08
6	K710 11 351	BEARING SET CRANK	6	19.15	114.90
7	F801 11 399	OIL SEAL CRANK	8	3.59	28.72
8	RF01 11 502A	RING GEAR	4	26.34	105.36
9	K710 12 111	IN VALVE	12	3.83	45.96
10	K710 12 121	EXHAUST VALVE	12	4.55	54.60
11	RF01 12 421	CAMSHAFT	4	67.04	268.16
12	RF01 14 100A	OIL PUMP	3	77.58	232.74
13	RF03 15 010B	WATER PUMP	4	50.28	201.12
14	K770 15 140	FAN COOLING	3	79.37	238.11
15	B611 15 908	"V" BELT	15	3.59	53.85
16	HE07 16 410B	CLUTCH COVER	10	25.14	251.40
17	R207 16 460B	CLUTCH DISK	10	43.10	431.00
18	8501 18 140A	GLOW PLUG	20	5.75	115.00
19	R201 18 300C	ALTERNATOR	4	179.58	718.32
20	RF01 18 381	PAN BELT	14	1.92	26.88
21	RF01 18 400A	STARTER MOTOR	4	203.52	814.08
22	RF01 23 130A	RING SET PISTON	10	131.69	1316.90
23	K710 23 570	FUEL FILTER	60	8.98	538.80
24	K790 23 603B	AIR ELEMENT	60	5.75	345.00
25	RF03 23 802A	OIL ELEMENT	60	4.31	258.60
26	S083 26 251	BRAKE FRUM	5	50.28	251.40
27	S083 26 330C	BRAKE SHOE ASSY	20	5.51	110.20
28	S083 26 610A	RR WHEEL CYL(RH)	10	7.90	79.00
29	S083 26 710A	RR WHEEL CYL(LH)	10	7.90	79.00
30	K710 28 700	RR DAMPER	8	15.08	120.64
31	K710 32 240	BALL JOINT	8	10.77	86.16
32	K710 34 700	FRONT DAMPER	8	15.08	120.64
33	SA56 41 660A	CABLE ACCEL	10	8.38	83.80
34	ST20 43 400	BRAKE MASTER CYLINDER	5	44.30	221.50
35	SA55 44 150A	FRONT CABLE	10	7.90	79.00
36	S083 44 410B	REAR CABLE	10	10.30	103.00
37	K770 51 030	HEAD LAMP(RH)	5	32.32	161.60
38	K770 51 040	HEAD LAMP (LH)	5	32.32	161.60
39	K778 51 060	FRONT COMBI LAMP (RH)	5	14.37	71.85
40	K778 51 070	FRONT COMBI LAMP(LH)	5	14.37	71.85
41	K770 51 150	REAR COMBI LAMP(RH)	5	18.20	91.00
42	K770 51 160	REAR COMBI LAMP(LH)	5	18.20	91.00
43	SA44 60 070B	CABLE SPEEDOMETER	10	10.54	105.40
44	SA67 66 120B	COMBINATION SWITCH	5	26.34	131.70
45	K778 67 330	WIPER BLADE	20	3.83	76.60
46	K771 69 110A	BACK MIRROR(RH)	5	22.99	114.95
47	K771 69 170A	BACK MIRROR(LH)	5	17.48	87.40
48	K710 99 100X	ENGINE GASKET SET	15	29.93	448.95

Total ***

| | | | 571 | 1587.25 | 10269.66 |

0041

SPARE PARTS FOR KIA
====================

L/I	PART NO.	PART NAME	Q'TY	U/PRICE	AMOUNT
1	K770 11 102A	PISTON SET WITH PIN,KEY	2	136.48	272.96
2	RF01 11 213	BUSH CONNROD	12	1.92	23.04
3	K710 11 351	BEARING SET CRANK	3	19.15	57.45
4	RF01 11 502A	RING GEAR	1	26.34	26.34
5	K710 12 111	IN VALVE	6	3.83	22.98
6	K710 12 121	EXHAUST VALVE	6	4.55	27.30
7	RF01 12 421	CAMSHAFT	1	67.04	67.04
8	RF01 14 100A	OIL PUMP	1	77.58	77.58
9	K770 15 140	FAN COOLING	2	79.37	158.74
10	HE07 16 410B	CLUTCH COVER	3	25.14	75.42
11	R207 16 460B	CLUTCH DISK	3	43.10	129.30
12	8501 18 140A	GLOW PLUG	10	5.75	57.50
13	R201 18 300C	ALTERNATOR	2	179.58	359.16
14	RF01 18 381	PAN BELT	10	1.92	19.20
15	RF01 18 400A	STARTER MOTOR	2	203.52	407.04
16	RF01 23 130A	RING SET PISTON	2	131.69	263.38
17	K710 23 570	FUEL FILTER	15	8.98	134.70
18	K790 23 603B	AIR ELEMENT	15	5.75	86.25
19	RF03 23 802A	OIL ELEMENT	15	4.31	64.65
20	S083 26 330C	BRAKE SHOE ASSY	8	5.51	44.08
21	K710 32 240	BALL JOINT	3	10.77	32.31
22	SA56 41 660A	CABLE ACCEL	5	8.38	41.90
23	SA55 44 150A	FRONT CABLE	5	7.90	39.50
24	K770 51 030	HEAD LAMP(RH)	1	32.32	32.32
25	K770 51 040	HEAD LAMP (LH)	1	32.32	32.32
26	K778 51 060	FRONT COMBI LAMP (RH)	2	14.37	28.74
27	K778 51 070	FRONT COMBI LAMP(LH)	2	14.37	28.74
28	K770 51 150	REAR COMBI LAMP(RH)	2	18.20	36.40
29	K770 51 160	REAR COMBI LAMP(LH)	2	18.20	36.40
30	SA44 60 070B	CABLE SPEEDOMETER	5	10.54	52.70
31	SA67 66 120B	COMBINATION SWITCH	2	26.34	52.68
32	K778 67 330	WIPER BLADE	6	3.83	22.98
33	K771 69 110A	BACK MIRROR(RH)	3	22.99	68.97
34	K771 69 170A	BACK MIRROR(LH)	3	17.48	52.44
35	K710 99 100X	ENGINE GASKET SET	3	29.93	89.79

Total ***

| | | | 164 | 1299.45 | 3022.30 |

0042

HAE DONG TRADING CO., LTD.

952-6 DAB SIMRI-DONG, DONG DAE MUN-KU, SEOUL, KOREA
PHONE : (02) 213-9642   FAX : (02) 244-6728

OFFER SHEET

MESSERS : KOREA TRADING INTERNATIONAL INC.,   DATE   : 4TH DEC,1991
                                                YOUR REF :
                                                OUR REF : 911204-171

Gentlemen :
        WE ARE VERY PLEASED TO OFFER YOU AS FOLLOWS ;

Shipping port : BUSAN, KOREA   Destination : SENEGAL

Packing   : EXPORT STANDARD   Origine   :

Validity   : DEC 30, 1991

Shipment   :

Payment   : KOREA CORRENCIERS   Very turly yours,

Remarks   :   HAE DONG TRADING CO., LTD

Accepted by   :

ITEM NO.	DESCRIPTION	Q'TY	U/PRICE	AMOUNT
	" DETAILS AS PER ATTACHED SHEET "			

0043

SPARE PARTS FOR KIA
====================

L/I	PART NO.	PART NAME	Q'TY	U/PRICE	AMOUNT
1	K770 11 102A	PISTON SET WITH PIN,KEY	4	147.31	589.24
2	R201 11 210	CONNECTING ROD	6	77.21	463.26
3	K710 11 351	BEARING SET CRANK	6	19.12	114.72
4	RF01 11 502A	RING GEAR	4	27.35	109.40
5	K710 12 111	IN VALVE	12	3.79	45.48
6	K710 12 121	EXHAUST VALVE	12	4.69	56.28
7	RF01 12 421	CAMSHAFT	4	80.35	321.40
8	RF01 14 100A	OIL PUMP	3	84.61	253.83
9	K770 15 140	FAN COOLING	3	78.89	236.67
10	HE07 16 410B	CLUTCH COVER	10	33.44	334.40
11	R207 16 460B	CLUTCH DISK	10	44.12	441.20
12	8501 18 140A	GLOW PLUG	20	6.40	128.00
13	R201 18 300C	ALTERNATOR	4	201.63	806.52
14	RF01 18 400A	STARTER MOTOR	4	243.12	972.48
15	RF01 23 130A	RING SET PISTON	10	147.54	1475.40
16	K710 23 570	FUEL FILTER	60	9.72	583.20
17	K790 23 603B	AIR ELEMENT	60	7.11	426.60
18	RF03 23 802A	OIL ELEMENT	60	5.63	337.80
19	S083 26 330C	BRAKE SHOE ASSY	20	8.84	176.80
20	S083 26 610A	RR WHEEL CYL(RH)	10	10.15	101.50
21	S083 26 710A	RR WHEEL CYL(LH)	10	10.15	101.50
22	K710 28 700	RR DAMPER	8	15.01	120.08
23	K710 32 240	BALL JOINT	8	11.37	90.96
24	K710 34 700	FRONT DAMPER	8	15.01	120.08
25	ST20 43 400	BRAKE MASTER CYLINDER	5	44.30	221.50
26	SA55 44 150A	FRONT CABLE	10	9.94	99.40
27	S083 44 410B	REAR CABLE	10	11.15	111.50
28	K770 51 030	HEAD LAMP(RH)	5	43.27	216.35
29	K770 51 040	HEAD LAMP (LH)	5	43.27	216.35
30	K778 51 060	FRONT COMBI LAMP (RH)	5	19.27	96.35
31	K778 51 070	FRONT COMBI LAMP(LH)	5	19.27	96.35
32	K770 51 150	REAR COMBI LAMP(RH)	5	24.27	121.35
33	K770 51 160	REAR COMBI LAMP(LH)	5	24.27	121.35
34	SA67 66 120B	COMBINATION SWITCH	5	41.83	209.15
35	K771 69 110A	BACK MIRROR(RH)	5	22.87	114.35
36	K771 69 170A	BACK MIRROR(LH)	5	19.31	96.55
37	K710 99 100X	ENGINE GASKET SET	15	40.16	602.40

Total ***

| | | | 441 | 1655.74 | 10729.75 |

0044

L/I	PART NO.	PART NAME	Q'TY	U/PRICE	AMOUNT
1	K770 11 102A	PISTON SET WITH PIN,KEY	2	147.31	294.62
2	K710 11 351	BEARING SET CRANK	3	19.12	57.36
3	RF01 11 502A	RING GEAR	1	27.35	27.35
4	K710 12 111	IN VALVE	6	3.79	22.74
5	K710 12 121	EXHAUST VALVE	6	4.69	28.14
6	RF01 12 421	CAMSHAFT	1	80.35	80.35
7	RF01 14 100A	OIL PUMP	1	84.61	84.61
8	K770 15 140	FAN COOLING	2	78.89	157.78
9	HE07 16 410B	CLUTCH COVER	3	33.44	100.32
10	R207 16 460B	CLUTCH DISK	3	44.12	132.36
11	8501 18 140A	GLOW PLUG	10	6.40	64.00
12	R201 18 300C	ALTERNATOR	2	201.63	403.26
13	RF01 18 400A	STARTER MOTOR	2	243.12	486.24
14	RF01 23 130A	RING SET PISTON	2	147.54	295.08
15	K710 23 570	FUEL FILTER	15	9.72	145.80
16	K790 23 603B	AIR ELEMENT	15	7.11	106.65
17	RF03 23 802A	OIL ELEMENT	15	5.63	84.45
18	S083 26 330C	BRAKE SHOE ASSY	8	8.84	70.72
19	K710 32 240	BALL JOINT	3	11.37	34.11
20	SA55 44 150A	FRONT CABLE	5	9.94	49.70
21	K770 51 030	HEAD LAMP(RH)	1	43.27	43.27
22	K770 51 040	HEAD LAMP (LH)	1	43.27	43.27
23	K778 51 060	FRONT COMBI LAMP (RH)	2	19.27	38.54
24	K778 51 070	FRONT COMBI LAMP(LH)	2	19.27	38.54
25	K770 51 150	REAR COMBI LAMP(RH)	2	24.27	48.54
26	K770 51 160	REAR COMBI LAMP(LH)	2	24.27	48.54
27	SA67 66 120B	COMBINATION SWITCH	2	41.83	83.66
28	K771 69 110A	BACK MIRROR(RH)	3	22.87	68.61
29	K771 69 170A	BACK MIRROR(LH)	3	19.31	57.93

Total ***

| | | | 123 | 1432.60 | 3196.54 |

0045

Kia Motors Corporation
15 Yoido-dong, Youngdeungpo-ku,
Seoul, Korea
Tel. (02)784-1501
Fax. (02)784-0746
Telex K27327 KIACO

MCT Reg. NO

OFFER SHEET

To   KOREA TRADING INTERNATIONAL INC.
SEOUL, KOREA

Our Ref.: 3L011K091028

Date : DEC. 7. 1991

Gentlemen:

We have the pleasure to submit you out offer as follows on the terms and conditions set forth as hereunder

Description	Quantity	Unit Price	Amount
Kia VEHICLE		FOB KOREAN PORT IN U.S. DOLLARS	
BESTA 12C EST WITH AIR-CONDITIONER, AM/FM STEREO CASSETTE, HEATER, TINTED GLASS AND STANDARD EQUIPMENT	3 UNITS	$10,082.00	$30,246.00
BESTA AMBULANCE WITH AIR-CONDITIONER, AM/FM STEREO CASSETTE, HEATER, AND STANDARD EQUIPMENT	10 UNITS	$10,292.00	$102,920.00
FOB TOTAL	13 UNITS		$133,166.00

Origin   : REPUBLIC OF KOREA
Shipment : WITHIN THREE MONTHS AFTER RECEIPT OF LOCAL L/C OR T/T
Destination : ANY KOREAN PORT
Packing : EXPORT STANDARD PACKING (BARE)
Payment : BY LOCAL L/C OR T/T

Validity : JULY 15, 1992
Remarks :

Very truly yours,

Kia Motors Corporation

0046

Accepted by:

KOTI

KOREA TRADING INTERNATIONAL INC.

PHONE:(02)551—3114
F A X :(02)551—3100
TELEX:KOTII K27434
CABLE:KOTII SEOUL

11TH FLOOR, TRADE TOWER,
159, SAMSUNG-DONG, KANGNAM-KU,
SEOUL, KOREA
TRADE CENTER P.O.BOX23, 24

DATE: DEC. 10,1991
YOUR REF:
OUR REF: KOOBS-20025

OFFER SHEET

To: THE MINISTRY OF FOREIGN AFFAIRS IN R.O.K.

Dear Sirs,

We have the pleasure in offering you as follows:

Delivery	: WITHIN 3 MONTHS AFTER SIGNING CONTRACT	Packing	: EXPORT STANDARD PACKING
Origin	: R. O. K.	Inspection	: MAKER'S INSPECTION TO BE FINAL
Port of Shipment	: KOREAN PORT	Validity	: DEC. 31, 1991
Destination	: SENEGAL PORT	Remarks	:
Payment	: C.A.D.		

Description	Quantity	Unit Price	Amount	Remarks
		C.I.F. DAKAR		
1. BESTA AMBULANCE WITH AIR-CONDITIONER, HEATER AM/FM STEREO CASSETTE AND STANDARD EQUIPMENT	10UNITS	@$12,501.60	U$125,016.-	
- S/PARTS (10%)	10 SETS	@$1,175.30	U$11,753.-	
2. BESTA 12C EST AIR-CONDITIONER, AM/FM STEREO HEATER, TINTED GLASS AND STANDARD EQUIPMENT	3UNITS	@$12,165.-	U$36,495.-	
- S/PARTS (10%)	3 SETS	@$1,155.-	U$3,465.-	
3. STICKER (5 COLOR)	40 PCS	@$6.95	U$278.-	

TOTAL :   13UNITS & 13SETS & 40PCS   U$177,007.-

/// /// ///

Very truly yours,

Korea Trading International Inc   0047

S. Y. KIM/DIRECTOR

Accepted by

원 가 계 산 서 (사 전 원 가)

REF : KOOBS-20025

단위 : U.S. DOLLAR

품 명	F.O.B.	FREIGHT		보 험 료			MARGIN	C.I.F.
		내 역	AMOUNT	기준가 CIF x 1	RATE	AMOUNT	(FOB x 2%)	
BESTA AMBULANCE	10,292 X 10 = 102,920	@$3,700 X 10CON'T = U$37,000	33,300	153,132.10	0.6095	933	2,058	139,211
- S/PARTS	10,269.66		3,700	15,697.80	0.6095	95.68	204.66	14,270
BESTA 12C EST	10,082 X 3 = 30,246	@$3,700 X 3 CON'T = U$11,100	9,990	45,228.70	0.6095	276	606	41,118
- S/PARTS	3,022.30		1,110	4,643.16	0.6095	28.30	60.40	4,221
STICKER	270.74			304.99	0.6095	1.86	5.40	278
T O T A L	146,728.70		48,100			1,334.84	2,934.46	199,098

0048

발 신 전 보

번 호 : WSL-0005   920106 1608 ED 종별 :

수 신 : 주 세네갈   대사 . 총영사///

발 신 : 장 관   (중동아국장 이, 아프일)

제 목 : 대세네갈 추가원조

대 : SLW - 0897

　　대호, 대세네갈 추가지원은 총액 $177,007상당액으로서 앰블런스 10대, 미니버스 3대 및 동부품 ($15,496상당)을 지원키로 91.12.20자 계약 체결하였음을 참고바람. 끝.

　　(3개월이내 선적예정)

　　　　　　　　　　　　　　　　　　　　　　　　(중동아국장 이 해 순)

예 고 : 92.6.30.까지

앙 고 재	92 년 월 일	중 과	기안자 성 명	김재남	과 장	산	심의관	예	국 장	검기환		차 관	장 관	197

0049

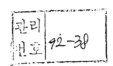

외   무   부

110-760 서울 종로구 세종로 77번지   / (02)720-3869   / (02)720-3870

문서번호 중동이 20005

시행일자 1992. 1. 9. (   )

취급		장 관	
보존			
국 장	전 결		
심의관			
과 장			
담 당	김 정 수		협조

수신   주 세네갈 대사

참조

제목   대주재국 무상원조 선적서류 송부

연 : WSL - 0005

1. 연호 대주재국 무상원조품 선적에 따른 선적서류를 별첨 송부하오니 주재국
   관련부처에 적의 전달, 수령에 착오 없으시기 바랍니다.

2. 동 선적서류는 귀관 요청데로 주재국 외무부와 보사부에 별도 전달할수 있도록
   분리 작성되었음을 첨언합니다.

첨 부 : 선적서류 4부. (외무부 2부, 보사부 2부)

0050

외 무 부

110-760 서울 종로구 세종로 77번지 / (02)720-3869 / (02)720-3870

문서번호 중동이 20005-02
시행일자 1992. 1. 9. (   )

취급		장 관
보존		
국 장	전 결	
심의관		
과 장		
담 당	김 정 수	협조

수신   총무과장 (외환)
참조

제목   걸프사태 관련 경비지불

    걸프사태 관련 대세네갈 지원품 선적에 따른 경비를 아래와 같이 지불하여
주시기 바랍니다.

- 아   래 -

    1. 지불액 : $177,007

    2. 지불처 : (주) 고려무역

        ㅇ 지불은행 : 제주은행 서울지점

        ㅇ 구좌번호 : 963 THR 109-01-0

    3. 산출근거 : 대세네갈 지원품 선적에 따른 경비지불

    4. 예산항목 : 정무활동, 해외경상이전 (걸프사태 주변국지원, 예비비)

첨부 : 1. 재가공문 사본 1부.

       2. 고려무역 청구서 1부.

       3. 선적서류 1부.   끝.

중 동 아 프 리 카 국 장

0051

株式會社 高麗貿易

電　話 : (02) 737-0860
F A X : (02) 739-7011
TELEX : KOTII K34311

서울 特別市 江南區 三成洞 159番地
貿易會館 빌딩 11層
TRADE CENTER P.O. BOX 23,24.

수 신 : 외무부 중동 2 과장

제 목 : 걸프만 사태 관련 지원물대 송금 신청

　폐사는 귀부와의 계약에 의거하여 아래와 같이 걸프만 사태 관련 지원물품을 기 선적하였아오니 송금조치 하여 주시기 바랍니다.

- 아　　　　　　　　　　래 -

1. 선적물품 내역

품 목	수 량	금 액	선적일	도 착 예정일	선 명	선적항	도착항
BESTA AMBULANCE	10 UNITS	U$125,016	1/5 '92	2/19 '92	ADVENTURE ACE 18A	INCHON	DAKAR
- S/PARTS	10 SETS	U$11,753	"		"		
BESTA 12C EST	3 UNITS	U$36,495	"		"		
- S/PARTS	3 SETS	U$3,465	"		"		
STICKER	40 PCS	U$278	"		"		
TOTAL		U$177,007					

2. 비 고

　걸프만 사태 관련 SENEGAL 지원 계약분 ('91. 12. 17.) 의 선적건임.

3. 송 금 처 : 제주은행 서울지점

　　구좌번호 : 963-THR 109-01-0

　　예금주 : (주) 고려무역.　끝.

1 9 9 2 年　1 月　8 日
鍾 路 貿 易 本 部　海 外 事 業 팀

0052

외 무 부

종   별 :

번   호 : SLW-0340   일   시 : 92 0514 1200

수   신 : 장관(중동이,아프일,경이)

발   신 : 주 세네갈 대사

제   목 : 무상원조식

대:중동이 20005-42

1. 대호, 엠브란스 10 대및 미니버스 3 대 기증식이 5.15 당지에서 개최되었음.

2. 기증식에는 DJIBO KA 외무장관, BAO 물자행정국장, THIAM 아주과장, 보사부 SYLLA 관방장, 내무부, 문교부대표, TV 라디오, 일간지 LE SOLEIL 지 취재진등 약 30 여명이 참석하였음.

3. 상기 행사는 본직의 기증사, KA 장관의 답사순으로 진행되었는바, 답사중 특기사항 아래와같음.

   -한국은 작년 차량 15 대에이어 이번 또다시 13 대를 지원하였는바, DIOUF 대통령을 대신하여 사의를 표함.

   -한국을 포함한 전세계의 세네갈 민주화지지에 사의를 표함.

   -한국은 30 년전 개도국에 불과하였으나, 오늘날은 그 경제발전, 민주화로 개도국을 벗어났는바, 이는 자랑스러운것임.

   -한-세 밀월관계(MARIAGE DE RAISON 라고 표현)는 협력을 통해 더욱 공고히되어가고있음을 만족함.

4. 참고:원조식은 당초 보사부장관이 주재하려고하였으나, KA 외무장관이 개입, 자신이 직접 주재하였음. 이는 본직 신임장 제정식때 DIOUF 대통령이 장관에게 본직과 긴밀한 협조관계를 갖으라고 지시한데 대한 장관의 관심을 표한것으로 사료됨. 끝.

   (대사 양동칠-국장)

   예고:92.12.31 일반

---

3. 파키스탄, 1990

0054

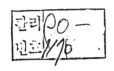

주 파 키 스 탄 대 사 관

주 파(경)2060-390   1990. 9. 20.

수신   외무부장관

참조   국제경제국장, 아주국장

제목   주재국 경제지원 요청

1. 주재국 경제부는 90.9.13(목) 10:00 대주재국 경제지원국 대사를 초치,
    최근 중동위기가 주재국 경제에 미치고 있는 영향에대해, Saeed A.
    Qureshi 재무부 차관의 브리핑이 있었는바, 동 요지 아래와 같이
    보고합니다.

    가. 쿠웨이트, 이락의 파키스탄 근로자 약100,000명의 귀환을 위해
         약7,000만불 (귀환후 근로자의 처우복원에 소요되는 경비제외)
         이 소요됨.

    나. 유가상승으로 인하여 예산사업(약13억불규모) 추진에 6억불을
         추가 부담해야 하며, 이외에 근로자의 송금감소 3억불, 대 걸프
         국가 수출감소 1억불등이 주재국 경제에 수용하기 어려운 문제임.
         따라서 유가상승의 직접 영향 이외에 통상에 미치는 영향등
         간접요인을 제외하더라도 금 회계년도중 약10억불을 추가로
         부담하게되어, 국제수지적자가 21억7,700만불에 달할 것으로
         예상됨.

    다. 그리고 중동위기의 기간 및 심도에 따라, 선진국의 대 개도국
         경제정책에 미치는 역반응이 서서히 표출될 것으로 전망되고
         있음.

0055

2. 상기 중동위기가 주재국 경제에 미치는 영향으로 인하여 주재국은 심각한 국제수지적자, 외환보유고 부족(2주간의 수입액에 해당하는 5억불)등으로 대파키스탄 경제협력 국가의 긴급 자금지원이 필요한 실정이라고 설명하고, 상기 약11억불의 필요 경제지원에대하여 각지원국이 지원가능여부를 회시하여 줄것을 요청하여 왔읍니다.

3. <u>피측 요청에의한 대중동사태 경비 분담 계획과 관련, 직접군사비분담이외에 대중동국 지원계획이 있으면 파키스탄도 이에 포함시켜 지원 검토하여 주시기 바랍니다.</u>

첨부 : 동 브리핑자료 (Aide Memoire) 1부.끝.

주　파　키　스　탄　대　　사

0056

GOVERNMENT OF PAKISTAN
(ECONOMIC AFFAIRS DIVISION)

MIDDLE EAST CRISIS - REQUEST FOR ADDITIONAL ASSISTANCE FROM DONORS

AIDE MEMOIRE

ISLAMABAD
SEPTEMBER 13, 1990.

0057

AIDE MEMOIRE

The full impact of the Middle East crisis will take some time to unfold as its duration and intensity will eventually determine when stability in that region is likely to be restored and oil prices are likely to resume an equilibrium level. Despite the uncertainty about the course of events in the Gulf, based on the current situation and a set of assumptions, an attempt has been made to assess the adverse impact on Pakistan's economy.

2.   The crisis will have two consequences for Pakistan. Firstly, Pakistanis working in Kuwait and Iraq have to be repatriated at an estimated cost of Rs.1500 million. This excludes schemes for their rehabilitation which are still under formulation. The second and more intractable problem is the severe strain on the balance of payment arising from the surge in oil price, drop in home remittances and decline in exports to Gulf countries. The balance of payments loss is placed at $ 1000 million. The estimates do not include the terms of trade shock, other than the direct impact of the increase in oil prices. Here again the duration and intensity of the crisis and macro-economic policy response of the developed countries will give some indication of the likely out turn. With these caveats the following sections set out the data and assumptions on which these projections have been made.

(a) **Evacuation and Rehabilitation of Pakistanis.**

3.   Official assessment indicates that 100,000 Pakistanis in Kuwait and Iraq have to be evacuated. About 10,000

0058

Pakistanis are expected to travel back to Pakistan by their own vehicles or through other means of road transportation. The remaining 90,000 will travel by air or sea. The passage by a PIA flight from Amman to Karachi costs Rs.7,500/-, from Riyadh to Karachi Rs.6,000/- while the approximate cost by sea journey also comes to Rs.7,000/- per person. The average transportation cost for bringing back a Pakistani from various stations in the Middle East to Karachi is estimated roughly at Rs.7,000/-. The expenditure thus expected to be incurred on travel by air and sea would therefore be Rs.630 million.

4.   Those returning by their own motor cars or other means of road transportation will need to be provided Rs.10,000 per head to meet the cost of gasoline, hire charges for buses, temporary shelter and food charges in Turkey, Iran and Syria. About Rs.100 million will be incurred on 10,000 persons travelling by road.

5.   To facilitate internal movement within Pakistan and to meet other expenses for reaching the final destination, the Government has decided to pay Rs.6,000/- to each person at the time of entry into Pakistan. The total burden of the cash grant would amount to Rs.600 million.

6.   The evacuees reaching Riyadh and Amman were transported from the borders, lodged in camps and provided food, blankets and medical aid before their embarkation on planes and ships. While all the evacuees in Riyadh have been cleared, there is

0059

a continous flow to Amman. The cost of running camps at these places is estimated at $ 3 million i.e. about Rs.70 million. Similarly, reception camps have been established at Taftan for overland evacuees and at Karachi for those returning by sea or air. The cost per head presently is estimated at Rs.1000 with a total cost of Rs.100 million. Thus, camps and associated relief inputs will cost about Rs.170 million.

7.   The Summary of expenditure on the facilities noted above is given below:

a.	Travel expenditure @ Rs.7,000/- per head for 90,000 persons by air/sea		Rs.630 million
b.	Travel expenditure of 10,000 evacuees moving by land route @ Rs.1000/- per head.		Rs.100 million
c.	Expenditure on camps in Amman and Riyadh.		Rs. 70 million
d.	Payment at entry point for 100,000 evacuees @ Rs.6,000/- per head.		Rs.600 million
e.	Reception camps at Karachi-Taftan, transportation and food.		Rs.100 million
		Grand total:	Rs.1500 million

8.   The majority of expatriate Pakistanis have both the skill and enterprise for gainful absorption in the economy. To facilitate the process, schemes for their rehabilitation are under preparation.The cost to the federal budget will be known when returns and estimates are firmed up.

b.   **Loss of Home Remittances.**

9.   Pakistan was receiving home remittances of about $ 170 million annually from Kuwait. As a result of annexation of

Kuwait by Iraq, Pakistanis in Kuwait and Iraq are returning home. Due to disturbed conditions in the Gulf Area, home remittances from other Gulf countries are also expected to decline. The loss in home reittances is presently estimated as $ 300 million.

c.   **Loss of Export Receipts.**

10.   The embargo on trade with occupied Kuwait and Iraq will cause a loss of $ 100 million in the form of export receipts.

d. **Increase in the Price of Oil**

11.   The Gulf Crisis will have a serious impact on the already tenuous balance of payments position of Pakistan. Import payments are estimated to go up very significantly due to the spurt in oil prices. The budget for 1990-91 projects crude oil price at $ 17 per barrel, fuel oil at $ 85 per ton and other deficit products at $ 226 per ton. As a result, POL import payments for the year 1990-91 are expected to add a burden of $ 600 million to the projection of $ 1,314 million incorporated in the budget as shown in the table:

P.O.L. Imports

	Budget	Projections (Revised)
Crude Oil		
- Value ($ million)	470.0	664.0
- Volume (million barrel)	27.7	27.7
- Price ($ per barrel)	17.0	24.0

0061

Fuel Oil

-	Value ($ million)	161.0	227.0
-	Volume (million tons)	1.9	1.9
-	Price ($ per ton)	85.0	119.0

Others

-	Value ($ million)	673.0	950.0
-	Volume (million tons)	4.2	4.2
-	Price ($ per ton)	160.0	226.0

12. Thus, loss of exports, surge in oil price and drop in home remittance will increase Pakistan's current account deficit by about $ 1 billion in 1990-91 from $ 1328 million (Budget) to $ 2177 miliqn. With foreign exchange liquid reserves of $ 500 million, sufficient to cover only 2 weeks import bill, it will not be possible for Pakistan to absorb the loss. In addition, an outlay of Rs.1500 million (which includes some foreign exchange expenditure on travel, camps, other operations) is required for Pakistanis returning from Kuwait and Iraq.

13. To overcome these unforeseen problems, Pakistan would need additional assistance of about $ 1100 million by way of quick disbursing aid to support the deteriorating balance of payments position as also for the evacuation of Pakistanis from Kuwait and Iraq.

14. It is hoped that donor countries and international agencies would extend all possible assistance so that Pakistan can overcome these problems.

0062

주 파 키 스 탄 대 사 관

주파(경)2060-426   1990. 11. 1.

수신 외무부장관

참조 국제경제국장·아주국장

제목 주재국 경제 지원 요청

연 : 주파(경)2060-390

대 : WPA -0450

　　주재국은 금 11·1(목) 외무성의 브리핑을 통하여 걸프사태로
인하여 주재국이 받고있는 경제적 피해액을 재확정(약20억불) 하였음을
설명하고, 선진 우방국의 원조등 경제적 특별지원을 요청하였는바,
동 브리핑내용을 별첨과 같이 송부합니다

첨부 : 브리핑 전문 사본1부·끝·

주 파 키 스 탄 대 사							
종합	경제협력2과	년 월 일	담당	과장	국장	차관보	차관	장관

61192

GOVERNMENT OF PAKISTAN
(ECONOMIC AFFAIRS DIVISION)

MIDDLE EAST CRISIS - REQUEST FOR ADDITIONAL ASSISTANCE FROM DONORS

AIDE MEMOIRE

ISLAMABAD
OCTOBER 4, 1990.

0064

AIDE MEMOIRE

The full impact of the Middle East crisis will take some time to unfold as its duration and intensity will eventually determine when stability in that region is likely to be restored and oil prices are likely to resume an equilibrium level. Despite the uncertainty about the course of events in the Gulf, based on the current situation and a set of assumptions, an attempt has been made to assess the adverse impact on Pakistan's economy.

2.   The crisis will have two consequences for Pakistan. Firstly, Pakistanis working in Kuwait and Iraq have to be repatriated at an estimated cost of Rs.1500 million. This excludes schemes for their rehabilitation which are still under formulation. The second and more intractable problem is the severe strain on the balance of payment arising from the surge in oil price, drop in home remittances and decline in exports to Gulf countries. The balance of payments loss is placed at $ 1996 million. The estimates do not include the terms of trade shock, other than the direct impact of the increase in oil prices. Here again the duration and intensity of the crisis and macro-economic policy response of the developed countries will give some indication of the likely out turn. With these caveats the following sections set out the data and assumptions on which these projections have been made.

(a) <u>Evacuation and Rehabilitation of Pakistanis.</u>

3.   Official assessment indicates that 100,000 Pakistanis in Kuwait and Iraq have to be evacuated. About 10,000

0065

Pakistanis are expected to travel back to Pakistan by their own vehicles or through other means of road transportation. The remaining 90,000 will travel by air or sea. The passage by a PIA flight from Amman to Karachi costs Rs.7,500/-, from Riyadh to Karachi Rs.6,000/- while the approximate cost by sea journey also comes to Rs.7,000/- per person. The average transportation cost for bringing back a Pakistani from various stations in the Middle East to Karachi is estimated roughly at Rs.7,000/-. The expenditure thus expected to be incurred on travel by air and sea would therefore be Rs.630 million.

4.   Those returning by their own motor cars or other means of road transportation will need to be provided Rs.10,000 per head to meet the cost of gasoline, hire charges for buses, temporary shelter and food charges in Turkey, Iran and Syria. About Rs.100 million will be incurred on 10,000 persons travelling by road.

5.   To facilitate internal movement within Pakistan and to meet other expenses for reaching the final destination, the Government has decided to pay Rs.6,000/- to each person at the time of entry into Pakistan. The total burden of the cash grant would amount to Rs.600 million.

6.   The evacuees reaching Riyadh and Amman were transported from the borders, lodged in camps and provided food, blankets and medical aid before their embarkation on planes and ships. While all the evacuees in Riyadh have been cleared, there is

0066

a continous flow to Amman. The cost of running camps at these places is estimated at $ 3 million i.e. about Rs.70 million. Similarly, reception camps have been established at Taftan for overland evacuees and at Karachi for those returning by sea or air. The cost per head presently is estimated at Rs.1000 with a total cost of Rs.100 million. Thus, camps and associated relief inputs will cost about Rs.170 million.

7. The Summary of expenditure on the facilities noted above is given below:

a.	Travel expenditure @ Rs.7,000/- per head for 90,000 persons by air/sea	Rs.630 million
b.	Travel expenditure of 10,000 evacuees moving by land route @ Rs.1000/- per head.	Rs.100 million
c.	Expenditure on camps in Amman and Riyadh.	Rs. 70 million
d.	Payment at entry point for 100,000 evacuees @ Rs.6,000/- per head.	Rs.600 million
e.	Reception camps at Karachi-Taftan, transportation and food.	Rs.100 million
	Grand total:	Rs.1500 million

8. The majority of expatriate Pakistanis have both the skill and enterprise for gainful absorption in the economy. To facilitate the process, schemes for their rehabilitation are under preparation. The cost to the federal budget will be known when returns and estimates are firmed up.

b. **Loss of Home Remittances.**

9. Pakistan was receiving home remittances of about $ 170 million annually from Kuwait. As a result of annexation of

0067

-4-

Kuwait by Iraq, Pakistanis in Kuwait and Iraq are returning home. Due to disturbed conditions in the Gulf Area, home remittances from other Gulf countries are also expected to decline. The loss in home reittances is presently estimated as $ 300 million.

c.   **Loss of Export Receipts.**

10.   The embargo on trade with occupied Kuwait and Iraq will cause a loss of $ 100 million in the form of export receipts.

d. **Increase in the Price of Oil**

11.   The Gulf Crisis will have a serious impact on the already tenuous balance of payments position of Pakistan. Import payments are estimated to go up very significantly due to the spurt in oil prices. The budget for 1990-91 projects crude oil price at $ 17 per barrel, fuel oil at $ 85 per ton and other deficit products at $ 226 per ton. As a result, POL import payments for the year 1990-91 are expected to add a burden of $ 1596 million to the projection of $ 1,314 million incorporated in the budget as shown in the table:

P.O.L. Imports

	Budget	Projections (Revised)
Crude Oil		
- Value ($ million)	470.0	915.0
- Volume (million barrel)	27.7	27.7
- Price ($ per barrel)	17.0	36.0

0068

Fuel Oil

–	Value ($ million)	161.0	317.0
–	Volume (million tons)	1.9	1.9
–	Price ($ per ton)	85.0	173.0

Others

–	Value ($ million)	673.0	1668.0
–	Volume (million tons)	4.2	4.2
–	Price ($ per ton)	160.0	397.0
Freight	($ million)	10.0	10.0
TOTAL	($ million)	1314.0	2910.0

12. Thus, loss of exports, surge in oil price and drop in home remittance will increase Pakistan's current account deficit by about $ 2 billion in 1990-91 from $ 1328 million (Budget) to $ 3429 milion. With foreign exchange liquid reserves of $ 500 million, sufficient to cover only 2 weeks import bill, it will not be possible for Pakistan to absorb the loss. In addition, an outlay of Rs.1500 million (which includes some foreign exchange expenditure on travel, camps, other operations) is required for Pakistanis returning from Kuwait and Iraq.

13. To overcome these unforeseen problems, Pakistan would need additional assistance of about $ 2100 million by way of quick disbursing aid to support the deteriorating balance of payments position as also for the evacuation of Pakistanis from Kuwait and Iraq.

14. It is hoped that donor countries and international agencies would extend all possible assistance so that Pakistan can overcome these problems.

0069

협 조 문 용 지

분류기호 문서번호	아서 700- *148*	(	)	결 재	담 당	과 장	심의관
시행일자	1990. 11. 5						
수 신	수신처 참조	발 신		아주국장	(서명)		
제 목	파키스탄의 페만사태 관련 경제 지원 요청						

주한 파키스탄 대사관은 별첨공한으로 파키스탄이 최근 페르시만

사태로 인해 금년중 21억불 상당 경재적 손실을 입게 될 것으로 추산

됨과관련, 90.11.로마개최 Gulf Crisis Coordination Group 회의시

파키스탄이 원조 대상국으로 포함되도록 아측에 요청하여 온 바 있으니,

페만 주변국 경제지원 (안) 수립시 참고하여 주시고 결과를 회보하여

주시기 바랍니다.

첨부 : 동 공한 1부.   끝

수신처 : 미주국장, 중동아프리카국장, 국제경제국장

0070

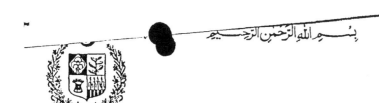

EMBASSY OF PAKISTAN
SEOUL

No. Pol.2/2/90.   November 1, 1990.

The Embassy of the Islamic Republic of Pakistan presents its compliments to the Ministry of Foreign Affairs, Republic of Korea, and has the honour to refer to the Aide Memoires presented to the esteemed Ministry on 24 September and 10 October with regard to the adverse impact of the Gulf crisis on Pakistan and to say that as the crisis continues, Pakistan is facing mounting economic difficulties due to this situation.

The Embassy further wishes to say that the next meeting of the Gulf Crisis Coordination Group of which Republic of Korea is a member, is due to be held in Rome during the second week of November, 1990. During this meeting, the Group is expected to consider the enormous additional liability on Pakistan which, according to the latest calculations, will be US$ 2.1 billion during the current financial year alone.

The Embassy hopes that, keeping in view the magnitude of the problems faced by the Pakistan and the friendly relations existing between our two countries, the Government of Republic of Korea will be able to support Pakistan's request for financial contributions to mitigate the adverse consequences of the Gulf crisis on Pakistan.

The Embassy of the Islamic Republic of Pakistan avails itself of this opportunity to renew to the Ministry of Foreign Affairs, Republic of Korea, the assurances of its highest consideration.

Ministry of Foreign Affairs,
Republic of Korea,
SEOUL.

0071

58-1 SHINMOON-RO, CHONGRO-KU, SEOUL.   TEL: 739-4422   FAX: 739-0428   CABLE: PAREP.   TELEX: 29346
1

관리
번호

외 무 부

종 별 :

번 호 : PAW-0904   일 시 : 90 1105 1600

수 신 : 장관(경이,아서,기정)

발 신 : 주 파 대사

제 목 : 페만사태 관련 경제지원 요청 (자응96호)

연:주파(경)2060-390(1),426(2)

1. 11.1. 주재국 외무성은 걸프사태로인한 주재국의 피해에 대해서 선진 및 우방국의 지원을 요청하는 회의를 개최하였는바, 동 회의에서 SHEHERYAR KHAN 외무차관은 그동안 걸프사태 및 동 해결의 지연과 특히 유가인상으로 파키스탄이 받는 경제적 피해는 당초 11 억불 예상에서 21 억불로 전망한다고 설명하면서, 매우 어려운 상황에 처해있는 주재국 국제수지 작자문제를 돕기위해 선진우방 제국이 적극지원해 줄것을 간곡히 요청하였음.

2. 동 차관은 이미(10 월 중순)주한 파키스탄 대사관을 통해서 한국정부에 경제지원을 요청한바있다고 설명하면서, 연호(2)AIDE-MEMOIRE 가 연호(1)을 대체하는것이라고 말하고, 중동사태 해결에 기여하기 위하여 군대증파등 어떠한 조치도 취할용의가 있다고 강조하고, 오는 11 월중 로마에서 개최예정인 관계그룹회의에서 구체적인 지원방안을 제시해주길 요망했음.

3. 90.9.24. 일자 아국정부의 페만 사태관련 경비분담 발표문에 의하면 금번 경제적 피해를 입고있는 주변국 요르단, 터키, 에집트등에 대해서 약 1 억불 범위내 경제지원을 하기로 되어있는바, 피해국을 상기 3 개국에 국한 시키지않고, 여타 피해국도 포함시켜 소액이나마 여타 피해국에도 동기금 일부를 지원함이 동 지원금의 효과를 극대화 시킬수 있다고 사료되오니, 동건 검토하여 주실것을 건의함. 끝.

(대사 전순규-국장)

예고 90.12.31 까지

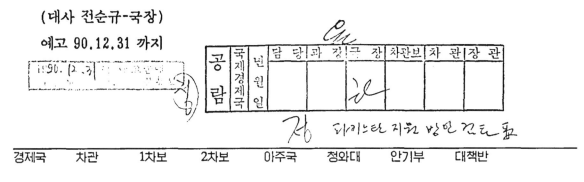

공람	국제경제국	년원일	담당과	과장	국장	차관보	차 관	장관

파키스탄 지원 방안 건토등

경제국   차관   1차보   2차보   아주국   청와대   안기부   대책반

PAGE 1   90.11.05   23:27
                                                         외신 2과 통제관 CF
                                                              0072

4. 걸프 해역 원유 유출 방제 지원, 1991

外務部 걸프事態 非常對策 本部

題 目 : 주한 사우디 대사관 사우디연안 원유오염제거 협조요청　　1991. 1. 29.

1. 송수화자

　　　송화자 : 압둘 아지즈 알 렘디　2등 서기관

　　　수화자 : 김동억 서기관

2. 일 　　시 : 91.1.29.　11:00-11:07

3. 내 　　용 :

　　가. 주지하는바와 같이 걸프지역의 원유 방류로 인한 해양 오염 문제가
　　　　심각한 상태임.

　　나. 특히 사우디, 바레인, 카타르, UAE등 Gulf 지역국가들이 이지역 해수를
　　　　담수 처리하여 식수로 사용하고 있는바, 오염이 번질경우 환경 파괴는물론
　　　　사우디 국민의 식수공급에도 염려가 되고 있음.
　　　　일부 서방국가들은 해양 오염 방지 기술자들을 파견하여 도와주고 있는데,
　　　　본인이 아는한 한국도 인천 앞바다 또는 남해안등유 조선의 원유 방출
　　　　사고 때마다 제거 기술자들을 동원, 동문제를 해결한 것으로 보아
　　　　경험이 있는 기술진이 있는 것으로 알고 있음.
　　　　한국이 가능만 하다면, 사우디에 원유오염 제거 기술자 파견 또는
　　　　장비지원을 한다면, 사우디로서는 식수와 관련된 문제이기 때문에
　　　　무엇보다 더환영할 것으로 확신함.

　　다. 금일자 조간지(코리아헤럴드)에의하면, 한국이 다국적군에 대한
　　　　추가 지원 문제를 검토하고 있는 것으로 보고 있는데 사실이라면,
　　　　그 일환으로 몇명의바다 오염제거 기술자를 속히 파견하는것이
　　　　군의료진 또는 정비병을 파견하는것 보다 효과 면에서 더 클것으로 봄.
　　　　보낼수 있다면 신속히 보내주는것이 높이 평가 받을것임.

0074

라. 김서기관이 동 전화취지가 본국 정부의 지시에 의한 것인지
　　여부를 문의한데 대하여, 사우디대사관 차석은 대사관의 견해임과
　　외무부 업무에 참고해 주었으면 좋겠다는 뜻에서 전화를 한것임을
　　첨언했음.(김서기관이 받은 감으로는 사우디가 해양 오염방제가
　　시급한 것으로서 아국의 기술지원 제공을 고려해 주기를 바라는
　　눈치였음.)

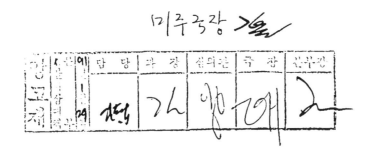

환경처에 기술제공가능여부 확인.
해양경찰대

0075

湜潮 우기 증포

戰爭…이스라엘 선제공격 고려
으…土中…전쟁확대 우려 높아

사우디 淡水공장

걸프의 기름오염으로 위험받고 있는 사우디의 담水
시설. 바닷물에서 소금을 제거, 淡水로 만들어 주민
들에게 식수를 제공하는 곳이다.
(東部사우디아라비아=AP 연합)

淡水시설은 中東國家의 '생명줄'

사우디·쿠웨이트는 食水2/3 의존

발 신 전 보

번 호 : WSB-0259　910129 2131　CG　종별 : 긴급

수 　 신 : 주 사우디　　대사//총영사

발 　 신 : 장 관　　(중근동)

제 　 목 : 걸프해역 원유 유출 방제

　　　1. 최근 이라크의 걸프해역 원유 유출과 관련, 주한 사우디 대사관은 압둘아지즈 2등 서기관은 1.29. 중근동과에 전화로 상기 원유 유출이 자국의 식수 공급과 직결된 시급한 문제라 하며, 아국이 걸프해역 원유오염 방제를 위하여 기술 지원이 가능한지를 문의하여 왔음.

　　　2. 이와 관련 본부는 다국적군 지원의 일환으로 해양오염 방제기술자등 인력지원 방안을 검토코자 하니 주재국 관계 당국과 접촉 하기 사항 지급 파악 보고 바람.

　　　가. 주재국 정부의 상기 아국기술 지원 희망여부

　　　나. 기술 인력 지원시 선박, 기자재, 약제와 숙소 및 식사를 사우디 측이 제공하는지 여부

　　　다. 타국의 지원 예 (장비, 인원등)　끝.

　　　　　　　　　　　　　　　　　(중동아프리카국장　이 해 순)

예 고 : 1991.6.30. 일반

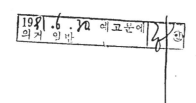

1991. 6. 30 예고문에 의거 일반

보 안 통 제

0077

원 본

외 무 부

종 별 : 지급
번 호 : SBW-0336
수 신 : 장관(중근동,국방부,기정)
발 신 : 주 사우디 대사
제 목 : 걸프해역원유유출방제

일 시 : 91 0130 1400

대:WSB-259

1.30 정우성참사관은 표제관련 업무를 총괄하고있는 주재국 기상환경청(METEOROLOGICAL AND ENVIRONMENT PROTECTION ADMINISTRATION: 제다소재)의 DAVID OLSEN 자문관과 통화, 대호 관련사항 협의한바, 동인설명요지 하기보고함

1. 아국 기술인력 지원 희망여부

0 현재로서 한국을 특별히 염두에 두고 있지는 않으나, 장비(특수선박, BOOM, SKIMMER 등)를 갖춘 전문가팀이라면 환영함

0 동전문가팀은 최소단위를 엔지니어 1 명, 장비조작 OPERATOR1 명, 환경과학자 1 명 및 팀장으로 구성되는것이 바람직하며, 기타 하급인력은 필요할경우 주재국측이 제공케됨

2. 장비, 숙식등 제공에는 현재로서는 문제가 있으며, 숙식문제는 CASE BY CASE 로 추후 검토될 사항임 (자기장비 없는 전문인력 제공에는 적극성을 보이지않음)

3. 타국의 지원에

0 정부차원에서는 FAHD 국왕의 BUSH 대통령에 대한 직접요청으로 미국이 7 명의 전문가와 각종장비를 파견하여 이미 활동중이며, 영국으로부터 3 명의 전문가가 곧도착예정임

0 그밖의 놀웨이, 홀랜드 및 일본이 장비와 전문가파견 의사를 밝힌것으로 알고있음

0 민간차원에서는 영국, 놀웨이, 미국등지의 원유오염방제 전문회사 및 단체로부터 많은 인원과 장비가 부입중에 있음

(대사 주병국-국장)

종아국 장관 차관 1차보 2차보 청와대 안기부 국방부

91.01.31 05:55
외신 2과 통제관 CA
0078

예고:91.6.30 까지

원 본

외 무 부

FAX 환경체
421-0280

종 별 : 긴 급

번 호 : BHW-0098

일 시 : 91 0205 1600

수 신 : 장관(중근동)

발 신 : 주 바레인 대사

제 목 : 걸프사태(오염)

검토요 예
지급회신 김재성

대:WBH-0078
연:BHW-0074

1. 주재국 외무부 MAHROOS 정무총국장은 금 2.5. 본직을 외무부로 긴급 초치, 최근 걸프 원유 유출로 인해 주재국을 비롯한 GCC 제국이 해양생물 자원 고갈, 연안및 담수화시설 오염, 환경및 생태계 파괴등의 심각하고 중대한 위기에 직면해 있다고 설명하고, 한국이 동 환경 위기에 대처하기 위한 장비(OCEAN BOOMS, SKIMMERS)및 기술적, 재정적 지원을 가능한 긴급 제공해 주기를 강력 희망하면서, 본건 관련 주재국 공한을 수교하여옴.

2. 이에 대해 본직은 주재국의 희망을 본국 정부에 적의 전달하겠다고 말하였음.

3. 상기관련, 주재국은 유엔, 비동맹등 국제 무대에서 아국의 최우방중의 하나였음에도 불구 그간 아국이 주재국측의 크고 작은 협조요청에 다소 소극적이었던 점, 걸프 오염문제는 그 심각성으로 인해 현재 유엔등 국제 환경기구들을 망라한 전 세계적인 관심사항인 점, 나아가 금번 오명 방지지원을 통해 사태후 아국의 대 GCC 복구사업 참여등에 보다 유리한 입지확보도 가능시 되는점등을 감안, 본건 최대한 지원을 제공하는 방향으로 적극 검토하여 주실것을 건의하며, 동 결과 지급 회시바람.

4. 지원 결정시는 동 장비등을 대호 군 수송기편 송부도 아울러 건의함. 끝.

(대사 우문기-국장)

예고:91.6.30 일반

1991.6.30. 예고문에
의거 일반

032-883-1846
해경 방제과

중아국	장관	차관	1차보	2차보	미주국	청와대	총리실	안기부

421-0297

91.02.05 23:00
외신 2과 통제관 DO

0080

5257

분류기호 문서번호	중근동 720-	기안용지 (720-2327)	시행상 특별취급	
보존기간	영구:준영구 10. 5. 3. 1	장 관		
수신처 보존기간				
시행일자	1991. 2. 6.			

장 관

7에

문서통제
1991. 2. 6

발송인
반송
1991. 2. 6
외무부

보조기관	국 장	관경	협조기관		문서통제
	심의관				
	과 장	김			
기안책임자		김 동 억			발송인
경유 수신 참조		환경처 장관 수질보전국장	발신명의		
제 목		걸프 해양 오염			

23양보호2시.

1. 주바레인 대사 보고에 의하면, 바레인 정부는 바레인을

비롯 최근 걸프해역 원유 유출 관련, GCC 제국의 해양 생물 자원 고갈,

담수화 시설 오염, 환경 및 생태계 파괴등 으로 심각하고 중대한 위기에

처하여 있다하며 아국이 상기 환경 위기에 대처하기 위한 장비(OCEAN

BOOMS, SKIMMERS) 및 기술적, 재정적 지원을 가능한 긴급 제공해 주기를

공한으로 강력 요청하여 왔습니다.

2. 바레인은 유엔, 비동맹등 국제무대에서 아국 입장을 적극

지지하고 있으며, 동 오염문제는 현재 유엔등 국제 환경기구들을 망라한

전세계적 관심사항인 점과, 전후 걸프지역 복구사업에   / 계속 ...

0081

아국의 참여등에 발판이 될 것으로 판단되는바, 본건 정부 차원에서

최대한 지원할수 있도록 긍정적으로 검토하여 주시기 바라며, 아국이

현실적으로 장비, 기술등 지원 가능 여부를 지급 회보하여 주시기

바랍니다.

    3. 참고로 미국, 영국, 노르웨이, 일본등 서방제국은 동 지역에

정부 및 민간 차원에서 원유 오염 방제 전문가 및 장비를 파견하고 있음을

첨언 합니다. 끝.

외　무　부

종　별 :

번　호 : QTW-0049　　　　　　　　　　일　시 : 91 0207 1130

수　신 : 장관(중근동)

발　신 : 주카타르대사

제　목 : 원유 유출로 인한 해양 오염 방지 지원요청

　　1.주재국 도시 행정.농업성 SH.HAMAD BIN JASSIM BINJABOR AL-THANI 장관은 2.6 0930-1000 본직을 초치하여 이라크의 원유방출로 인한 주재국의 해양 및 해변의 오염방지를 위해 아국의 지원을 요청해왔음.

　　2.주재국이 특히 필요로 하는 것은 다음 3가지임.

　　가.해변의 오염모래 제거를 위한 장비 (트랙터 및 쇼벨 덤프트럭등)

　　나.해안의 암석에 붙은 원유 제거를 위한 약품

　　다.방출된 원유로 부터 해안을 보호할수 있는 보호막

　　3.아국의 상기 장비 및 약품 보유여부와 보유시 지원 가능여부를 조속 회시해 주시기 바람.

　　4. 주재국 정부 요청에 따라 이미 독,일,불,카나다등 4개국이 전문가 파견 및 물자 지원등을 실시중이며 특히 일본은 OIL FENCE 5KM 분을 금명간 수송 완료 예정임을 참고 바람.

　　끝

　　(대사 유내형-국장)

2.9 Fax 송부

해양보관라

Tel 421-0257

중아국

외신 1과 통제관

0083

걸프汚染 심각하지 않다

佛紙보도 放油量도 발표보다 훨씬 적어

페르시아灣의 풍요한 바다는 60년전 연안국가에서는 기름이 발견될때까지 지역주민들의 주요 생업터전이었다. 그러나 걸프전쟁으로 이 수역의 해양환경이 위협당하고 있다.

8년 알덴스카연안을 기름으로 뒤덮었던 美액슨社의 원유유출사건의 30배 규모란는 거대한 放油사태가 발생한 것이다.

쿠웨이트에서 흘러나온 기름은 점차 사우디아라비아·바레인·카타르·아랍에미리트의 해안을 향해 남쪽으로 이동하고 있다고 美언론들이 보도하고 있다.

그러나 한편에서는 이라크의 放油에 의한 것으로 알려진 이같은 해양환경오염이 지금까지 알려진 것처럼 과연 그렇게 심각한 것이냐에 대한 의문이 제기되고 있다.

프랑스의 유력일간지 리베라시옹은 최근 放油에 관한 다국적군측의 기존발표내용에 의문을 제기하면서 放油의 심각성이 과장 이상으로 과장돼 알려졌다고 주장, 관심을 모으고 있다.

이 신문은 이라크측에 의해 원유가 걸프로放流된것은 부인할수 없는 사실이지만 그 量은 당초 알려진 量의 절반 내지 3분의 1에 불과하며 이 정도의 放油사례는 역사상 바다로 흘러들어간 전에도 종종 있었던 유가 정도의 원

진부한 사례에 지나지 않는다고 보도했다.

각한 생태계 파괴가 우려된다」며 이라크의 야만적 환경공격을 비난했었다.

그러나 지난주 美軍측은 방류량을 5만~70만t으로 줄여 발표했고, 인공위성사진들을 토대로 전문가들은 40만~50만t으로 걸프海에 방류된 기름量을 추정하고 있다.

이 신문은 또 사우디아라비아의 주바일담수화공장을 직접 방문한 현지 특파원의 보도라고 밝히면서 서는 기름의 흔적을 전혀 찾아볼 수 없다고 보도했다.

이라크의 원油방류로 주바일 담수화공장이 심각하게 위협받고 있다고 발표됐었다.

放油사실이 처음 확인된 직후 다국적군은 「이라크의 야만적 환경공격을 비난」

... 전세계의 정치적 선전차원에서 인용되면서 기름에 의한 放油 범벅이 된 가마우지의 충격적 화면이 전세계에 방영되어 ...

기름탱크를 전혀 발견하지 못했다고 덧붙였다.

한창이던 지난 83년이후 60만t의 원유가 걸프海에 방류된 적이 있었지만 일체의 관심도 보이지 않았고 보도된 적도 없었다고 이 신문은 지적했다.

당시 서방側언론의 관심도 보이지 않았다고 이 신문은 덧붙였다.

【파리=裵明福특파원】

관리 번호	91- 478

원 본

외 무 부

종 별 : 지 급

번 호 : BHW-0108 일 시 : 91 0212 1230

수 신 : 장관(중근동,정일)

발 신 : 주 바레인 대사

제 목 : 걸프 원유 오염(자료응신 제8호)

연:BHW-0098

1. 주재국 ALMOAYED 공보장관은 작 2.11. 기자회견을 통해 금번 원유 유출로 인한 해상 오염이 적절히 대처되지 않을 경우 바레인에 대한 그 악영향은 향후 100 년동안 계속될 것이라며, 이와 관련한 카나다, 불, 독, 영의 지원 결정에사의를 표하면서 여타 우방국들도 주재국측의 지원 요청에 적극 호응해 줄것을재 촉구함.

2. 동 오염과 관련 당지 QRABIAN GULF UNIV. 의 AL (216)ADANY 교수는 2.10. 학술발표를 통해 본건 환경 파괴등의 위기에 더하여, 주재국의 주요 1 차산업인 어업에 미치고 있는 영향도 심각하여 어획고가 이미 75%이상 감소(89 년도 어획고, 7,006 톤)되었으며, 또한 생활용수의 90%를 점하고 있는 담수화가 중단되는 경우 천재지변에 상당하는 중대한 재난을 겪게 될것은 필지라면서, 이에 대한시급한 대책 마련을 촉구하였음.

3. 주재국 정부는 현재 동 오염사태를 현재의 걸프전쟁보다도 더 심각하고 중대한, 주재국 건국 이래의 최대 위기로 간주하고 있는 분위기임.끝.

(대사 우문기-국장)

예고:원본-91.6.30 일반

사본-91.6.30 파기

중아국　　차관　　1차보　　2차보　　정문국　　정와대　　안기부

PAGE 1　　　　　　　　　　　　　　　　91.02.12　　18:58

외신 2과 통제관 BA
0085

걸프사태 : 주변국 지원, 1990-92. 전12권 (V.12 기타) 481

"더 맑게   더 푸르게"

환   경   처

(421-0257)

해양 31840-

1991. 2. 13.

수신 외무부장관

참조 걸프사태 대책본부장 (수신참조 : 강동석 서기관)

제목 Gulf 만 기름오염방지 지원

1. 관련

· QTW - 0049 ('91.2.7)호

· SBW - 0336 ('91.1.30)호

2. Gulf 사태로 인한 해양오염방지와 관련, 우리나라의 장비 및 전문인력 지원에 대하여,

가. 해양오염방제 전담기관인 해양경찰대에 지원가능 여부를 조회한 결과,

ㅇ 현재 보유하고 있는 방제선박이 85톤급 소형선박으로서 Gulf 만 까지 자력으로 항행이 불가하며

ㅇ 방제장비도 연안 및 내만용으로서 현지와 같은 대양에서는 사용이 부적합하여

ㅇ 현재로서는 전문인력파견이나 방제장비 지원이 곤란하다는 의견을 회시하여 왔기 알려드리며,

나. 아울러, Gulf 만 해양오염방제 지원에 대하여는

- 동해역의 원유오염방제에 적합한 대양용 장비확보 및 전문가 선정등이 선행되어야 하는바,

1991. 2. 13
환경처

0086

o 이를 전담하는 해양경찰대로 하여금 타당성 여부를 우선

검토하도록 한후 동해역의 해양오염방제지원에 대한 아국입장을 결정함

이 바람직 할것으로 사료됨. 끝.

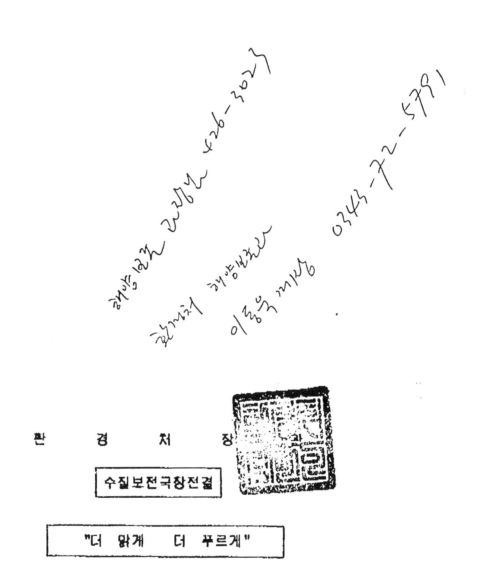

환　경　처　장

수질보전국장전결

"더 맑게　더 푸르게"

0087

관리번호 91-524

외 무 부

종 별 : 지급

번 호 : BHW-0112

일 시 : 91 0213 1115

수 신 : 장관(중일)

발 신 : 주 바레인 대사

제 목 : 국왕 알현

연:BHW-0098

1. 본직은 금 2.13. 주재국 외무부 의전장으로부터 ISA 국왕이 오는 2.17., 09:25 본직 면담 예정임을 통보받았음.

2. 동 면담의 주요 내용에 대해서는 상금 확인되고 있지는 않으나, 걸프만 오염방지 관련 대 아국 지원요청 문제도 거론될 것으로 예측되는바, 본건 정부의 기본 입장만이라도 우선 회시바람. 끝.

(대사 우문기-국장)

예고:91.6.30 일반

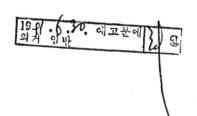

중아국   장관   차관   1차보   2차보

PAGE 1

보 도 참 고 자 료

외무부 공보관실

91. 2. 14.

제 목 : 걸프지역 해양오염 제거 협조요청

o 최근 사우디, 바레인, 카타르등 걸프지역 3개국 정부는 우리 정부에
대하여 이라크측의 원유방류로 인하여 걸프지역의 해양생물 자원고갈
(이미 어획고가 전년대비 75% 감소추세), 연안담수화시설(전체 생활
용수의 90% 의존) 오염, 해변 및 해안암석의 오염, 환경 및 생태계
파괴등의 피해가 계속 확대되고 있어, 이러한 환경위기에 대처하기
위한 장비(방제선박, Ocean booms, Skimmers 등) 및 기술제공과 전문
인력 파견등의 지원을 요청하여 왔음.

o 외무부 비상대책 본부는 환경처 및 해양오염방제 전담기관인 해양
경찰대등과 가능한 지원방안을 검토중에 있음. 또한 정부는 걸프
사태로 피해를 입은 주변국가에 공여하기로 이미 결정한 지원비중
일부를 해양오염제거 목적에 활용하도록 배정하는 방안도 아울러 검토
중에 있음.

o 현지공관 보고에 의하면 지금까지 미국(전문가와 방제선박 및 기타
필요장비), 영국(전문가와 필요장비), 일본(전문가 및 Oil Fance 5Km
등 장비) 및 독일, 놀웨이, 화란, 카나다(이상 4개국은 전문가 지원)
등이 지원키로 하였다함.

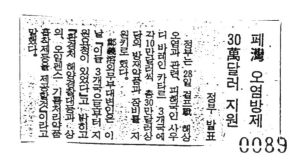

0089

분류번호	보존기간

발 신 전 보

WBH-0092   910214 1832 DA

번 호 :   종별 :   WQT-0068   WSB-0363
수 신 : 주 비레인, 카타르 대사. 총영사 (사본 : 주사우디대사)
        (중 동일)
발 신 : 장 관
제 목 : 걸프원유 오염방제

대 : BHW-0098, 0108, 0112
    QTW-0049

　　1. 대호 관련 본부는 지원방안을 ~~검토~~ 하기위해 검토, 환경처등 관계
부처 ~~협의하였는 바~~ 아국의 해양원유 오염방제장비(선박포함)와 기술수준으로 보아
귀주재국에 대한 장비기술지원은 어려울 것이라하며, 연안 유류오염 방제약품인
유처리제(Oil dispersant)와 oil fence (아국은 통상 수면위부상 40Cm, 해면
아래 침수 30Cm)는 국내생산이 가능하나 조달 ~~시~~ 시기가 불분명하 ~~며~~
유처리제의 경우는 선진국들이 이의 사용을 꺼리는 방제약품이라 함.

　　2. 따라서 유처리제, oil fence 지원이 불가능시 재정지원 방안도 일단 검토
하고 있음을 참고바라며, 귀주재국이 구체적으로 희망하는 방제약품과 oil fence
규격에 대하여 보고바람. 끝.

(중동아국장 이 해 순)

예고 : 91. 6. 30 까지   19 .6.30 예고문에 의거 일반

미주국장

앙고재	91년 2월 14일 중동 과	기안자 성명		과장 7h		국장 전결		차관	장관

보안통제	7h
외산과통제	

0090

관리 번호	91- 4기시	

외   무   부

원   본

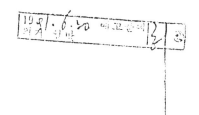

종   별 :

번   호 : BHW-0115   일   시 : 91 0216 1400

수   신 : 장관(중동일)

발   신 : 주 바레인 대사

제   목 : 걸프원유 오염방제

대:WBH-0092

1. 본직은 금 2.16 MAHROOS 정무총국장을 방문, 대호 문의사항을 전달한바,

2. 총국장은 아국의 지원 의지에 사의를 표하고, 조속한 답변을 준비하겠으며,

3. 일본은 4KM 의 BOOM 을 제공, 작 2.15 에 당지 도착하였다함. 끝.

(대사 우문기-국장)

예고:90.6.30 일반

1991. 6. 10 예고삭제 일반	김

중아국   2차보

PAGE 1

91.02.16   20:57

외신 2과 통제관 CA

0091

관리	91-
번호	122

외 무 부

종 별 :

번 호 : BHW-0118

수 신 : 장관(중동일)

발 신 : 주 바레인 대사

제 목 : 국왕 알현

일 시 : 91 0217 1320

연:BHW-0112

대:WBH-0092

1. 본직은 금 2.17(일) 오전, 예정대로 ISA 국왕을 왕궁으로 방문, 배석자 없이 독대로 15 분간 환담한바, 요지 아래와 같음.

　가. 본직:

　(1). 노태우 대통령께서 보내시는 국왕 건강 회복에 대한 축하 말씀 전달(본건 지시받은 바는 없음)

　(2). 아국의 다국적군 지원(5 억불, 의료단, 수송단), 해상 원유오염 방제 협력 현황 설명

　(3). 당지 진출 한국업체의 해상 원유오염 방제를 위한 자진 협력 언급(본항은 별항에서 상세 설명)

　나. 국왕:

　(1). 대통령 각하에 대한 감사 말씀 전달 요망

　(2). 한국의 다국적군 지원과 해상 원유오염 방제 협력은 GREAT HELP 임

　(3). 한국 진출업체의 원유오염 방제 자진 협력을 높이 평가함.

2. 상기 '1-가-(3)'항과 관련, 주재국 언론의 해상 원유오염 문제 연일 보도에 접한 영진공사가 2.6. 회사공문을 통하여, 걸프사태로 잠정적으로 발생한 유휴인력 100 명을 방제작업에 무료 활용하여 달라는 제안을 받아, 이를 외무당국에 당관 공한으로 중계, 외무당국으로 부터 수락및 감사회신을 받은바 있으며, 현대건설로 부터도 2.14. 유휴인력 10 명과 중장비 2 대 무료제공 제안을 받고, 역시 당관 공한으로 이를 외무당국에 중계하여 둔바 있음. 영진및 현대 양사의 여사 제안은 양국 관계증진에 크게 공헌할 것으로 사려됨.

중아국	장관	차관	1차보	2차보	청와대	안기부

91.02.18　05:30

외신 2과 통제관 CE

0092

3. 국왕으로부터 한국인 잔류자 현황 질문을 받고, 개전당시 300 여명 있었고, 일부 부양가족의 출국으로 금일 현재 약 260 명이 잔류하고 있다고 답한바, 국왕은 한국인이 지금의 10 배인 3,000 명 있었으면 좋겠다고 하면서 대부분 한국인 잔류에 크게 만족을 표했음.

4. 금일 국왕 알현은 한. 일 양국대사에게 각각 별도로 허가된 것인바, 앞으로 국왕 건강에 유의하면서 각국 대사에게 허용될 일련의 알현 행사의 시발로 보임.끝.

(대사 우문기-국장)

예고:91.12.31 일반

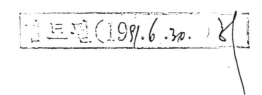

외 무 부

<table>
<tr><td>관리
번호</td><td>91-
89</td></tr>
</table>

종 별 :

번 호 : QTW-0058

일 시 : 91 0217 1130

수 신 : 장관(중일)

발 신 : 주 카타르 대사

제 목 : 걸프원유 오염 방제

대:WQT-0068

연:QTW-0049

대호 주재국 관계자와 협의한 바, 주재국측 희망사항 아래 보고함.

1. 방제 약품은 해수 오염 방제용이 아니고 암석에 붙은 원유 제거용(연호 2의 나항)이므로 동 목적에 사용할수 있는 약품이면 여하한 것도 가함.

2.OIL FENCE 는 대호(수면위 부상 40CM 수면아래 침수 30CM)사용 가하며 규격은 한 해역 사용 후 타 해역으로의 신속한 이동이 가능하도록 짧은 것(25-50 M 정도)으로 가능한 대로 다량 지원해 주기를 요청함.

끝

(대사 유내형-국장)

예고:91.6.30 일반

중아국   2차보

외 무 부

종 별 :

번 호 : BHW-0118

일 시 : 91 0217 1320

수 신 : 장관(중동일)

발 신 : 주 바레인 대사

제 목 : 국왕 알현

연:BHW-0112

대:WBH-0092

1. 본직은 금 2.17(일) 오전, 예정대로 ISA 국왕을 왕궁으로 방문, 배석자 없이 독대로 15 분간 환담한바, 요지 아래와 같음.

가. 본직:

(1). 노태우 대통령께서 보내시는 국왕 건강 회복에 대한 축하 말씀 전달(본건 지시받은 바는 없음)

(2). 아국의 다국적군 지원(5 억불, 의료단, 수송단), 해상 원유오염 방제 협력 현황 설명

(3). 당지 진출 한국업체의 해상 원유오염 방제를 위한 자진 협력 언급(본항은 별항에서 상세 설명)

나. 국왕:

(1). 대통령 각하에 대한 감사 말씀 전달 요망

(2). 한국의 다국적군 지원과 해상 원유오염 방제 협력은 GREAT HELP 임

(3). 한국 진출업체의 원유오염 방제 자진 협력을 높이 평가함.

2. 상기 '1-가-(3)'항과 관련, 주재국 언론의 해상 원유오염 문제 연일 보도에 접한 영진공사가 2.6. 회사공문을 통하여, 걸프사태로 잠정적으로 발생한 유휴인력 100 명을 방제작업에 무료 활용하여 달라는 제안을 받아, 이를 외무당국에 당관 공한으로 중계, 외무당국으로 부터 수락및 감사회신을 받은바 있으며, 현대건설로 부터도 2.14. 유휴인력 10 명과 중장비 2 대 무료제공 제안을 받고, 역시 당관 공한으로 이를 외무당국에 중계하여 둔바 있음. 영진및 현대 양사의 여사 제안은 양국 관계증진에 크게 공헌할 것으로 사려됨.

중아국	장관	차관	1차보	2차보	정와대	안기부

PAGE 1

91.02.18   05:30

외신 2과   통제관 CE

0095

3. 국왕으로부터 한국인 잔류자 현황 질문을 받고, 개전당시 300 여명 있었고, 일부 부양가족의 출국으로 금일 현재 약 260 명이 잔류하고 있다고 답한바, 국왕은 한국인이 지금의 10 배인 3,000 명 있었으면 좋겠다고 하면서 대부분 한국인 잔류에 크게 만족을 표했음.

4. 금일 국왕 알현은 한. 일 양국대사에게 각각 별도로 허가된 것인바, 앞으로 국왕 건강에 유의하면서 각국 대사에게 허용될 일련의 알현 행사의 시발로 보임. 끝.

(대사 우문기-국장)
예고:91.12.31 일반

91. 6.30 법호필 수

EMBASSY OF THE REPUBLIC OF KOREA
DOHA - QATAR

1991. 2. 21

친애하는 이 해순 국장님:

   취임초부터 이지역 문제로 수고가 많습니다.
그리고 이 조그만 나라에서 이야기하는 문제까지
소상하게 파악하고 지원하여 주시는데 대하여 감사
하게 생각합니다.

   지난번 전화로 말씀드린 원유 방제를 위한
지원 요청에 대하여 재삼 부탁하오니 무엇인가 좋은
Response를 보내주시기 바랍니다. 여기 참고로
일본, 독일, 프랑스 및 카나다의 지원 상황에 관한
신문 기사를 발췌해서 보내드립니다.

   업무에 남달리 열심인 이국장님을 위해 무언가
보탬이 되는 정세 분석 자료를 보내드리도록 노력
하고 있습니다.

   계속 건승과 행운을 빕니다.

                    카다르에서,

                        윤세형 올림

                    0097

Japanese booms arrive in Qatar

Zafar Malik

JAPAN yesterday began delivery of booms to Qatar designed to check oil slick threatening installations and water desalination plants in the state.

The first consignment arrived at Doha International Airport by a chartered cargo flight and in all three air freighters would bring into Qatar 8km long booms.

The consignment was handed over to director of generation and desalination at the Qatar's Ministry of Electricity and Water Ali Abdullah al-Obaidli by Japanese ambassador in Qatar Haruo Hanawa at the airport.

Mr Obaidli told newsmen that the booms would be used to protect water desalination and power generation plants at Ras Abu Aboud and Ras Abu Fantas.

"These are more than our requirement and we will give the remaining quantity to Qatar Environment Protection Committee," he added.

Mr Obaidli thanked the government of Japan on behalf of his ministry and the Qatar government for their gift and cooperation.

The Japanese government responded to a request by HE Sheikh Hamad bin Jassim bin Jabor al-Thani, Qatar's minister of municipal affairs and agriculture and acting minister of electricity and water.

The booms will constitute the third line of defence around water intake channels at the plants, which have already been protected by a wall of filteration rocks and booms installed a few years ago.

Mr Obaidli said they were ready to face any challenge but oil slick was far away from Qatari waters — somewhere between Bahrain and Saudi coastal area.

0098

Canadian team in Qatar to help plan war against slick

K N Sharma

A seven-member Canadian team of oil slick experts arrived in Qatar last night to aid Qatari authorities plan and execute a war against a possible oil pollution of Qatari coasts.

The team will hold discussions with secretary-general of Qatar Environment Protection Committee Abdulaziz al-Midfa and officials of other government departments, industries, and utilities today to assess the situation and steps taken to ward off impending dangers.

The slick — one of the history's biggest — is expected to hit Qatari shores within the next eight to 10 days. It threatens the Gulf's marine life, environment, drinking water supply and economic life.

Originating from Iraqi-occupied Kuwait's oil terminals it has reached the Saudi eastern waters, despite massive efforts to control it.

It has been travelling at 15 miles a day. But yesterday's higher wind velocity is reported to have increased its speed.

Qatar has mounted war-footed measures to battle with its fury, by laying protection booms and rock barriers in the coastal waters. A four-man German expert team which arrived in Doha with $3.5mn worth of protective equipment early this week is helping the authorities.

A French team of Elf Aquitaine oil company is also participating in the Qatari battle against the spill. Elf

Aquitaine operates Qatar offshore to explore for oil and gas.

Agencies add: Strong northwesterly winds heightened concern yesterday that huge Gulf war oil spills will devastate the environment along the entire west side of the Gulf.

Oil industry and environment experts in Saudi Arabia and the Gulf said three slicks moving slowly south may speed up with a change in the wind from the south to the north.

"This is exactly what we don't want," said a Gulf environment expert. "This was looking bad enough without speeding up."

Saudi Arabia and Bahrain called on Monday for international help to tackle a crisis they said had global implications.

French and Canadian pollution experts met local officials in Bahrain yesterday and US, British and Norwegian teams are already working in Saudi Arabia.

War over Kuwait between the United States-led multinational coalition and Iraq makes it difficult for Gulf states to know what they are facing from the huge oil spills.

Only one slick, a serious but relatively small spill largely from Shell-damaged oil plants near the Saudi coastal town of Khafji, has moved well below the northern Gulf war zone.

Two others — the largest billed by Saudi and US officials as the biggest in history and a second from an Iraqi oil terminal — are within the war zone.

Gulf oil sources said most of the biggest slick was still above latitude 28 degrees 15 north inside the hostile combat zone, making it difficult to get a correct reading of its size and movement, particularly after the wind shift.

They estimated the largest spill, which the allies accuse Iraq of deliberately pumping from a tanker terminal at Mina al-Ahmadi in occupied Kuwait, at more than 70 miles long and 30 miles wide.

Assessments are based on oil company surveillance south of the hostile zone and US Marine Corps reports.

O Marine, health, petroleum and environmental experts discussed ways to combat damage from the slick at a two-day meeting that opened in Geneva yesterday.

Some 25 people attended the closed-door talks, including officials from specialised agencies of the United Nations as well as advisers and observers and at least one representative of the oil industry, participants said.

The chairman was Peter Schroder, a senior Dutch official from the Nairobi headquarters of the UN Environment Programme (UNEP), which convened the meeting to assess "the environmental consequences of the Gulf war."

A UNEP statement said the aim of the meeting, attended by representatives of organisations including the World Health Organisation and the Food and Agricultural Organisation, was to bring together representatives

of UN agencies likely to be involved in dealing with the consequences of the slick.

O The slick contains perhaps 24mn gallons of crude, which would make it

To Page 16

Feb.6,1991

Gulf Times page 16

CANADIAN OIL TEAM IN QATAR

From Page 3

far smaller than most estimates, an industry newsletter said in Boston on Monday.

The *Oil Spill Intelligence* report said in a news release that the slick might contain 60mn gallons at most.

The amount of crude in the slick has been put as high as 460mn gallons, more than five times the size of the two largest known spills to date — the 1979 Ixtoc oil well blowout in the Gulf of Mexico, and the 1983 blowout of the Norwruz oil field in the Gulf.

US officials have said the slick may contain dozens of times the amount of crude spilled in the grounding of the Exxon Valdez, the worst US spill which dumped 11mn gallons of crude onto pristine Alaska shorelines.

But the *Oil Spill Intelligence* report said interviews with "at least two dozen experts" who have analysed publicly available data on the slick believe it is probably only two or three times as big as the Exxon Valdez spill.

●The Qatar Permanent Environment Protection Committee held a meeting in Doha last evening with the German oil combating experts and technicians, to consider the action plan to be carried out in cooperation with the German team to help combat the possible slick, a committee official source said.

The source added that the participants also discussed how to provide training to Qatari civil servants at the institutions concerned with combating the slick.

0100

Feb.9,1991

Gulf Times page 1

BATTLE OF OIL SLICK

K N Sharma

Qatar Environment Protection Committee secretary-general Abdulaziz al-Midfa has expressed disappointment at the London-based International Maritime Organisation's "slow response" or "no response" to his request for assistance to fight history's biggest oil slick, now threatening the area's marine life water supply and economy.

Talking to *Daily Gulf Times* on Thursday Mr Al-Midfa said: "It is puzzling why IMO has not responded to my request so far. As an international organisation dedicated to protection of marine environment it is their duty to respond to this threat. But they are not fulfilling their obligation, or acting very slowly," he added.

Mr Al-Midfa said the slick carrying some 11mn barrels of crude was expected to hit Qatar's coastline within the next 10 days or so, and Qatar needed more assistance to fight it effectively.

A definite date could not be set for the slick's arrival, because its speed largely depended on the velocity and direction of wind. At present it was moving at an average two miles a day as against 15 miles a day earlier, because of the southerly direction of the wind.

"But it is rock certain that the slick will hit Qatar and when it arrives here it will be some sort of messy tar ball," said Mr Al-Midfa.

Mr Al-Midfa said Qatar had taken all necessary measures to protect its vital installations and coral reef. Protective booms and rocks are being laid in all sensitive areas" and bays and suitable machinery has been kept at ready to clean up the rest.

He praised the assistance of the international community, especially the Germans and Canadians, to battle the impending catastrophe, but said it was not enough.

The Germans have sent four experts and equipment worth $3.5mn to help fight the oil. The Canadians have also sent ex-

To Page 16 →

0101

BATTLE OF OIL SLICK

From Page 1

perts and promised equipment. "But we need more help in material to tide us over the crisis", he stressed.

Mr Al-Midfa said Qatar needed an oil-swallowing ship to skim up the shidge.

Meanwhile, a French oil slick expert commissioned by France's Total Compagnie Francaise des Petroles (CFP) has arrived in Qatar to assess the situation and help Qatari authorities plan battle against the spill.

Mr Francis Tremot, accompanied by Total/CFP representative in Doha, Alain Michel Jouary, met Mr Al-Midfa and officials from different industries and corporations to discuss the strategy.

Mr Jouary said the Total/CFP expert had proposed some simple but efficient measures to protect beaches and wild life areas, using inert products and strong machines which would not present danger to the environment. He also gave some advice on water intake protection for desalination plants.

Total/CFP is a 7.5% partner in Qatar's proposed liquified natural gas (LNG) project.

0102

Feb.3,1991

Gulf Times page 16

Germans arrive to fight oil slick

K N Sharma

A German military transport plane carrying a technical team and equipment, arrived in Doha yesterday to help Qatari authorities battle against the Gulf oil slick that is expected to hit the country's shorelines within 10 days.

Mr Abdulaziz al-Midfa, secretary-general of Qatar Environment Protection Committee (QEPC), said the equipment, part of German assistance to fight the "catastrophe," would be used to clean up the oily mess from coastal water and protect the water intake channels of desalination and power generation plants and other industries.

The German experts, Capt G Bustorff and Dr Bernd Bluhm, of their country's special unit for oil spill control, said the equipment, weighing 30 tonnes, included skimmers (floating pumps), high-pressure cleaning system, 200 metre-boom, oil mop and various other devices. "We could have brought many more things, but there was limit to what a Boeing could take," they said.

The equipment is valued at DM5mn ($3.5mn).

Last Tuesday Germany announced its contribution to European and International Maritime Organisation (IMO) efforts to combat the Gulf oil slick.

The spill, carrying more than 11mn barrels of crude from Kuwaiti oil terminals — Al Ahmadi and Mina Al Baker — and five Iraqi tankers, threatens the total destruction of the Gulf's marine life, drinking water supply, and industries.

Stated to be 35 miles long and 10 miles wide and travelling at a speed of 15 miles a day it has reached Safaniya offshore oilfield of Saudi Arabia and was heading towards the kingdom's industrial city of Jubail — the home of the world's largest desalination plant producing 30mn gallons a day of drinking water. A battle is on to save the plant.

Capt Bustorff and Dr Bluhm said oceanographers thought the slick might turn "anti-clockwise" towards the north from natural obstacles near Bahrain, depending on wind direction. Yet, when it happens, the sub-surface oil moves in the opposite direction of the slick.

The German experts said there was no way the slick could be prevented from coming to Qatar; but its potential effects could be vastly minimised by adopting appropriate protective measures.

They said the gravity of oil on surface water in the Gulf varied between 0.5 and 0.9%. When it evaporated the solid fraction of crude increased to 1.5%. This meant that oil might go down to subsurface.

Another problem with the Gulf wa-

To Page 16▶

0103

◀From Page 1

ters, said Capt Bustorff and Dr Bluhm, was that it lacked sufficient oxygen and contained less fresh water. "The thumb rule is that Gulf water gets completely changed only once in 200 years. This means that Gulf water once contaminated will retain its pollution for several years."

The experts said the current spill was the history's "hugest" and it had to be tackled with coordinated efforts by all regional and international agencies.

"We have known by experience that rocks and boom do deliver the goods. But they cannot provide lasting solution. Tar balls may appear after years, as happened in 1989 in Dammam, and left people guessing where it came from (it re-emerged from the 1983-slick during the Iraq-Iran war).

The experts said oil-swallowing tankers could do the job pretty well. But it could take three weeks to reach here. They said they were assessing the situation and collecting information from various Gulf countries to decide how best the calamity could be averted.

Meanwhile QEPC, in collaboration with different ministries and departments, is erecting barriers and skimmers to protect desalination plants and beaches.

0104

해양 오염 방지 기자재 검토

1991. 2. 22.

1. 오일펜스

   가. 종 류

      1) 공기주입식 펜스   : 채산성 문제로 국내에서는 생산되지 않음.

      2) 스치로폴 내장형 펜스 : 국내 3개 회사에서 생산중.

   나. 사 양

      1) 자세한 사양은 CATALOG (타이가 상사 및 코오롱 상사) 참조

      2) 국내 생산 가능한 펜스의 수면상 높이는 30cm 정도로 유출 기름의 두께
         와 걸프만의 해상기후에 따라 사용이 부적격할 수 있음.

      3) 펜스의 길이 20M 는 사용자의 요구에 따라 30m 까지는 조정 가능함.

      4) 각각의 펜스를 연결하여 사용할 수 있도록 하는 ZIPPER FASTENER 는
         일본 수입 자재로 일본내에서도 공급이 크게 모자라는 상태임.
         (국내 대체품도 쓸수 있으나 품질상 문제의 여지가 있음)

   다. 가격 및 납기

      1) 가 격 : CIF MIDDLE EAST BY SEA   U$ 65.-/M

      2) 납 기 : 국산 ZIPPER FASTENER 를 사용할 경우 1개월 이내에 2KM
                 생산 가능. (비축 물량은 없음)   13억원

2. 유처리제

   가. 제품조성 : 비이온 활성제 + 특수 광물유
                 (국내 10개 업체 같은 종류로 생산중)

   나. 사 양

      1) 자세한 사양은 CATALOG (한국화학공업) 참조

      2) 국내 제품의 사양은 일본의 것과 거의 유사하며, 성능과 2차공해 방지
         측면에서 주무부처인 해운항만청 선박과에서는 국제 규격에 크게 뒤지
         지는 않는다고 함.

      3) 다만, 국제적으로는 유화제의 사용을 억제하고 있는 추세임.

0105

長 官 報 告 事 項

題 目 : 걸프灣 流出 原油防除 支援

> 사우디, 카타르 및 바레인등 걸프灣 國家들은 걸프戰爭으로 인한
> 海洋汚染 防止를 위한 我國의 支援을 要請하고 있는바, 關聯 防除
> 物資 支援對策을 다음과 같이 報告합니다.

1. 支援要請內容

가 . 사우디

- 駐韓 사우디 大使舘, 91.1.29. 중근동과에 原油流出이 自國의
  食水供給과 直結된 時急한 問題인바, 我國이 原油汚染 防除를
  위한 技術支援 可能한지 問議

- 사우디 氣象環境廳도 91.1.30. 駐 사우디 大使舘에 裝備를 갖춘
  韓國 전문가팀의 支援希望

나 . 바레인

- 外務部 政務總局長 91.2.5.   我國大使에 걸프 原油流出로
  環境危機에 처한 駐在國에 긴급히 裝備 및 技術, 財政支援 해줄
  것 要望

0106

다 . 카타르

　　ㅁ 都市行政農業省長官　91.2.6. 駐在 我國大使에 汚染모래除去 裝備,

　　　岩石에 붙은 原油除去 藥品 및 보호막(Oil Fence) 支援要望

2. 支援方案 檢討

가 . 環境處 意見

　　ㅁ 國內保有 防除船舶은 小型으로 Gulf 만 까지 航行 不可하며 防除

　　　技術이 沿岸 및 內水面　防除수준에 머물고 있어 전문人力 派遣

　　　이나 防除 裝備支援도 困難

나 . 國産 防除物資 供給事情 및 支援適合性 判斷

　　ㅁ 보호막(Oil Fence)

　　　- 1Km 당 6.5만불 所要

　　　- 現地 供給까지 2-3개월 所要되므로 適期供給 困難

　　ㅁ 油處理劑

　　　- 1만 리터(50드럼)당 2.5 만불 所要

　　　- 現地 供給까지 1-2개월 所要

　　　- 2次 公害發生 이유에서 國際的으로 使用 自制 趨勢

　　ㅁ 油吸着劑

　　　- 5톤당 6.5만불

　　　- 現地 供給까지 1-2개월 所要

　　　- 岩石汚染 原油 除去用으로 適合하여 公害問題도 없음.

3. 支援對策

　ㅁ 防除物資 支援

　　- 支援對象國과 協議 上記 3개 品目中 選擇的으로 支援

　ㅁ 豫　算

　　- 걸프事態 支援金 豫備費中 30만불 支援

　　- 사우디, 카타르 및 쿠웨이트에 각기 10만불 상당의 防除物資 支援

　　　　　　　　　　　　　　　　　　　　　- 끝 -　　0107

원유오염 방제품 (유흡착제) 발송처

1. 카타르

o 기관명
DEPT. OF PUBLIC HEALTH AFFAIRS, MINISTRY OF MUNICIPAL
AFFAIRS AND AGRICALTURE

o 주 소
P.O. BOX 820, DOHA, STATE OF QATAR

2. 사우디

o 기관명
NATIONAL OIL SPILL COODINATOR, METEOROLOGY AND
ENVIRONMENTAL PROTECTION ADMINISTRATION

o 주 소
P.O. BOX 117, DHAHRAN INTERNATIONAL AIRPORT, 31932, K.S.A.

o 특기사항
화물 BOX 겉면에 " EQUIPMENT FOR COMBATING OIL SPILL" 명기 요망

3. 바레인

o 기관명
Ministry of Health, State of Bahrain (Environment Protection Committee)

o 주소
P. O. BOX 26909, Manama

0108

	분류번호	보존기간

발 신 전 보

WBH-0111   910227 1421 AO

번   호 : _____   종별 : _____

수   신 : 주, 바레인   대사. 총영사

발   신 : 장 관   (중동이)

제   목 : 걸프 원유오염 방제

연 : WBH-0092

대 : BHW-0098, 0115, 0118

1. 걸프 원유오염 방제를 위해 귀주재국에 대해 10만불 상당의 국산방제물자를
지원키로하였는바, 동 금액 범위내에서 아국이 지원가능한 아래 방제물자중
귀주재국이 필요로하는 방제물자 품목 및 수량을 주재국 관계당국과 협의 확정,
보고바람.

　　　가 . 보호막(Oil Fence)

　　　　　o 1Km 당 6.5만불 (CIF 가격)

　　　　　o 현지 공급까지 2-3개월 소요

　　　나 . 유처리제(Oil Dispersant)

　　　　　o 1만 리터(50드럼)당 2.5만불(CIF 가격)

　　　　　o 현지 공급까지 1-2개월 소요

　　　　　- 2차 공해발생 관계로 국제적으로 사용 자제 추세

　　　　　　　　　　　　　　　　　　　/계속.../

검토필(1991. 6. 30.)

	보 안 통 제	초

앙 고 재	91 년 월 일	중동 2 과	기안자 성명 리덕제		과 장 초	심의관 양	국 장		차 관	장 관 191	외신과통제

0109

다 . 유흡착제(Oil Absorbent)

ㅇ 5톤당 6.5만불(CIF 가), 자체무게의 10배까지 흡수가능

ㅇ 현지 공급까지 1-2개월 소요

- 암석오염 원유제거용으로 적합하며 공해문제도 없음 .

2. 국내 방제기술은 연안 및 내수면 방제수준에 불과하여, 방제장비 및 전문인력 파견은 불가능함을 참고바라며, 지원예산 한도, 공해문제 및 공급일정 등을 감안할때 사용상 특별한 기술이 필요치 않는 유흡착제 지원이 가장 적절할 것으로 사료되는바 귀주재국 관계당국과의 협의시 참조바람.   끝.

(중동아프리카국장 이 해 순)

0110

	분류번호	보존기간

WSB-0435   910발7 1420신AO   전 보

번 호 : _____   종별 : _____

수 신 : 주   사우디   대사.총영사

발 신 : 장 관   (중동이)

제 목 : 걸프 원유오염 방제

연 : WSB-0363

대 : SBW-0336

1. 걸프 원유오염 방제를 위해 귀주재국에 대해 10만불 상당의 국산방제물자를
지원키로하였는바, 동 금액 범위내에서 아국이 지원가능한 아래 방제물자중
귀주재국이 필요로하는 방제물자 품목 및 수량을 주재국 관계당국과 협의 확정,
보고바람.

가. 보호막(Oil Fence)

　ㅇ 1Km 당 6.5만불 (CIF 가격)

　ㅇ 현지 공급까지 2-3개월 소요

검토필(1991. 6. 30.   )

나. 유처리제(Oil Dispersant)

　ㅇ 1만 리터(50드럼)당 2.5만불(CIF 가격)

　ㅇ 현지 공급까지 1-2개월 소요

　ㅇ 2차 공해발생 관계로 국제적으로 사용 자제 추세

/계속.../

0111

다. 유흡착제(Oil Absorbent)

　ㅇ 5톤당 6.5만불(CIF 가격), 자체무게의 10배까지 흡수가능

　ㅇ 현지 공급까지 1-2개월 소요

　ㅇ 암석오염 원유제거용으로 적합하며 공해문제도 없음.

2. 국내 방제기술은 연안 및 내수면 방제수준에 불과하며 불가능함을 참고바라며, 지원예산 한도, 공해문제 및 공급일정 등을 감안할때 사용상 특별한 기술이 필요치 않는 유흡착제 지원이 가장 적절할 것으로 사료되는바 귀주재국 관계당국과의 협의시 참조바람. 　끝.

(중동아프리카국장 이 해 순)

0112

분류번호	보존기간

발 신 전 보

WQT-0086   910227 1422   AO

번   호 : _____   종별 : _____

수   신 : 주   카타르   대사 . 총영사

발   신 : 장 관   (중동이)

제   목 : 걸프 원유오염 방제

연 : WQT-0068

대 : QTW-0049, 0058

1. 걸프 원유오염 방제를 위해 귀주재국에 대해 10만불 상당의 국산방제물자를 지원키로하였는바, 동 금액 범위내에서 아국이 지원가능한 아래 방제물자중 귀주재국이 필요로하는 방제물자 품목 및 수량을 주재국 관계당국과 협의 확정, 보고바람.

　　가 . 보호막(Oil Fence)

　　　ㅇ 1Km 당 6.5만불 (CIF 가)

　　　ㅇ 현지 공급까지 2-3개월 소요

검 토 필 (1991. 6. 30. 종명)

　　나 . 유처리제(Oil Dispersant)

　　　ㅇ 1만 리터(50드럼)당 2.5만불(CIF 가)

　　　ㅇ 현지 공급까지 1-2개월 소요

　　　- 2차 공해발생 관계로 국제적으로 사용 자제 추세

/계속.../

보 안 통 제	

앙 고 재	91 년 월 일	둘 2 과	기안자 성명		과 장	심의관	국 장		차 관	장 관	

외신과통제

0113

다. 유흡착제(Oil Absorbent)

      ㅇ 5톤당 6.5만불(CIF 가), 자체무게의 10배까지 흡수가능

      ㅇ 현지 공급까지 1-2개월 소요

        - 암석오염 원유제거용으로 적합하며 공해문제도 없음.

2. 국내 방제기술은 연안 및 내수면 방제수준에 불과하여, 방제장비 및 전문인력 파견은 불가능함을 참고바라며, 지원예산 한도, 공해문제 및 공급일정 등을 감안할때 사용상 특별한 기술이 필요치 않는 유흡착제 지원이 가장 적절할 것으로 사료되는바 귀주재국 관계당국과의 협의시 참조바람.   끝.

                         (중동아프리카국장 이 해 순)

0114

관리
번호 81-
144

외 무 부

종 별 :

번 호 : BHW-0132   일 시 : 91 0227 1430

수 신 : 장관(중동이)

발 신 : 주 바레인 대사

제 목 : 걸프 원유오염 방제

대:WBH-92,111

연:BHW-98,115,118

1. 본직은 금 2.27 외무부 MAHROOS 정무총국장을 방문, WBH-0111 에 따라, 보호막, 유처리제, 유흡착제 3 개품목을 제시하고 필요품목 및 수량을 결정, 회보토록 요청하였음.

2. 총국장은, 한국정부의 당관을 통한 2.16 의 필요품목 문의(BHW-115)를 받고, 즉시 보건부에 통보하였으나, 상금 회보 미접으로 처리 지연된것을 미안해하면서, 금번에는 최단 시일내 확정 회시하겠다 하였음.

(대사 우문기-국장)

예고:91.12.31 일반

검토필(1991. 6. 30.)

중아국

외 무 부

종 별 :

번 호 : SBW-0610　　　　　　　　　　　일 시 : 91 0227 2240

수 신 : 장관(중동이)

발 신 : 주 사우디 대사리

제 목 : 걸프원유 오염 방제

　　대:WSB-435

　　1.2.27 정우성 참사관은 DAIVD OLSEN 기상 환경청장 자문관과 대호 관련사항 협의
한바, 요지 하기 보고함

　　가. 가장 시급히 필요한 품목은 OIL FENCE 이나 현지 공급이 2-3 개월 후라면
별의미가 없음

　　나. 유처리제는 공해문제로 사용치 않음

　　다. 유흡착제는 1-2 개월후에도 계속 필요하므로 지원해주면 큰도움이 되겠으나,
먼저 사용가능 여부판별을 위해 아측이 제공코자 하는 유흡착제의 상세한 SPEC 이
필요함

　　2. 따라서 주재국에 대한 방제물자는 유흡착제로 하되, 지원가능한 제품의 상세한
SPEC 회시바람

　　(대사대리 박명준-국장)

관리	91-
번호	411

외 무 부

종 별 :

번 호 : BHW-0134

일 시 : 91 0228 1200

수 신 : 장관(중동이)

발 신 : 주 바레인 대사

제 목 : 걸프 원유오염 방제

연:BHW-0132

1. 외무부 MAHROOS 정무총국장은 금 2.28 연호 방제물자 3 개 품목중, 유흡착제(OIL ABSORBENT) 단일 품목으로 지원하여 줄것을 요청하여 왔음.

2. 주재국과는, 유흡착제 약 7.7 톤(5 톤당 6.5 만불(CIF), 10만불 상당)이며, 효과는 77 톤까지 흡수가능하며, 1-2 개월내 현지 도착예정으로 양해되었음.

3. 총국장은 금후 주재국 관계당국이 자체 예산으로 추가 구입경우에 대비, 제조자등 카다로그 제공을 요청하니, 관계자료 송부바람. 끝.

(대사 우문기-국장)

예고:91.6.30 일반

중아국   장관   차관   1차보

외 무 부

종 별 : 지 급

번 호 : QTW-0072

일 시 : 91 0228 1300

수 신 : 장관(중동이)

발 신 : 주 카타르 대사

제 목 : 걸프 원유 오염 방제

대:WQT-86

연:QTW-49,58

1. 본직은 2.28 12:00-12:30 간 주재국 도시 농업 행정성 HAMAD BIN JASSIMBIN JABOR AL-THANI 장관을 방문 협의한 결과 동장관은 유흡착제(OIL OBSORBENT)를 공급해 줄것을 희망하였음.

2. 동인은 아측의 적극적인 협력에 사의를 표명하였음.

끝

(대사 유내형-국장)

예고:91.6.30 일반

중아국   장관   차관   1차보   2차보   청와대

PAGE 1

0118

해양 오염 방지 기자재 검토

1991. 3. 2.

1. 유흡착제

    가. 유흡착제의 국내 형식 승인 제품은 국내 2개 MAKER 의 제품들로서, (주) 타이가 상사는 NOIL 흡착제를, (주) 신화환경은 P.P. 흡착제를 생산중임.

    나. 양 제품의 가격, DELIVERY 및 사양들을 검토한 결과 그 내용은 다음과 같음.

구 분	P. P. 제 품	NOIL 제 품
가 격	(CIF BY SEA) U$ 11.31	(CIF BY SEA) U$ 14.92
납 기	15 일	30 일
흡 착 제	흡착제 무게의 약 15배 흡착	흡착제 무게의 약 20배 흡착
조 직	조직이 강해서 2차 공해 없음.	조직이 약해서 2차 공해의 여지 있음.
기 후	기름이 해수에 퍼지는 열대지방에 적합	기름이 덩어리지는 추운 지방에 적합
자갈 및 암석에의 사 용	효 과 적 임	P.P. 제품에 비해 효율성 우수

    다. 상기 검토내용대로 모든 점을 비교해 볼때 수출 경험도 있는 P.P 제품으로 선정함이 바람직함.

2. 오일펜스 가격

    . CIF MIDDLE EAST BY AIR : U$ 279,500.-/KM

(주) 고 려 무 역 해 외 사 업 팀 장 ㊞

0119

다. 가격 및 납기

    1) 가 격 : CIF MIDDLE EAST BY AIR   U$ 12.70/리터

    2) 납 기 : 1일 50,000 리터 생산 가능하며, 약 50,000 리터 비축되어
        있음.

3. 유흡착제

    가. 종 류

        1) P.P. 흡착제 : (주) 신화환경에서 생산 (SAMPLE 참조)

        2) NOIL 흡착제 : (주) 타이가 상사에서 생산

    나. 사 양

        1) 자세한 사양은 CATALOG (타이가 상사 및 신화환경) 참조

        2) P.P. 처리 제품은 흡착력은 다소 떨어지나 조직이 강해서 수분 침투가
           거의 없고 2차 공해가 없음.

        3) NOIL 제품은 흡착력은 강하나 조직이 약한 단점이 있으며, 해수면에
           덩어리로 되어 있는 기름이나 자갈 등에 묻은 기름을 닦기에는 좋음.

    다. 가격 및 납기

        1) P.P. 제품 : CIF BY SEA   U$ 13.-/KG

        2) NOIL 제품 : CIF BY SEA   U$ 17.-/KG

        3) 납 기 : P.P. 제품은 15,000 KGS 비축되어 있으며, (NOIL 제품은
           비축 없음) 각 제품 공히 원부자재 수급을 위한 10일 이후
           부터는 1일 20,000 KGS 이상 생산 가능함.

4. 검토의견

    가. 관련 기자재는 거의 일본의 10여년전 사양에 따라 제조된 것으로 선진국에
        비해 성능면에서 뒤떨어져 있음.

    나. 가격 국제 시가에 비해서는 조금 높은 수준으로 본건 추진시 사전에 국내
        제품의 사양에 관한 사용자측의 동의가 있어야 할 것으로 검토됨.

0120

품 목 별 원 가 계 산 서

1991. 3. 2.

o   ITEM : OIL CATCHER

o   COST BREAKDOWN

   - F.O.B.   : U$ 9.-

   - FREIGHT   : U$ 2.-

                   (1,500KGS/20'CNTR, U$ 3,000/20'CNTR)

   - INSURANCE   : U$ 0.13

                   C.I.F. X 1.1 X RATE (1%)

   - MARGIN   : U$ 0.18   (FOB X 2%)

   CIF MIDDLE EAST : U$ 11.31

0121

관리	91-
번호	161

분류번호	보존기간

발 신 전 보

번   호 : WSB-0471   910304 1905 FD   종별 :

WBH -0115   WQT -0089

수   신 : 주 수신처 참조 /////~~대사~~ //~~총영사~~

발   신 : 장 관 (중동이)

제   목 : 걸프 원유 오염 방제

아국의 원유 오염 방제 ~~~~~~~물자인 유흡착제의 스펙은 다음과 같으며 동 제품은 롤 및 페드형으로 공급 가능하다는바 희망 사양을 선택 보고 바람. 카다록은 파편 송부하겠음.

o 재   질 : P.P. (1KG당 $11.31 CIF)

o 흡 착 력 : 흡착제 무게의 약 15배

o 특   성 : 기름이 해수에 퍼지는 열대지방에 적합하며 조직이 강해서
                2차 공해의 우려 없음

o 롤   : 연결된 형태로 해양오염 원유 제거용으로 적합

o 페   드 : 자갈 및 암석등 연안 오염 제거용으로 적합

(중동아국장   이 해 순)

수신처 : 주 사우디, 바레인, 카타르 대사

예 고 : 91.12.31. 까지

검토필(. 91. 6. 30)

보 안 통 제	초

앙 고 재	91 년 3 월 1 일	중동 2 과	기안자 성명 허동행		과 장 초		국 장 전		차 관	장 관

외신과통제

0122

해양 오염 방지 기자재 검토

1991. 3. 5.

1. 검토 대상 품목 : 유흡착제

2. 업체 선정 경위

　　가. 동 제품의 형식 승인은 해운항만청 선박과에서 관장하고 있는바, 품질
　　　　문제에 관한 각종 시험을 거쳐 형식 승인을 하고 있음.

　　나. 현재 동 제품은 2개업체 (타이가상사 1개 품목, 신화환경 7개 품목) 에만
　　　　형식이 승인되어 있음.

　　다. 따라서 3월 2일자 당사의 검토의견에서도 비교된 바 있는 것처럼 NOIL
　　　　제품 보다는 P.P 제품으로 구매 대상을 정하여 이미 발주를 완료 하였음.

　　라. 다만, 3월 2일자 검토의견 제출시 1개 국가에 지원하는 것으로 검토 하였
　　　　으나 3개국가에 지원하는 것으로 최종 확정되어 물량이 3배로 늘었으므로
　　　　NOIL 제품은 DELIVERY 2개월, P.P. 제품은 25일로 조정됨.

　　마. 가격 문제에 있어서도 물량 조정시 NOIL 제품은 CIF U$ 12.86/1KG 으로
　　　　가격이 인하 되었으나 여전히 P.P. 제품에 비해 KG 당 U$ 1.55 가 높은
　　　　수준임.

　　바. P.P. 제품 생산가능한 고려합섬 등 접촉 하였으나 형식승인이 없고 시제품
　　　　생산 단계이므로 검토대상에서 제외함.

0123

7923

기 안 용 지

분류기호 문서번호	중동이 20005-	(전화 :)	시 행 상 특별취급	

보존기간	영구·준영구. 10. 5. 3. 1.	장 관

수 신 처 보존기간	

시행일자	1991. 3. 6.

보 조 기 관	국 장 전 결	협 조 기 관		문 서 통 제
	심의관			1991. 3. 7
	과 장			
기안책임자	허 덕 행			발 송 인 1991. 3. 7

경 유		발 신 명 의		1991. 3. 7
수 신	수신처참조			
참 조				

제 목	걸프원유 오염방제

연 : WSB-0471, WBH-0115, WQF-0089

원유오염 방제물자로 지원예정인 유흡착제의 카다로그를

별첨과 같이 송부합니다.

첨부 : 1. 동 카다로그 1부. 끝.
        2. 견본 1 piece

수신처 : 주 사우디, 바레인, 카타르대사.

0124

원　본

외　무　부

종　별 :

번　호 : QTW-0077　　　　　　　　일　시 : 91 0307 0700

수　신 : 장관(중동이)

발　신 : 주 카타르 대사

제　목 : 걸프원유 오염방제

　　대:WQT-89

　　연:QTW-58

　　대호, 주재국 관계관과 협의한바 연호와 같이 연안 오염 제거용 <u>페드 지원을</u>
희망함.

　　끝

　　(대사 유내형-국장)

　　예고:91.12.31 일반

중아국

발 신 전 보

WSB-0532   910311 1612 FD   종별 : 지급

WBH -0134

번 호 :

수 신 : 주 사우디, 바레인 대사. 총영사

발 신 : 장 관   (중동이)

제 목 : 원유오염방제

연 : WSB-0471, WBH-0115

1. 연호 유흡착제 지원관련, 아국 제작업체들에 의하면 실제작업시에는 롤(1개 Roll, 10Kg) 형태보다는 패드(1개 Pad 크기, 50X50Cm)형태가 훨씬 편리하다고 하므로 전체수량을 패드형태로 제작, 지원코자하니 이견있을시 3.12한 지급 보고바람 (3.12. 발주예정임).

2. 또한 연호 롱보한 P·P 재질형 이외에 천연섬유재질(NOIL 제품, 1Kg당 $12.34 CIF)형도 P·P와 50:50 물량비율로 지원코자 함. 동 NOIL 제품은 P·P형 제품보다 가격면에서 다소 고가이고 함수율이 다소 높은(흡착제 무게의 1.1 배) 단점이 있으나 원유흡착력이 좋으며(흡착제 무게의 약20배) 자갈 및 암석오염 제거에 더욱 효과적이라 함. 동 카타로그는 파편 송부함. 끝.

(중동아국장 이 해 순)

검토필(1991. 6. 30.

앙고재	91년 3월 11일 과	기안자 성명 김OO		과 장		국 장		차 관	장 관
						전결			

보 안 통 제	

외신과통제

0126

	분류번호	보존기간

발 신 전 보

WQT-0098   910311 1629 FD

번   호 : _____   종별 : _____

수   신 : 주   카타르   대사.총영사

발   신 : 장 관   (중동이)

제   목 : 원유오염 방제

대 : QTW-0077

연 : WQT-0089

유흡착제 송부시 연호 통보한 P.P 재질형 이외에 천연섬유재질(NOIL 제품,
1Kg 당 $12.34 CIF)형도 P.P와 50:50 비율로 지원코자 함. 동 NOIL 제품은 P.P 형
제품보다 가격면에서 다소 고가이고 함수율이 높은(흡착제 무게의 1.1배) 단점이
있으나 원유흡착력이 좋으며(흡착제 무게의 약 20배), 자갈 및 암석 오염제거에
더욱 효과적이라함. 동 카타로그는 파편 송부함. 끝.

(중동아국장 이 해 순)

예고 : 91.12.31. 일반

검토필(1981.6.30.)

	보 안 통 제	

앙 고 재	91 년 3 월 11 일	과	기안자 성명		과 장	심의관	국 장		차 관	장 관		외신과통제
						진결						

0127

원 본

외 무 부

종   별 : 긴 급

번   호 : SBW-0734   일   시 : 91 0311 1900

수   신 : 장관(중이,기정)

발   신 : 주 사우디 대사

제   목 : 원유오염 방제

대:WSB-532,471

대호 3.11 양봉렬서기관은 DAVID OLSEN 기상환경청장 자문관과 대호 관련사항 재협의한바, 요지 아래 보고함

　　1. 아국 유흡착제 스펙으로 볼때 걸프연안 원유오염 방제에 큰도움이 될것으로 보는바, 아국의 동제품기증을 환영함

　　2. 패드형태 유흡착제를 P.P 와 NOIL 재질로 50:50 지원하는 방안, 무방함

　　3. 시간을 고려, 가급적 항공화물로 지원희망하며, AIRWAY BILL 등 관련서류 사전 송부요망, 수신자는 아래와같음(항공송료는 아측부담 조건인것으로 사우디측은 이해하고 있음)

-NATIONMAL OIL SPILL COODINATOR, METEOROLOGY AND ENVIRONMENTAL PROTECTION ADMINISTRATION, P.O.BOX 117

DHAHRAN INTERNATIONAL AIRPORT, 31932, K.S.A

-동화물 BOX 겹면에 "EQUIPMENT FOR COMBATING OIL SPILL"라고 명기요망

(대사 주병국-국장)

예고:91.12.31 일반

검토필(1991.6.30.)

외　무　부

종　별 :

번　호 : BHW-0148　　　　　　　일　시 : 91 040

수　신 : 장관(중동이)

발　신 : 주 바레인 대사

제　목 : 원유오염방제

대:WBH-0134

대호, 1 항의 패드 형태 지원및 2 항의 천연섬유 재질품과의 혼합지원에 이견 없음. 끝.

(대사 우문기-국장)

예고:91.12.31 일반

검토필(1991.6.20.)

중아국　　2차보

	분류번호	보존기간

발 신 전 보

번 호 : WSB-0556   910313 1601 FK 종별 : _____   WBH -0141   WQT -0102

수 신 : 주 수신처 참조 ///대사//총영사/

발 신 : 장 관 (중동이)

제 목 : 원유 오염 방제

연 : WSB-0532, WBH-0134, WQT-0098

대 : SBW-0734, BHW-0148, QTW-0077

1. 금번 지원하는 유흡착제는 선박편으로 송부하며, 4.18. 담맘, 4.19.
바레인, 4.22. 도하에 각각 도착 예정임.

2. 사우디 측의 항공편 송부 희망에 대해서는 항공임이 비싼관계로
부득이 선박편을 이용함을 양해토록 하기 바람. 지원액 10만불은 운임이
포함된 액수인 바, 항공편 수송시에는 물량이 5,660kg이나 선박 수송시에는
8,470kg임을 참고바람.

3. 동 물품을 수령할 기관명 및 주소(사우디 제외) 보고 바람.   끝.

(중동아국장   이 해 순)

수신처 : 주 사우디, 바레인, 카타르 대사
예 고 : 1991.12.31. 까지

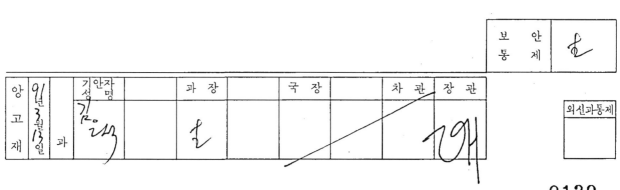

보 안 통 제	毛

앙 고 재	91년 3월 13일	기안자 성명	과	김영진	과 장	毛	국 장	차 관	장 관	79H

외신과통제

0130

원 본

외 무 부

종 별 :

번 호 : QTW-0090

일 시 : 91 0314 1000

수 신 : 장관(중동이)

발 신 : 주 카타르 대사

제 목 : 원유오염방제

대:WQT-102

대호, 아래보고함.

0 기관명:DEPT. OF PUBLIC HEALTH AFFAIRS, MINISTRY OF MUNICIPAL AFFAIRSAND AGRICULTURE

0 주소:P.O.BOX 820, DOHA, STATE OF QATAR

끝

(대사 유내형-국장)

예고:91.12.31 일반

중아국

기 안 용 지

분류기호 문서번호	중동이 20005-514	(전화 :)	시 행 상 특별취급	
보존기간	영구·준영구. 10. 5. 3. 1.			

| | | | 장   관 | |

수 신 처 보존기간		
시행일자	1991. 3. 14.	

보 조 기 관	국 장	전 결	협 조 기 관			문 서 통 제	
	심의관						
	과 장						
기안책임자	김은석					발 인	

경 유 수 신 참 조	수신처참조	발 신 명 의	

제 목	유흡착제

연 : WSB-0532, WBH-0134, WQT-0098

연호로 롱보한 NOIL 제품 카타로그를 별첨과 같이 송부합니다.

첨 부 : 카타로그 5부. 끝.

수신처 : 주 사우디 대사, 주 바레인 대사, 주카타르 대사

검토필 (1991.6 30.   )

0132

TIGER
OIL ABSORBENT
(유흡착재)

해운항만청형식승인 제흡-02호 (**TO-S**형)

발명특허 제14911호

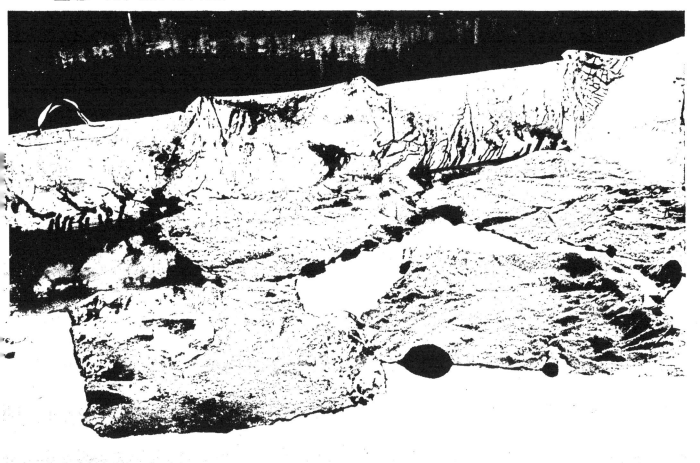

TIGER TRADING CO., LTD.

0133

타 이 가 유 흡 착 재

유흡착재 투입과정

A 도

수면상에 유출된 B중유

B 도

TOS의 투입 5초후

C 도

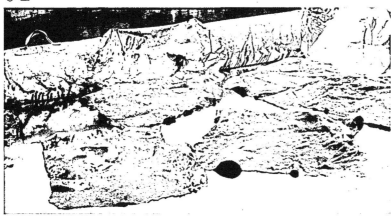

TO-S의 투입 20초후 완전 흡유

TO-S型

(株) 타 이 가 商事

는 해양 오염방지 기 자재중 유출유 확산 방 지를 위한 오일펜스를 제조한데 이어 유출유 를 제거하기 위한 유 흡착재도 국내 최초로 발명하여 명실공히 해 양오염방지 기자재 M- AKER로 발돋움 하였 읍니다.

타국 제품에 비해 보다 성능이 우수하고 경제 적인 본제품은 저희 오일펜스와 함께 해양 오염방지에 크게 기여 할 것으로 확신합니다.

TO-S의 특징

● 흡착재 무게의 약20 배 폐유를 흡착한다.

● 자연섬유계 제품이므로 제2차 공해가 없다.

● 장시간 수면에 뜨고 원 형을 유지하므로 회수 가 용이하다.

● 소각시 연소열이 적고 특별소각로가 필요없다.

● 소각시 유독개스가 발 생치 않는다.

0134

타이가 유흡착재의 흡유성 및 흡수성

흡유량 \ 기름종류	A 중 유	B 중 유	C 중 유	방카C유	물
g/g	15.10	17.40	18.1	20.80	1.10
g/cm³	1.00	1.10	1.15	1.75	0.08

● 측정방법 : 20℃의 유면에 5분간 띄운후 건져서 철망 위에 5분간 놓아둔 후 무게를 측정한 것임
　　　　　특히 B중유의 경우는 해운항만청 측정 기록임.
● 해운항만청 기준치 : 20℃ B중유로 0.6g/g 및 0.8g/cm² 이상임.

제품의 규격

가 로	세 로	두 께	중 량	1 상 자
500mm	500mm	5mm	100g	10kg(100매입)

용 도

● 해양, 항만, 하천 등의 유출유 처리
● 공장, 자동차수리장 등의 세척시 배유 처리
● 송유선; 기름탱크의 세척시 배유 처리

● 식품 가공업체의 배유 처리
● 어장, 양식장의 폐유침입 방지
● 유수분리장치의 흡착탑의 충진제(FILTER)

0135

OIL CATCHER

1. Function of this material

   This material absorbs and removes the oil from the sea.

2. Standard

   The standard of this is 500mm×500mm×5mm and the weight of one is 100g.

   By request of buyer, we can supply him the standard 1m×20m×5m.

3. Characteristic

   This plays important part of preserving the marine resources, Namely, it removes flowed-into oil by the physical way and it prevents the happening of the second oil pollution.

4. Usage

   1) After installing the oil fence, put the oil catcher into the sea to remove oil.

   2) Because the oil catcher is light, it floats on the water, so use the stick in order that the oil catcher may absorb the oil well.

   3) Take out the oil catcher which absorbed the oil and burn out it.

      The gas from the burning fire do not harm to human body.

5. Absorbing capacity

   1g of the oil catcher itself can absorb 15g of bunker heavy oil.

6. Place of use

   * The Marine and port Administration

   * The Navy

   * The National Maritime police

   * The oil company

   * The shipyard

   * The Tanker

   * The oil storage place etc.

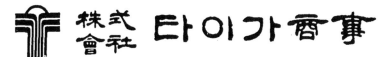

TIGER TRADING CO., LTD.

本社 : 서울·瑞草區 方背洞 450-24 (天一빌딩 5層)
代表電話 : (02)586-9146 FAX : (02)584-7580
C.P.O BOX : 8516 SEOUL KOREA
TLX : K 22054 CABLE : TIGER TR. SEOUL
工場 : 京畿道 楊州郡 檜泉邑 德溪里 175-13
T E L : (0351)64-5152 FAX : (0351)63-3811

0136

기름오염제거
해양오염방제

油흡착제 오스카
OSCA

해운항만청 형식승인

제 흡 05호, 제 흡 09호
제 흡 06호, 제 흡 10호
제 흡 07호, 제 흡 11호
제 흡 08호,

油흡착제 오스카 (OSCA)
OIL SPILL CONTROL ABSORBENT

新和環境株式會社
(SHINWHA COMMERCE CO.,LTD)

0137

OIL CATCHER

GOODS'S NAME   : PAD OR PADROLL

APPLICATION   : TO REMOVE & PREVENT OIL SPILL POLLUTION.

CHARACTERSTIC : PAD - 47CM(L) X 47CM(W) X 2MM(T), 10KG/BOX

                        PAD ROLL - 4900CM(L) X 94CM(W) X 2MM(T), 10KG/ROLL

DESCRIPTION   : PAD(PAD ROLL) IS A OIL ABSORBENT.

                        THEY CAN PREVENT & REMOVE OIL WHEN THE OIL

                        SPILLED IN STREAMS, RIVERS, SEAS AND HARBOURS,

                        ETC ......

                        THEY ABSORB ONLY OIL WHEN LAY OUT IN THE

                        SPILLED AREA.

USE   : LAY OUT IN THE SPILLED AREA AFTER PICK UP PAD

                        IN THE BOX. AND THEY SHOW RESPONSE THAT

                        ABSORB OIL, IMMEDIATELY.

0138

油흡착제 오스카 (OSCA)
OIL SPILL CONTROL ABSORBENT

우리가 무의식적으로나 사고로 흘리는 기름은 곧 하천과 호수와 바다를 오염시켜 자연환경과 생태계를 파괴합니다.

油흡착제 오스카 (OSCA)
(OIL SPILL CONTROL ABSORBENT)

각종 산업시설의 작업현장과 폐수처리장 및 하천, 해양, 항만, 소류지등에서 유출된 광물성 및 동·식물성 등 각종 기름을 가장 용이하게 제거할 수 있는 제품으로 기름 성분이 오염된 곳 위에 알맞은 형태의 油흡착제 '오스카'를 투입시켜 기름성분을 모두 흡착하게 한후 회수하면 됩니다.

油흡착제 '오스카'의 특징

● 유처리제로서의 기름흡착 효과가 뛰어나다.
● 기름을 흡착한 후에도 가라앉지 않는다.
● 유출 지역에 전개 및 제거가 용이하다.
● 페인트, 실리콘등 각종 화학제품과 비교적 높은 점성을 가진 성분을 제거.
● 광물성 및 동·식물성의 각종 油分을 제거할 수 있다.
● 파도나 조류 및 바람등의 영향을 받지 않는다.
● 각 제품별로 용도가 다양하다.

油흡착제 '오스카'의 기능별 사용例

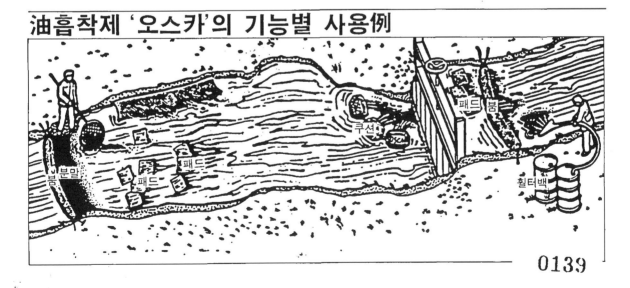

0139

해양오염 방지법 시행규칙 제53조에 의한 해운항만청 형식승인 제품

油흡착제 '오스카'의 규격 및 용도

품 명	규 격	형식승인	용 도
오스카 패드 OSCA PAD (KPD-4700)	47cm(L)×47cm(W)×2mm(t) 10kg/200매	재 흡-05호	각종 폐수처리장, 산업체시설, 세차장, 호소, 하천, 연못등에 유출된 기름성분 흡착제거.
오스카 패드 OSCA PAD (OSCA-ROLL)	4900cm(L)×94cm(W)×2mm(t) 10kg/ROLL	재 흡-05호	양식어장, 선박주위 등에 설치 기름의 확산방지 및 흡착제거
오스카 쿠션 OSCA CUSHION (DCU-4700)	47cm(L)×47cm(W)×5cm(t) 10kg/10EA	재 흡-06호	각종 산업체시설, 해양, 호수, 강 등에 유출된 기름성분 제거와 해양에서 악천후 속에 해난사고시 사용적합.
오스카 쿠션 OSCA CUSHION (KCU-4700)	47cm(L)×47cm(W)×5cm(t) 10kg/10EA	재 흡-07호	중질유, 원유등의 유출시 우수한 성능발휘.
오스카 붐 OSCA BOOM (DBM-4000)	17cm(dia)×400cm(L) 10kg/EA	재 흡-08호	각종 산업체 폐수처리장 등 흐르는 수면위에 부유하는 기름성분과 도로 및 지면의 기름유출 사고시 기름의 확산방지 및 흡착제거.
오스카 붐 OSCA BOOM (KBM-4000)	17cm(dia)×400cm(L) 10kg/EA	재 흡-09호	
오스카 붐 OSCA BOOM (DBM-1500)	17cm(dia)×150cm(L) 3.3kg/EA	재 흡-10호	공장에서 하천으로 투기되는 기름성분과 강이나 호수등에 기름유출시 오일휀스 대신 설치하여 기름의 확산 방지 및 제거.
오스카 붐 OSCA BOOM (KBM-1500)	17cm(dia)×150cm(L) 3.3kg/EA	재 흡-11호	해상사고시 오염예상지역에 설치 기름의 확산방지 및 흡착제거.

기타 油흡착제

o 분 말 : 세차장 및 소류지등 기름이 유출된 곳 위에 적당량의 분말을 살포하고 일정시간이 경과한후 스쿠프로 거두어 들이면 됩니다.

o 휠터백 : 소규모 사업장, 세차장, 소형선박, 유조선등에 수용성 기름이나 물과 혼합되어 있는 기름을 제거하기 위한 필터 장치로 사용합니다.

* 위의 각 油흡착제는 자중의 약 10배 이상 기름흡착력을 가지고 있음.

● 유효기간 : 제조일로부터 5년

0140

사용방법

- 사 용 량 : 유출된 기름량을 산출하여 수면위에 10%~15%의 '오스카'를
  투입하면 됨.
- 흡착반응 : 油흡착제 '오스카'를 전개하면 즉시 油分을 흡착하는 반응을
  보이며 휘저어 주게되면 더욱 눈에 띄게 흡착함.
  (단, 다량의 계면활성제가 섞인 경우엔 효능이 저하될 수 있음)
- 폐기처리 : 사용된 '오스카'는 소각처리

비상용 기름공해 방지 키트
(EMERGENCY SPILL CONTROL BOX)

소규모공장, 선박, 주유소, 차량정비업소, 유조차, 고속도로 등의 기름유출 방제용

기본사양 : 패드 1 BAG. 쿠션 1 BAG   롤   1ROLL.
　　　　　 붐   1.5M : 2EA. 4M : 2EA 분말 1 BAG

* 기타 현장규모에 따라 협의 공급 가능.

각종 기름사고에 油흡착제 '오스카'로 즉각 대처할 수 있음.

오스카 붐 및 油흡착제를 이용한 하천에서의 기름흡착 및 부유물수거 기능 장면.

0141

오일 스키머
OIL SKIMMER

산업시설용 오일 스키머
※*DISK TYPE OIL SKIMMER*
(SWOS D 02~D 36)
※*NENUFAR N050. S100.*
OIL SKIMMER

각종 산업시설에서 발생하는 기름성분을 물리적인 방법으로 제거할 수 있는 장비로서 폐수처리장등에 띄워놓은채 간편한 취급방법으로 어느 장소에서나 쉽게 기름성분을 제거할 수 있다.

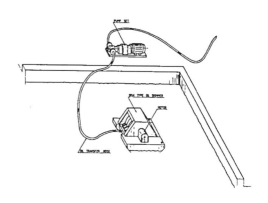

특   징
─운반 및 조작이 간편하다.
─어떠한 조건에서도 기름 회수율이 높다.
─유출된 기름성분을 재활용할 수 있다.
─호수나 강 등에서도 좋은 성능을 발휘한다.

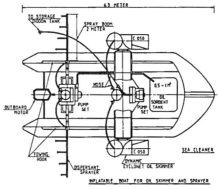

항만 및 해양용 오일 스키머
DYNAMIC OIL SKIMMER (C 050~C 200)

내수면 및 항만과 해양에서 대량의 기름을 제거하기 위해 선박의 양현에 스키머 헤드를 부착하여 물과 기름을 동시에 흡입, 기름만을 수거하고 물은 배출하도록 되어있으며 기종에 따라 소형 고무보우트에 설치 긴급사고시 가장 빠르게 오염 현장에 출동하여 油회수 작업에 임할 수 있다. 해양에서 악천후시 헬리콥터로 현지접근 가능

NO	NAME
1	유회수 장비(CYCLONET 050)
2	써크리너
3	유회수 저장 탱크
4	부유물 수거장치
5	유처리제 살포장치
6	SUCTION FILTER
7	오일펌스
8	유흡착제(BOOM,CUSHION)

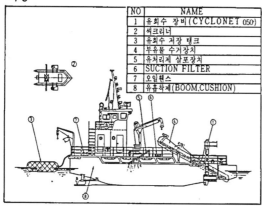

기타제품

● 컨베이어 벨트(CONVEYOR BELT)
  * 부유물 수거작업
● 디스퍼산트 스프레이어
  (DISPERSANT SPRAYER)
  * 유처리제 살포작업
● 오스카 필터 시스템
  (OSCA FILTER SYSTEM)
  * 수상 및 지상에서의 유처리작업
● 디오돈 탱크(DIODON TANK)
  * 유회수 저장탱크 ; 3M³,10M³,20M³,50M³
● 기타 항만,해양,내수면용 수면 청소등 오염방제 기자재

0142

영 업 품 목

油흡착제(OIL ABSORBENT)

* 오스카 패드, 쿠션, 붐, 분말, 필터, 등 유처리제

오일 스키머(OIL SKIMMER)

* DYNAMIC 오일 스키머 : C 050, C 070, C 100
  (CYCLONET TYPE)   C 150, C 200
* STATIONARY.NENUFAR 오일 스키머 : S 100. N 050
* DISK TYPE 오일 스키머 : SWOS D 05, D 06, D 12
                          D 24, D 36

유회수 저장 탱크

* 디오돈 탱크 : $3M^3, 10M^3, 20M^3, 50M^3$/DIODON TANK

슬러지 및 유류 이송용 펌프

* DIAPHRAM 펌프(SELP PRIMING) : SELWOOD SPATE
                       PUMP. NUMAX RANGE PUMP

기타제품

* 폐유 여과 흡착 SYSTEM
* DISPERSANT SPRAY SYSTEM
* 부유물 수거 장치
* 기타수상청소용 방제작업 기자재

기름오염으로 인한 공해 문제해결 해양오염 방제 임무 완수	1. 생산라인 및 작업장에서 1. 산업체 폐수처리장에서 1. 세차장등 소규모 사업장에서 1. 소류지, 하천 및 호수와 강에서 1. 항만 및 연안과 해양에서

기름오염 방제 기자재 전문업체

 新和環境株式會社

(SHINWHA COMMERCE CO.,LTD.)

본 사 : 서울시 중구 남산동3가 31-2 일양BD. 2F
전 화 : (02) 755 - 6181 (대표전화)
FAX : (02) 755 - 6189
C. P. O. BOX 10057 SEOUL. KOREA
공 장 : 경기도 과천시 문원동 225
전 화 : (02) 503 - 3206   0143

一般豫算檢討意見書

199/ . 3. /5.　　　　중동2 課

事 業 名	걸프만 사태 관련 물자지원		
支辨科目	細 項	目	金 額
	/2//	34/	$299,90/.⁰⁰

檢　討　意　見	
主 務 者	정무관동, 해외경상이고 이원액에서 집행
擔 當 官	〃
調 整 官	〃

0144

기 안 용 지

분류번호 문서번호	중동이20005-	(전화 :)	시 행 상 특별취급	
보존기간	영구·준영구 10. 5. 3. 1.	차 관	장 관	
수 신 처 보존기간		전 결		
시행일자	1991. 3. 14.			

보조 기관	국 장		협조기관	기획관리실장 총무과장 기획운영담당관	문 서 통 제
	심의관				
	과 장				
기안책임자		허 덕 행			발 송 인

경유 수신 참조	건 의	발신 명의	

제 목	걸프만 사태 관련 물자지원 (원유오염방제)

　　　　사우디, 카타르, 바레인등 걸프만 국가들은 걸프전쟁으로

인한 해양오염 방지를 위한 아국의 지원을 요청하여 왔습니다. 이와관련

국내생산 방제물자의 공급사정을 감안 상기 3개국과 협의한 결과 동

3개국에 대해 각기 10만불 상당의 유흡착제를 지원키로 합의하였는바,

다음과 같이 지원코자하니 재가하여 주시기 바랍니다.

/계속.../

0145

- 다   음 -

1. 지원내역

가. 사우디

o 총 8,470 KG의 유흡착제 지원(P.P 및 Noil 제품을 각기 50%씩)

소계 : $99,967.2

나. 바레인

o 총 8,470 KG의 유흡착제 지원(P.P 및 Noil 제품을 각기 50%씩)

소계 : $99,967.2

다. 카타르

o 총 8,470KG 의 유흡착제 지원(P.P 및 Noil 제품을 각기 50%씩)

소계 : $99,967.2,

합계 : $299,901.6

2. 선적일정

o 91.4.3. 선적, 4.18(담맘), 4.19(바레인) 4.22(도하)도착예정

3. 지출근거

o 정무활동, 해외경상이전, 걸프만사태 관련 주변피해국 지원(예비비)

첨부 : 1. (주) 고려무역의 견적서 및 수출계약서

2. 관련 보고서 (기결재)   0146

해양 오염 방지 기자재 검토

1991. 3. 9.

1. 검토 대상 품목 : 유흡착제

2. 업체 선정 경위

　가. 동 제품의 형식 승인은 해운항만청 선박과에서 관장하고 있는바, 품질 문제에 관한 각종 시험을 거쳐 형식 승인을 하고 있음.

　나. 현재 동 제품은 2개업체 (타이가상사 1개 품목, 신화환경 7개 품목) 에만 형식이 승인되어 있음.

　다. 양 제품의 가격 DELIVERY, 사양 등을 검토결과를 다음과 같음.

구 분	P. P. 제 품	NOIL 제 품
가 격	U$ 11.31	U$ 12.34
납 기	1 개월	1 개월
흡 착 율	흡착제 무게의 약 15배	흡착제 무게의 약 20배
함 수 율	거 의 없 음	흡착제 무게의 약 1.1배
조 직	P.P. 조직으로 견고	일종의 솜 종류로 약함
사용후 처리	소 각	소 각
자갈 및 바위 에의 사용	효 과 적	더 욱 효 과 적

　라. 상기 검토내용대로 양 제품은 장.단점이 있는 반면에 가격의 차이도 미미 하므로, 양 제품을 50% 씩 선정함으로써 조기 선적도 기대할 수 있을 것으로 검토함.

(주) 고 려 무 역 역 해 외 사 업 팀

0147

輸 出 契 約 書

"甲" 外　　　　務　　　　部

中東 2 課長　鄭　鎭　鎬

"乙"　株式會社　高　麗　貿　易

代表理事　副社長 高 一 男

上記 "甲" "乙" 兩者間에 다음과 같이 輸出契約을 締結한다.

第 1 條 :　輸出物品의 表示

別　　　添

第 2 條 :　"甲"은 上記 第1條의 物品貸金을 船積書類 受取後 "乙"에게 支給한다.

第 3 條 :　"乙"은 上記 第1條의 物品을 1991 . 4 . 3 . 까지 KOREAN PORT 港
(또는 空港) 에서 DAMMAN, BAHRAIN, 行 船舶(또는 航空機) 에 船積하여야
　　　　　　　　　　　　　　DOHA
한다.　但, 불가피한 事由로 船積이 遲延될 境遇에는 1990 . 12 . 21 .
外務部長官과 "乙" 間에 締結된 輸出代行業體 指定 契約書 第4條 規定에
依하여 "乙"은 "甲"에게 船積 遲延事由書를 提出하고 "甲"은 同 遲滯
償金 免除 與否를 決定한다.

第 4 條 :　"乙"은 船積完了後 7日 以內에 "甲"이 船積物品 通關에 必要한 諸般
船積書類를 "甲" 또는 "甲"의 代理人에게 提出 또는 現地公館에 送付
하여야 한다.

- 1 -

0148

第 5 條 : 上記 船積物品의 品質保證 期間은 船積後 1 年間으로 하며, 이 期間中
正常的인 使用에도 不拘하고 製造不良이나 材質 또는 조립상의 하자가
發生할 境遇 "乙"의 責任下에 解決한다.

本 契約에 明示되지 않은 事由에 對하여는 걸프만 事態 供與品 輸出 代行 契約書
에 따른다.

1991 年 3 月 9 日

"甲" 外 務 部   "乙" 株式會社 高麗貿易
                                 서울特別市 江南區 三成洞 159
   中東 2 課長 鄭 鎭 鎬   代表理事 副社長 高 一 男

- 2 -

0149

DESCRIPTION	Q'TY	U/P	AMOUNT
OIL ABSORBENT (FOR DAMMAN)			
1. SPECIAL TREATED P.P. NON-WOVEN	4,420KGS	@$ 11.31	U$ 49,990.20
2. SPECIAL TREATED NOIL	4,050KGS	@$ 12.34	U$ 49,977.-
S. TOTAL :	8,470KGS		U$ 99,967.20
OIL ABSORBENT (FOR BAHRAIN)			
1. SPECIAL TREATED P.P. NON-WOVEN	4,420KGS	@$ 11.31	U$ 49,990.20
2. SPECIAL TREATED NOIL	4,050KGS	@$ 12.34	U$ 49,977.-
S. TOTAL :	8,470KGS		U$ 99,967.20
OIL ABSORBENT (FOR DOHA)			
1. SPECIAL TREATED P.P. NON-WOVEN	4,420KGS	@$ 11.31	U$ 49,990.20
2. SPECIAL TREATED NOIL	4,050KGS	@$ 12.34	U$ 49,977.-
S. TOTAL :	8,470KGS		U$ 99,967.20
G. TOTAL :	25,410KGS		U$ 299,901.60

0150

誓 約 書

受 信 : 外務部長官

題 目 : 걸프만 事態에 따른 供與用 物品供給

　　　　敝社는 貴部가 主管하는 表題 事業이 緊急支援 및 秘密維持를 要하는

國家的 事業임을 認識하고, 今般　SAUDI ARABIA,　國에 供與하는　OIL ABSORBENT
　　　　　　　　　　　　　　　　BAHRAIN, QATAR

物品을 供與契約 締結함에 있어 아래 事項을 遵守할 것을 誓約하는 바입니다.

1. 物品供給 契約時 品質 價格面에서 一般 輸出契約과 最小限 同等한 또는 보다

　　有利한 條件을 適用한다.

2. 締結된 契約은 보다 誠實하고 協助的인 姿勢로 履行한다.

3. 同 契約 內容은 業務上 目的 以外에는 公開하지 않는다.

　　　　　　　　　　　　　　　　1991 年 3 月 9 日

會 社 名 : 株式會社 高 麗 貿 易

代 表 者 : 代表理事 高 一 男　

(署名 및 捺印)

관리 번호	91- 217

외 무 부

종 별 :

번 호 : BHW-0162

일 시 : 91 0316 1100

수 신 : 장관(중동이,중동일)

발 신 : 주 바레인 대사

제 목 : 원유 오염방제

대:WBH-0141

대호, 수령 기관명 및 주소 아래 보고함.

기관:MINISTRY OF HEALTH, STATE OF BAHRAIN

(ENVIRONMENT PROTECTION COMMITTEE)

주소:P.O.BOX 26909, MANAMA. 끝.

(대사 우문기-국장)

예고:원본-91.12.31. 일반

사본-91.12.31. 파기

중아국   중아국

주 카 타 르 대 사 관

주 카타르 720-54   1991· 3· 17·

수 신   장관

참 조   아·중동 국장   중동이라 이광

제 목   걸프원유 오염 방제
        대: WQT-0068   훈, 리더기료
        연: QTW-0049

    표제관련 주 재국 외무성은 도시농업 행정성의 아국정부에 대한 걸프원유
오염방제 지원요청 공한을 당관에 보내왔는 바, 동 공한사본 별첨 송부합니다·

첨부: 동 공한 사본 1 부· 끝

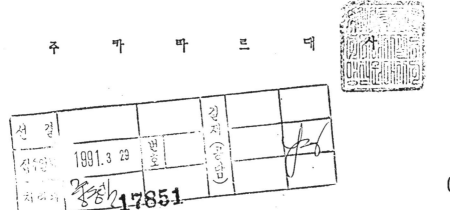

0153

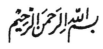

الرقم: وخ/٨/١/٢ ـــ ٧٩٣

التاريخ: ١٤١١/٨/٢٣هـ

الموافق: ١٩٩١/٢/٩م

تهدي وزارة خارجية دولة قطر (ادارة الشؤون القنصلية والاقتصادية والثقافية) اطيـــــب
تحياتها الى سفارة جمهورية كوريا الجنوبية الموقرة بالدوحة .

ويسرها ان ترفق لها الرسالة الموجهه من سعادة وزير الشئون البلدية والزراعه الى سعـــادة
سفير جمهورية كوريا الجنوبية .

بشأن طلب تقديم المعدات الخاصه بمواجهة أثار بقعة الزيت في الخليج .

وتنتهــز الوزارة هذه المناسبة لتعرب للسفارة الموقرة عن فائق احترامها وتقديرهــا .

ـ الى سفارة جمهورية كوريا الجنوبية الموقرة بالدوحة .

0154

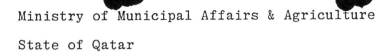

Ministry of Municipal Affairs & Agriculture

State of Qatar

Date : 5/3/1991
Ref. No. : BZ/46/2919

His Excellency/Ambassador of the Republic of Korea
Doha

After greeting,

The Ministry of Municipal Affairs and Agriculture
presents its compliments to the Embassy of the friendly
Republic of Korea, and wishes to refer to the State of
Qatar and different organizations efforts to combat oil
pollution caused by the Gulf war and damages which might
result to Qatar's marine life, beaches, agricultural
land and water resources.

With reference to our last discussion when your
Excellency expressed readiness to cooperate with us to
face this environemental catastrophe, I wish your Excel-
lency kindly convey our request to your Government for
a possible contribution to be presented as part of the
joint governmental efforts that are collaborating with
the international campaign to treat results of oil
pollution.

I am sure that the friendly country of the Republic
of Korea will participate in these efforts with all its
capabilities and experience.

We thank you and your respected Government for your
consolidation and cooperation with us in such circumstances.

Please accept the assurances of our highest consideration.

Hamad bin Jassim bin Jabor Al-Thani
Minister of Municipal Affairs &
Agriculture

0155

Ministry of Municipal Affairs & Agriculture

Doha - Qatar
Cable:
Telex: 4676 DM. DH
Tel.: 413535
P. O. Box: 2727

No. ....

Date ....

وزارة الشــؤون البلديــة والزراعــة
الدوحــة ـ قطـر
العنوان البرقي :
تلكس : ٤٦٧٦ دم. دهـ
تليفون : ٤١٣٥٣٥
ص.ب : ٢٧٢٧

الرقـم .ب.ز./.٤٦./.٢٩١٩
التاريخ ١٩/.٨./.١٤١١هـ (٥) ٣ / ١٩٩١ م)

سعادة / سفير جمهورية كوريا   المحترم

الدوحــة .

تحيـة طيبـة وبعد ،

تهدي وزارة الشؤون البلدية والزراعة أسمى تحياتها لسفارة دولة كوريا الصديقة ، وتشير الى الجهود التي تبذلها أجهزة دولة قطر بالتضامن مع الدول والمنظمات المختلفة لإحتواء ومعالجة الآثار الناجمة عن بقعة الزيت التي تسببت بها حرب الخليج ، وما قد ينجم عنها من أضرار على البيئة البحرية ، وعلى الشواطئ والأراضي الزراعية ومصادر المياه في قطر .

وعطفا على محادثتنا الأخيرة معكم ، حيث أعربتم عن إستعدادكم للتعاون معنا لمواجهة هذه الكارثة البيئية ، أرجو من سعادتكم ، التكرم بنقل طلبنا هذا الى حكومتكم الموقرة للنظر في إمكانية تقديم المعونة الممكنة ضمن الجهود الحكومية المتضافرة للحملة الدولية لمعالجة آثار بقعة الزيت والتصدي لأضرارها .

وإنني لعلى يقين من مشاركة جمهورية كوريا الصديقة في هذا الجهود بما تملكه من إمكانات وخبرات في هذا المجال .

شاكرين لكم ولحكومتكم الموقرة تضامنكم معنا ومشاركتكم لنا في مثل هذه الظروف .

وتفضلوا بقبول فائق التحية والتقدير ، ، ،

حمد بن جاسم بن جبر آل ثاني
وزيــر الشــؤون البلديــة والزراعــة

0156

Ministry of Foreign Affairs
State of Qatar

Date   : 9/3/1991
Ref. No. : WK/8/1/2-793

The Ministry of Foreign Affairs of the State of
Qatar (Economic, Cultural and Councillor Affairs Dept.)
presents its compliments to the Embassy of the Republic
of Korea in Doha and has the pleasure to enclose here-
with a message addressed from His Excellency the
Minister of Municipal Affairs and Agriculture to His
Excellency, the Ambassador of the Republic of Korea
concerning the request of special equipments to combat
oil pollution in the Gulf.

The Ministry avails itself of this opportunity to
renew to the Embassy of the Republic of Korea in Doha
the assurances of its highest consideration.

- To the Embassy of the Republic of Korea in Doha

0157

분류기호	중동이 20005-**4**	협조문용지		결재	담 당	과 장	국 장
문서번호		( )			허덕행		

심의관: *(서명)*

시행일자	1991. 4. 10.				*(서명)*
수 신	총무과장(외환)	발 신	중동아국장		
제 목	걸프사태 지원사업				

걸프사태로 인해 해양오염방지를 위해 사우디, 카타르 및

바레인등 3국에 대해 유흡착제를 지원한바 동 경비를 다음과 같이

지불하여 주시기 바랍니다.

- 다　　　　음 -

1. 지 불 액 : $299,901.60

2. 지 불 처 : (주) 고려무역

　　 ㅇ 지불은행 : 제주은행 서울지점

　　 ㅇ 구좌번호 : 963-THR 109-01-0

3. 지불근거 : 정무활동, 해외경상이전, 걸프사태 주변

　　　　　　　　　피해국 지원

첨부 : 1. 재가공문사본 1부.

　　　 2. (주) 고려무역의 청구서 및 선적서류 각 1부.　 끝.

0158

株 式 會 社 高 麗 貿 易

電 話 ：(02) 737-0860
F A X ：(02) 739-7011
TELEX ：KOTII K34311

서울 特別市 江南區 三成洞 159番地
貿易會館 빌딩 11層
TRADE CENTER P.O. BOX 23,24.

수 신 ： 외무부 중동 2 과장

제 목 ： 걸프만 사태 관련 지원물대 송금 신청

폐사는 귀부와의 계약에 의거하여 아래와 같이 걸프만 사태 관련 지원물품을 기 선적하였
아오니 송금조치 하여 주시기 바랍니다.

- 아   래 -

1. 선적물품 내역

품 목	수 량	금 액	선적일	도 착 예정일	선 명	선적항	도착항
OIL ABSORBENT	8,470KGS	U$ 99,967.20		4/18			DAMMAM
OIL ABSORBENT	8,470KGS	U$ 99,967.20	4/2	4/19	TOR BAY V-66/104	PUSAN	BAHRAIN
OIL ABSORBENT	8,470KGS	U$ 99,967.20		4/22			DOHA
합 계		U$299,901.60					

2. 비 고

걸프만 사태 관련 해양 오염 방지 기자재 지원 계약분 ('91. 3. 9.) U$ 299,901.60 전량
선적 완료.

3. 송 금 처 ： 제주은행 서울지점

   구좌번호 ： 963-THR 109-01-0

   예금주 ： (주)고려무역. 끝.

1 9 9 1 年 4 月 2 日

鍾 路 輸 出 本 部 海 外 事 業 팀 長

0159

해양경찰청 업무 기라자히

사본

원 가 계 산 (1. OIL ABSORBENT, P.P.)

단위 : US$

구 분	F. O. B.	F				I		M (FOB X 2%)	계
		C B M	단 가	송 료	기준가 (CIFx1.1)	여 율	보험료		합
	9 X 4,420KGS = 39,780.- (신호환경)	70.91768	125.-	8,864.71	54,989.22	1%	549.89	795.60	49,990.20

원 가 계 산 (2. OIL ABSORBENT, NOIL)

단위 : U$

구분	F				I		M (FOB X 2%)	합 계
	C B M	단 가	송 료	기 준 가 (CIFx1.1)	요 율	보 험 료		
F. O. B. 10 X 4,050KCS = 40,500.- (타이가상사)	64.938	125.-	8,117.25	54,974.70	1%	549.75	810.-	49,977.-

13809

기 안 용 지

분류기호 문서번호	중동이20005-	(전화 :　　　)	시 행 상 특별취급	
보존기간	영구·준영구. 10. 5. 3. 1.		장　　관	
수 신 처 보존기간				
시행일자	1991. 4.10.			

보 조 기 관	국 장	전 결	협 조 기 관		문 서 통 제
	심의관				
	과 장				
기안책임자	허 덕 행				발 송 인

경 유 수 신 참 조	수신처참조	발 신 명 의	

제 목	걸프사태 해양오염 방제물자 선적

걸프사태로 인한 해양오염 방제물자가 '91.4.2 선적되었는바

동 선적서류를 별첨과 같이 송부합니다.

　　　첨 부 : 선적서류 각2부. 끝.

　　　수신처 : 주사우디대사, 주바레인대사, 주카타르대사

0162

1505-25(2-1) 일(1)갑　　　　　　　　　　　190mm×268mm　인쇄용지 2급 60g/㎡
85. 9. 9. 승인　"내가아낀 종이 한장 늘어나는 나라살림"　가 40-41 1990. 2. 10.

원 본

외 무 부

종 별 : 지급

번 호 : SBW-0951

수 신 : 장관(중이)

발 신 : 주 사우디 대사

제 목 : 원유오염방제

일 시 : 91 0429 1400

대:중동 20005-13809, WSB-556

1. 4.28 정우성 참사관은 담맘 현지에서 주재국의 원유오염 방제 작업을 총지휘하고 있는 NIZAR TAWFIQ 기상환경청 부청장(VICE PRESIDENT OF METEOROLOGY AND ENVIRONMENTAL PROTECTION AGENCY 겸 NATIONAL OIL SPILL COORDINATOR)을 제다에서 특사 수행중인 본직을 대신하여 방문하고, 유흡착제 선적서류를 전달함

2. TAWFIQ 부청장은 우리정부의 지원에 감사의 뜻을 표하며, 여러 우방국들이 적극적으로 보내준 각종 지원에 깊은 감명을 받고있다고 말함. 동 부청장에 의하면 대규모의 FLOATING OIL 은 이제는 없어졌으며, 따라서 방제작업도 해안주변으로 흘러들어온 원유의 수거 및 해안 CLEANING 작업에 주력하고 있다고함.(지금까지 120 만베럴의 원유를 해상에서 수거)

3. 한편, 대호 방제물자가 선적된 화물선은 4.25 담맘항에 입항하였음. 끝

(대사 주병국-국장)

예고:91.12.31 까지

검 토 필 (1991.6 . 30.

─────────────────────────────

중아국   차관   1차보   2차보   환경처

외 무 부

종 별 :

번 호 : BHW-0295

일 시 : 91 0521 1730

수 신 : 장관(중동이,중동일)

발 신 : 주 바레인 대사

제 목 : 원유 오염방제

대:WBH-141

1. 주재국 환경 보존위 KHALED FAKHRO 부위원장은 금 5.21. 당관에 접수된 5.20
자 본직앞 공한을 통하여, 대호 한국의 유흡착제 지원을 값지고 시의 적절한 것으로
높이 평가하고 이에 대해 깊은 사의를 표명하면서 동 흡착제를 무위 수령하였다고
알려왔음.

2. 동 흡착제는 지난 4.26. 당지에 도착하였는바, 주재국 측의 공한 발송이 지체된
이유는 환경 보존 위원장을 겸하고 있는 보건 장관이 현재 장기 해외 출장 중이기
때문인 것으로 파악되었음.

3. 동 공한 사본 파편 송부 예정임.끝.

(대사 우문기-국장)

예고:원본-91.12.31 일반

사본-91.12.31 파기

검토필(1991.6.30.

중아국   중아국

PAGE 1

내가번돈 내가써도 지나치면 흠이된다

주 바 레 인 대 사 관

바레인(정) 20005 - 31   1991. 5. 21.

수 신 : 외무부장관

참 조 : 중동 아프리카 국장 (중동이)

제 목 : 원유 오염방제 지원 감사 공한

    연 : BHW - 295

연호, 주재국의 감사 공한 사본을 별첨 송부 합니다.

첨부 : 동 공한 사본 1 부 끝.

예고 : 91. 12. 31. 일반

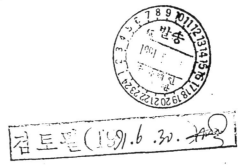

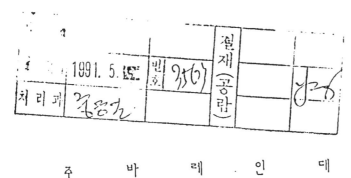

주   바   레   인   대

0165

STATE OF BAHRAIN
ENVIRONMENTAL PROTECTION COMMITTEE

دَولــة البَحرين
لجنة حمايـة البيئـة

No. EP/24/91/153

السـرقم _____

Date 20 May, 1991

التاريخ _____

H.E. Woo Moon-Ki
Ambassador
Embassy of Korean Republic
P.O. Box - 11700
BAHRAIN.

Ref: Your Note No. KEB-91/095 of 20-4-91.

Your Excellency,

We acknowledge with thanks and great pleasure the receipt of Oil Absorbents sent by your Government to fight the present crisis. I would like to express our sincere thanks and appreciation for the valued and timely assistance rendered to us during this crucial situation of the Gulf crisis which explicitly endorses the mutual understanding between the two countries.

We are looking forward for a continued cooperation for the protection of the national and global environment.

Sincerely,

KHALID FAKHRO
VICE CHAIRMAN
ENVIRONMENTAL PROTECTION COMMITTEE

0166

Tel. : 293693, P. O. Box 26909, Telex : 8511 HEALTH BN, Telefax : 0973-293694 (٩٧٢) ٢٩٢٦٩٤ : تلكس ٨٥١١ صحة ٠ ب. ص ٠ ٢٦٩٠٩ ـ تلفاكس ٢١٢١٩٣ تلیفون

주 카 타 르 대 사 관

주카타르20615-104   1991. 6. 11.

수 신 : 외무부장관

참 조 : 중동아프리카국장

제 목 : 원유오염 방제품 수령

　　　　　대 : WQT-98.102

　　　　　연 : QTW-77.

　　1. 대호 원유오염 방제품은 당지 환경보호위원회에서 무위수령하여 카타르
석유회사측에서 방제작업용으로 사용할예정 입니다.

　　2. 카타르 환경보호위원회의 Abdul Aziz Abdulla Al-Midfa 사무총장
은 본직에게 동 방제품 제공에대한 감사서한을 승부해 왔는바 동 서한 사본을
별첨과 같이 송부합니다.

　　침 부 : 상기서한사본 1부. 끝.

주 카 타 르 대

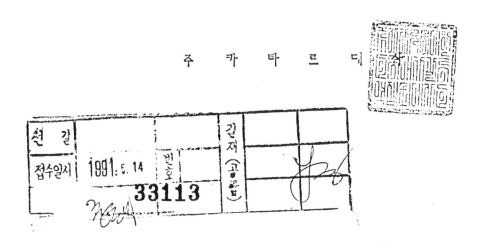

접수일시 1991. 6. 14
33113

0167

بسم الله الرحمن الرحيم

**Environment
Protection Committee**

Secretariat General
Telephone : 320825
Fax : (0974) 415246
Telex : 4579 EPC DH
P. O. Box : 7634
DOHA QATAR

اللجنة الدائمة لحماية البيئة
الأمــانـــة العـــامـــة
هــاتف : ٣٢٠٨٢٥
فاكس : (٠٩٧٤) ٤١٥٢٤٦
تلكس : EPC ٤٥٧٩ ده
ص . ب : ٧٦٣٤
الدوحــة ـ قطــر

Ref. :   AAM/yg/057

Date :   8th May 1991

الاشارة :

التاريخ :

H.E. Mr.Nae-Hyony Yoo
Ambassador of The Republic of Korea
P.O. Box 3727
Doha.

Your Excellency,

With reference to your letter dated 18/3/91 we would
like to express our highest appreciation and gratitute
to The Government of Korea for assisting us in combating
the oil pollution and reducing its effect on the vital
and sensitive instalation in the coast line by providing
us with oil spill control absorbent.

We also like to express our higest appreciation to
Your Excellency for the assistance you have provided
us in this matter.

Please accept Your Excellency the assurance of my highest
consideration.

Yours faithfully,

Abdul Aziz Abdulla AL Midfa
Director General.

0168

외교문서 비밀해제: 걸프 사태 46
걸프 사태 주변국 지원 4: 터키, 모로코, 쿠웨이트, 기타

초판인쇄 2024년 03월 15일
초판발행 2024년 03월 15일

지은이 한국학술정보(주)
펴낸이 채종준
펴낸곳 한국학술정보(주)
주 소 경기도 파주시 회동길 230(문발동)
전 화 031-908-3181(대표)
팩 스 031-908-3189
홈페이지 http://ebook.kstudy.com
E-mail 출판사업부 publish@kstudy.com
등 록 제일산-115호(2000. 6. 19)

ISBN   979-11-7217-008-0 94340
        979-11-6983-960-0 94340 (set)